Aprendendo Inglês Como Segundo Idioma PARA LEIGOS

Por Gavin Dudeney e Nicky Hockly

ALTA BOOKS
EDITORA
Rio de janeiro, 2011

Aprendendo Inglês como Segundo Idioma Para Leigos Copyright © 2011 da Starlin Alta Con. Com. Ltda.
ISBN 978-85-7608-561-4

Produção Editorial:
Starlin Alta Con. Com. Ltda

Gerência Editorial
Anderson da Silva Vieira
Carlos Almeida

Supervisão de Produção
Angel Cabeza
Augusto Coutinho
Leonardo Portella

Equipe Editorial
Andréa Bellotti
Deborah Marques
Heloisa Pereira
Sérgio Cabral

Tradução
Patricia Cristina F. de Aguiar

Revisão Gramatical
Mariflor Damião Nascimento

Revisão Técnica
Aderbal Torres
Bacharel em Letras (UERJ)

Diagramação
Claudio Frota

Fechamento
Hermann Kyaw Neto

Translated From Original Learning English as a Foreign Language For Dummies 978-0-470-74747-6 Copyright © 2010 by Wiley Publishing, Inc. All rights reserved including the right of reproduction in whole or in part in any form. This translation was published by arrangement with Wiley Publishing, Inc.

Portuguese language edition Copyright © 2011 da Starlin Alta Con. Com. Ltda. All rights reserved including the right of reproduction in whole or in part in any form. This translation was published by arrangement with Wiley Publishing, Inc

"Willey, the Wiley Publishing Logo, for Dummies, the Dummies Man and related trad dress are trademarks or registered trademarks of John Wiley and Sons, Inc. and/or its affiliates in the United States and/or other countries. Used under license.

Todos os direitos reservados e protegidos pela Lei 9.610 de 19/02/98. Nenhuma parte deste livro, sem autorização prévia por escrito da editora, poderá ser reproduzida ou transmitida, sejam quais forem os meios empregados: eletrônico, mecânico, fotográfico, gravação ou quaisquer outros.

Todo o esforço foi feito para fornecer a mais completa e adequada informação. Contudo, a editora e o(s) autor(es) não assumem responsabilidade pelos resultados e usos da informação fornecida.

Erratas e atualizações: Sempre nos esforçamos para entregar ao leitor um livro livre de erros técnicos ou de conteúdo. Porém, nem sempre isso é conseguido, seja por motivo de alteração de software, interpretação ou mesmo quando há alguns deslizes que constam na versão original de alguns livros que traduzimos. Sendo assim, criamos em nosso site, www.altabooks.com.br, a seção *Erratas*, onde relataremos, com a devida correção, qualquer erro encontrado em nossos livros.

Avisos e Renúncia de Direitos: Este livro é vendido como está, sem garantia de qualquer tipo seja expressa ou implícita.

Marcas Registradas: Todos os termos mencionados e reconhecidos como Marca Registrada e/ou comercial são de responsabilidade de seus proprietários. A Editora informa não estar associada a nenhum produto e/ou fornecedor apresentado no livro. No decorrer da obra, imagens, nomes de produtos e fabricantes podem ter sido utilizados, e, desde já, a Editora informa que o uso é apenas ilustrativo e/ou educativo, não visando ao lucro, favorecimento ou desmerecimento do produto fabricante.

Impresso no Brasil

O código de propriedade intelectual de 1º de julho de 1992 proíbe expressamente o uso coletivo sem autorização dos detentores do direito autoral da obra, bem como a cópia ilegal do original. Esta prática, generalizada, nos estabelecimentos de ensino, provoca uma brutal baixa nas vendas dos livros, a ponto de impossibilitar os autores de criarem novas obras.

Dados Internacionais de Catalogação na Publicação (CIP)

D845a	Dudeney, Gavin. Aprendendo inglês como segundo idioma para leigos / por Gavin Dudeney e Nicky Hockly ; [tradução Patricia Cristina F. de Aguiar]. – Rio de Janeiro, RJ : Alta Books, 2011. 352 p. : il. + 1 disco sonoro (xx min). – (Para leigos) Inclui apêndice. Tradução de: Learning english as a foreign language for dummies. ISBN 978-85-7608-561-4 1. Língua inglesa - Estudo e ensino. 2. Língua inglesa - Fala. 3. Língua inglesa - Gramática I. Hockly, Nicky. II. Título. III. Série. CDU 802.0 CDD 420.7

Índice para catálogo sistemático:
1. Língua inglesa   802.0

(Bibliotecária responsável: Sabrina Leal Araujo – CRB 10/1507)

ALTA BOOKS
EDITORA

Rua Viúva Cláudio, 291 – Bairro Industrial do Jacaré
CEP: 20970-031 – Rio de Janeiro – Tels.: 21 3278-8069/8419 Fax: 21 3277-1253
www.altabooks.com.br – e-mail: altabooks@altabooks.com.br

Sobre os Autores

Gavin Dudeney escreveu *The Internet & The Language Classroom* e é coautor do livro *How to Teach English with Tecnology*, que ganhou o *International House Ben Warren Trust Prize* de 2007 pela grande proeminência da obra, na área de ensino de idiomas. Gavin é o diretor de projeto do The Consultants-E, uma consultoria educacional premiada pela *British Council*.

Nicky Hockly é professora de idiomas, instrutora de professores, consultora e diretora pedagógica do The Consultants-E. Ela ministra seminários, workshops em empresas e cursos de treinamento para professores em todo mundo. Nicky também escreve regularmente artigos, colunas em revistas e publicações voltadas para professores. É coautora, junto com Gavin, do livro *How to Teach English with Tecnology*.

Dedicatória

Do Gavin: Como sempre, dedico este livro aos meus pais, sem os quais (literalmente) não o teria escrito.

Da Nicky: Agradeço de coração aos meus alunos, que me fizeram perceber o quão idiossincrática a língua inglesa pode ser.

Agradecimentos

Este livro foi inspirado em todas as pessoas que, como nós, deram duro – algumas vezes com sucesso, outras nem tanto – para aprender uma língua estrangeira. E, cá entre nós, estudamos francês, espanhol, catalão, alemão, italiano, polonês, latim e indonésio! Nossos amigos de todos esses países são os melhores juízes para falar de nossa proficiência, em cada idioma. Como professores de inglês, este livro surgiu graças a todos os alunos que tivemos o privilégio de ensinar, ao longo de vinte anos e com os quais aprendemos muito mais do que eles, possivelmente, aprenderam conosco.

Sumário Resumido

Introdução 1

Parte I: Começando 7
    Capítulo 1: Você Já Sabe Um Pouco de Inglês 9
    Capítulo 2: Gramática Básica da Língua Inglesa 21
    Capítulo 3: Conhecendo Pessoas 41

Parte II: Inglês em Ação 53
    Capítulo 4: Compras e Números 55
    Capítulo 5: Fazendo Refeições em Casa e na Rua 75
    Capítulo 6: Saindo da Cidade 99
    Capítulo 7: Hobbies e Tempo Livre 115
    Capítulo 8: Falando ao Telefone 131
    Capítulo 9: No Trabalho e em Casa 153
    Capítulo 10: Inglês Escrito 179

Parte III: Inglês a Caminho 197
    Capítulo 11: Dinheiro, Dinheiro, Dinheiro 199
    Capítulo 12: Encontrando um Lugar para Ficar 213
    Capítulo 13: A Caminho 227
    Capítulo 14: Lidando com Emergências 257

Parte IV: A Parte dos Dez 271
    Capítulo 15: Dez Maneiras de Aprender Inglês Rapidamente 273
    Capítulo 16: Dez Expressões Muito Usadas na Língua Inglesa 281
    Capítulo 17: Dez (na verdade 11) Datas Comemorativas Celebradas pelos Ingleses 287
    Capítulo 18: Dez Expressões que o Fazem Soar Fluente em Inglês ... 295

Parte V: Apêndices 303
    Apêndice A: Verbos Formados Com Mais de Uma Palavra
        Phrasal Verbs 305
    Apêndice B: Verbos Comuns e Irregulares 313
    Apêndice C: Nos arquivos de áudio 327

Índice Remissivo 329

Sumário

Introdução 1

    O Que Há de Especial na Língua Inglesa? 1
    Sobre Este Livro 2
    Convenções Usadas Neste Livro 2
    Suposições Tolas 2
    Como este Livro Está Organizado 3
        Parte I – Começando 3
        Parte II – Inglês em Ação 3
        Parte III – Inglês a Caminho 3
        Parte IV – A Parte dos Dez 4
        Parte V – Apêndices 4
    Ícones Usados Neste Livro 4
    Para onde ir a Partir Daqui? 5

Parte I: Começando 7

Capítulo 1: Você Já Sabe Um Pouco de Inglês 9

    Perceba o Que Você Já Sabe em Inglês 9
    Fuja dos Falsos Amigos no Idioma 10
    Diferenças entre o Inglês Britânico e o Americano 11
    Empréstimos Linguísticos 13
    Aperfeiçoe a Pronúncia e a Tonicidade 14
        Entenda os fonemas 14
        Ênfase nas palavras e frases 15
    Examinando a Entonação 18

Capítulo 2: Gramática Básica da Língua Inglesa 21

    Elabore Frases Simples 22
    Trabalhe com Frases Mais Complexas 23
    Forme Perguntas em Inglês 24
        Perguntas em relação ao sujeito ou objeto 26
        Perguntas indiretas 26
        Question tags 28
    Trabalhando com Tempos Verbais 29
        Tempos verbais do presente 29
        Passado 32
        Futuro 35
        Outras expressões 37
    Orações Condicionais 38

Capítulo 3: Conhecendo Pessoas............................41
Conversando com Estranhos 41
Falando do Tempo 43
Minha Família e Outros Animais...................... 45
Contando Casos e Piadas............................. 46

Parte II: Inglês em Ação........................53

Capítulo 4: Compras e Números.............................55
Fazendo Compras na High Street 55
    Horário de funcionamento das lojas 58
    Comprando roupas e sapatos 59
No Supermercado..................................... 64
Visitando o Mercado 66
    Comprando frutas e vegetais..................... 66
    Comprando carne e peixe......................... 66
    Medidas: pesos e quantidades 67
Decifrando os Números............................... 69
    Dinheiro.. 70
    Datas... 71
    Andares de prédios.............................. 72

Capítulo 5: Fazendo Refeições em Casa e na Rua 75
Conhecendo as Refeições Britânicas.................. 75
    Café da manhã 75
    Almoço.. 76
    Jantar 77
Fazendo Refeições em Casa 77
    Pedindo comida para viagem...................... 77
    Jantando na casa de um amigo 78
Saindo para Comer................................... 80
    Escolhendo onde comer 80
    Reservando uma mesa............................. 85
    Chegando ao restaurante......................... 86
    Fazendo o pedido................................ 87
    Reclamando da comida 89
    Pedindo a sobremesa e o café 91
    Pedindo a conta e dando gorjeta 92

Capítulo 6: Saindo da Cidade 99
Convidando Alguém Para Sair......................... 99
Marcando um Encontro............................... 101
Decidindo para Onde Ir............................. 104
    Cinema 104
    Shows.. 106
    Pubs 106
Visitando Amigos 110
Sobre o Que Falar?................................. 112

Capítulo 7: Hobbies e Tempo Livre 115

Falando de Seus Hobbies. 115
    Sei do que gosto!. 116
    O que já fiz. 117
    Nem tanto quanto eu gostaria. 117
    Bem a tempo. 118
Divertindo-se em Lugares Fechados. 119
    Na televisão. 121
    Leia sobre isso. 123
Ao ar Livre 124
Esportes 124
    Praticando esportes 125
    Matriculando-se em um clube ou academia 126
    Assistindo a jogos 127

Capítulo 8: Falando ao Telefone. 131

Diferentes Tipos de Chamada 131
    Chamadas informais. 133
    Telefonando para pedir informações. 135
    Serviço de atendimento automático 139
    Chamadas de trabalho. 140
    Teleconferências 141
Mensagens. 142
    Correio de voz. 143
    Deixando e recebendo mensagens 144
    Números de telefone e soletração 147
    Mensagens de texto 148
Lidando com Problemas de Comunicação. 148

Capítulo 9: No Trabalho e em Casa 153

Trabalhando no Reino Unido 153
    Encontrando um emprego 154
    Chegando ao trabalho. 156
    Chegando a uma recepção. 157
    Falando de seu trabalho 158
    Encontro de negócios 159
Observando as Moradias do Reino Unido. 161
    Endereços. 163
    E-mail e endereços de internet. 164
    Típicas casas britânicas. 166
Encontrando um Lugar Para Morar 167
    Dividindo um apartamento. 168
    Convidando pessoas e hospedando-se 172

Capítulo 10: Inglês Escrito. 179

Lendo Jornais e Revistas 179
    Entendendo as manchetes de jornais 182
    Anúncios pessoais 182
    Lendo seu horóscopo. 184

Decifrando placas... 186
Preenchendo Formulários... 189
Escrevendo Cartas... 191
Comunicando-se Eletronicamente... 192
Diferenciando o Inglês Escrito do Falado... 193

Parte III: Inglês a Caminho... 197

Capítulo 11: Dinheiro, Dinheiro, Dinheiro... 199

Mostrando a Grana: Moedas e Cédulas... 199
Sacando Dinheiro num Caixa Eletrônico... 200
Usando o Cartão de Crédito... 202
    Pagando com cartão... 202
    Ih! Perdi o cartão!... 203
Indo ao Banco... 205
Realizando Operações de Câmbio... 206
Enviando e Eecebendo Dinheiro de Outro País... 209

Capítulo 12: Encontrando um Lugar para Ficar... 213

Acomodações... 213
    Albergues da juventude... 213
    Guesthouses e B&Bs... 214
    Hotéis... 214
Fazendo Reservas... 217
    Reservas pela internet... 217
    Reservas pelo telefone... 218
Check-in (Registro)... 221
Reclamando das Acomodações... 222
Check-out (Saída)... 223

Capítulo 13: A Caminho... 227

Fazendo Planos de Viagem... 227
    Viajando para o Reino Unido... 228
    Estadia legal: visto e passaporte... 228
    O que levar na mala?... 228
    Estando em Roma...... 229
    Lugares para se visitar... 231
Reservando um Voo... 232
    Check-in e segurança... 235
    Alimentação e compras em trânsito... 237
    Aterrissando e saindo do aeroporto... 238
Dando uma Volta... 240
    Usando o metrô... 240
    Viajando de trem... 242
    Pegando ônibus... 244
    Pegando um táxi... 246
Alugando um Carro... 246
Pedindo Informações... 248
Descrevendo Cidades... 251

Capítulo 14: Lidando com Emergências 257

Conseguindo Ajuda Rapidamente 257
Lidando com Problemas de Saúde.................................. 258
    Descrevendo os seus sintomas 258
    Indo ao dentista 261
Crimes e Problemas Legais 262
    Envolvendo-se em um problema 262
    Comunicando um problema................................... 264
Problemas com Visto e Estadia 267

Parte IV: A Parte dos Dez *271*

Capítulo 15: Dez Maneiras de Aprender Inglês Rapidamente 273

Passando Algum Tempo no Reino Unido............................. 273
Viajando para Países de Língua Inglesa 274
Sintonizando o Rádio e a TV...................................... 274
Ouvindo Música e Podcasts....................................... 275
Assistindo a Filmes e DVDs 276
Navegando na Rede 277
Conversando com um Amigo Virtual 277
Criando um Avatar no Second Life................................. 278
Lendo Livros 279
Exercitando-se com Jogos 279

Capítulo 16: Dez Expressões Muito Usadas na Língua Inglesa ... 281

A Bit Much.. 281
At the End of the Day 282
Fancy a Drink?... 283
Fingers Crossed 283
Good Weekend? 284
How's it Going? 284
See You Later 285
Tell Me About It! 285
Text Me... 285
You Must Be Joking! 286

Capítulo 17: Dez (na Verdade 11) Datas Comemorativas
Celebradas pelos Ingleses 287

Celebrações Multiculturais (multicultural celebrations)................ 288
Feriados Oficiais (Public or Bank Holidays) 289
Ano-Novo (New Year) – 1º de Janeiro.............................. 289
Ano-Novo Chinês (Chinese New Year) – Janeiro e Fevereiro............ 290
Valentine's Day (Dia dos Namorados) – 14 de Fevereiro................ 290
Dia de São Patrício (St Patrick's Day) – 17 de Março 291
Dia das Mães (Mother's Day) e Dia dos Pais (Father's Day) – Março
   e Junho.. 291
Carnaval de Notting Hill (Notting Hill Carnival) – Londres, Agosto 292
Halloween (31 de Outubro) 292

　　　　Noite das Fogueiras (Bonfire Night) – 5 de Novembro 293
　　　　Dia do Armistício (Armistice Day) – 11 de Novembro.................... 293

　　Capítulo 18: Dez Expressões que o Fazem Soar Fluente em Inglês **295**
　　　　Actually 295
　　　　Bless You! 296
　　　　Bon Appétit! 297
　　　　Come to Think of It.. 297
　　　　Do You See what I Mean?... 298
　　　　Hang on a Minute 298
　　　　Lovely Day! 299
　　　　Not Being Funny, but... 300
　　　　The Thing is... 301
　　　　You Know What?... 302

Parte V: Apêndices. *303*

　　Apêndice A: Verbos Formados Com Mais de Uma Palavra – Phrasal Verbs **305**
　　　　Definindo os Phrasal Verbs 305
　　　　Entendendo Por que os Phrasal Verbs São Especiais 307
　　　　Praticando os Phrasal Verbs...................................... 308
　　　　Phrasal Verbs Mais Comuns 310

　　Apêndice B: Verbos Comuns e Irregulares **313**
　　　　Verbos Comuns em Inglês 313
　　　　　　Can / be able to... 314
　　　　　　Do... 315
　　　　　　Get 317
　　　　　　Have 318
　　　　　　Look 320
　　　　　　Make... 322
　　　　Verbos Irregulares 323
　　　　Verbos Modais.. 325
　　　　　　Possibilidade e probabilidade 325
　　　　　　Obrigação, permissão e proibição 326

　　Apêndice C: Nos arquivos de Áudio **327**

Índice Remissivo *329*

Introdução

Ao longo das últimas décadas, o inglês se tornou a língua global. Aproximadamente 470 milhões de pessoas em todo mundo se comunicam, regularmente, em inglês e esse número está crescendo. Há mais pessoas que falam inglês como segunda língua ou como língua estrangeira do que falantes nativos monolíngues. Muitos países incluem o estudo do idioma desde a escola primária e grande parte dos pais sabe que tal conhecimento ajudará seus filhos a conseguir melhores empregos, no futuro. Nações são incisivas quanto ao aperfeiçoamento da proficiência de seus cidadãos para lhes assegurar a entrada no mercado global. Em resumo, o inglês, hoje em dia, é um idioma de importância mundial.

O Que Há de Especial na Língua Inglesa?

Quando o assunto são os países que falam inglês, você provavelmente pensa em lugares como o Reino Unido, os Estados Unidos, a Austrália, o Canadá ou a Nova Zelândia. Mas o inglês é o idioma oficial em muitas outras nações e seus cidadãos são bastante proficientes – pense na Índia, Cingapura, Malásia, Nigéria, Quênia e Ilhas Maurício, só para citar algumas delas.

Uma das coisas interessantes a respeito da língua inglesa é que ela está sendo usada cada vez mais como "língua franca" (ou idioma comum). Assim, pessoas de todos os países conseguem se comunicar. Por exemplo, em uma reunião de negócios em Bangcoc, Tailândia, com participantes da China, Japão, Coreia, Tailândia e Indonésia, o idioma é geralmente o inglês. Da mesma forma, um encontro comercial em Munique, Alemanha, com pessoas da Suécia, Grécia, Itália, Alemanha e França, acontece quase sempre em inglês.

Falar inglês está se tornando cada vez mais importante no mundo de hoje. É nesse ponto que *Aprendendo Inglês como Segundo Idioma Para Leigos* pode ajudá-lo. Neste livro, oferecemos um vasto material de estudo. Apresentamos situações formais para você se comunicar no trabalho, falar ao telefone e escrever e-mails. Também mostramos muitas situações do dia a dia para que você possa pedir refeições em restaurantes, pegar ônibus ou trem e alugar um apartamento.

Em *Aprendendo Inglês como Segundo Idioma Para Leigos*, demonstramos como falar algumas das palavras mais difíceis. A pronúncia e a entonação também ganham vida nos arquivos de áudio que acompanham este livro. Você certamente usará o inglês para se comunicar com falantes de todos os tipos (nativos ou não). Por isso, usamos diversos sotaques nos áudios.

Sobre Este Livro

Aprendendo Inglês como Segundo Idioma Para Leigos coloca a sua disposição vocabulário para ser usado tanto em visitas curtas, ao Reino Unido, como em longas estadias a trabalho ou estudo. Este livro traz expressões e informações úteis às diversas situações cotidianas, desde uma simples compra no supermercado até piadas em pubs. Você conseguirá realizar as tarefas básicas, mas também conversar com seus vizinhos, novos amigos e colegas caso planeje ficar fora por um longo período. O livro permite que estude no seu ritmo e leia os capítulos em qualquer ordem. Dependendo de seu conhecimento prévio, pode pular algumas partes e ir diretamente para aquelas de que mais necessita.

Convenções Usadas Neste Livro

Veja como fizemos este livro para torná-lo mais fácil de ler:

- Você irá falar, bem como ler e escrever em inglês. Por isso, incluímos diálogos ao longo dos capítulos. Esses diálogos são chamados "Tendo uma Conversa" e mostram como usar certas palavras e expressões em uma conversa. Muitos desses diálogos também estão nos áudios disponíveis no site da editora . O apêndice C contém a lista completa dos diálogos.

- Memorizar palavras e expressões é importante, no aprendizado de um idioma. Por essa razão, reunimos todas as palavras novas contidas nos diálogos em um quadro intitulado "Palavras a Saber".

- A seção "Diversão & Jogos" aparece no final de cada capítulo para que você possa testar o que aprendeu (relaxe, nós também damos a resposta!).

- Endereços da internet aparecem no livro em fonte `andale mono`.

- Termos em inglês estão, geralmente, em *itálico*. Algumas vezes aparecem entre parênteses ou aspas.

Suposições Tolas

Para escrever este livro tivemos que presumir quem você é e o que espera de um livro chamado *Aprendendo Inglês como Segundo Idioma Para Leigos*. Nós supomos que:

- Você já sabe um pouco de inglês. Talvez tenha estudado o idioma durante algum tempo ou aprendido por meio de músicas pop, filmes ou programas de televisão.

- ✔ Você precisa de um livro que o ajude a organizar e revisar o inglês que já sabe. Necessita de um livro que mostre como usar o idioma em conversas reais.

- ✔ Você quer aprender o inglês da vida real, aquele que é usado no dia a dia. Ou você planeja passar algum tempo em países de língua inglesa, como férias ou encontro de negócios, ou deseja ficar bastante tempo fora, trabalhando ou estudando.

- ✔ Você gosta de estudar em seu próprio ritmo, no seu tempo. Sabe quais são seus pontos fortes no idioma, quais as áreas que deve revisar e aquelas em que precisa de ajuda. Quer escolher quando e quais capítulos ler.

- ✔ Você deseja estudar de forma prazerosa e revisar palavras e expressões úteis ao mesmo tempo.

Se essas afirmativas se encaixam em seu perfil, você encontrou o livro certo.

Como este Livro Está Organizado

Este livro é dividido em cinco partes e cada uma delas, em capítulos. As seguintes seções mostram que tipo de informação você encontra em cada uma.

Os sites listados neste livro encontram-se em inglês e podem ser alterados ou desativados a qualquer momento pelos seus mantenedores, sendo assim, a Alta Books não controla ou se responsabiliza por qualquer conteúdo de terceiros.

Parte I – Começando

Nessa parte do livro revisamos o inglês fundamental. Se você conhece um pouco mais do idioma, talvez queira pular essas páginas e ir direto para as seções nas quais falamos de comunicação. Na Parte I estão as palavras internacionais (os empréstimos linguísticos) que provavelmente já conhece, a pronunciação básica e algumas expressões essenciais. Você também encontra um resumo dos principais tempos verbais (present, past, future), vê as orações condicionais e a elaboração de perguntas e negativas.

Parte II – Inglês em Ação

Nessa parte introduzimos o uso efetivo do inglês. Em vez de focarmos nos pontos gramaticais, apresentamos situações cotidianas de bate-papo, compras, lazer, alimentação e atividades relacionadas com o trabalho como falar ao telefone e escrever e-mails.

Parte III – Inglês a Caminho

Nessa parte apresentamos o que você precisa saber para se comunicar em um banco, em um hotel, na estrada, no avião, no trem ou no táxi. Falamos de todos os aspectos relativos à locomoção no Reino Unido, incluindo os procedimentos durante emergências.

Parte IV – A Parte dos Dez

Se você gosta de informação em doses pequenas e efetivas, essa parte é para você. Aqui oferecemos dez maneiras de aprender o idioma de forma rápida, dez frases muito usadas na língua inglesa, dez feriados que os ingleses celebram e dez expressões que o fazem soar fluente em inglês.

Parte V – Apêndices

Essa parte contém informações importantes que você pode usar como referência. Nós incluímos os verbos preposicionados (phrasal verbs) que os falantes nativos usam muito em conversas, mas que são difíceis para os não nativos aprender e usar corretamente. Apresentamos alguns dos verbos mais empregados em inglês e revisamos os irregulares. Também listamos as faixas que estão nos arquivos de áudio disponíveis no site da editora. Assim, você pode encontrar esses diálogos no texto e acompanhá-los.

Ícones Usados Neste Livro

Você pode estar buscando uma informação em particular ao ler este livro. Para fazer com que certos tipos de informação estejam facilmente acessíveis, os seguintes itens encontram-se na margem esquerda das páginas:

Se deseja informações ou esclarecimentos a respeito da cultura no Reino Unido, procure por este ícone.

Os arquivos de áudio que acompanham este livro lhe dão a oportunidade de ouvir falantes de inglês nativos e não nativos. Esse recurso o ajuda a entender o inglês falado, que muitas vezes soa diferente da forma escrita.

Este ícone mostra dicas e indica expressões que, ao serem utilizadas, fazem parecer que você é um falante experiente, mesmo que seu nível de inglês não seja assim tão avançado.

O alvo enfatiza informações úteis para sua jornada, na língua inglesa.

 Este ícone alerta a respeito de erros comuns que falantes não nativos cometem, em inglês. Ele o avisa o que não falar e também mostra palavras que podem ser facilmente confundidas.

Para Onde ir a Partir Daqui?

Para aprender uma língua é preciso dar o primeiro passo e praticar tanto quanto possível. Isso inclui ler a respeito do idioma. Então, comece agora. Você pode iniciar o estudo lendo o livro desde o começo, escolhendo um capítulo que o interessa ou usando os arquivos de áudio disponíveis para download no site da editora para ouvir alguns diálogos. Tente repetir o que escuta. Em pouco tempo você terá confiança o suficiente para sair pelo mundo, usando seu inglês.

Parte I
Começando

A 5ª Onda   por Rich Tennant

"Isso vai ajudá-lo a entender quais palavras precisam ser enfatizadas."

Nesta parte...

Vamos mostrar que você provavelmente já sabe mais do que imagina! Mesmo que pense, "Não entendo nada de inglês porque não estudei isso na escola", temos certeza de que já aprendeu muita coisa. Olhe a sua volta – é provável que esteja cercado de muitas palavras – nas revistas e na publicidade das ruas de onde mora –, que ouça inglês na televisão e em filmes e use palavras da língua inglesa quando fala seu próprio idioma.

Na Parte I mostramos um pouco de pronúncia em inglês, fornecemos frases essenciais para uma viagem rápida e revisamos tópicos elementares da gramática. Dessa forma, você tem o conteúdo que precisa para cumprimentar e conhecer pessoas e para manter conversas. Ao final desta parte, você terá aprendido o básico para sair por aí e conhecer pessoas em inglês.

Capítulo 1
Você Já Sabe Um Pouco de Inglês

Neste capítulo

▶ Percebendo o que já sabe

▶ Evitando constrangimentos linguísticos

▶ Usando palavras "estrangeiras" em inglês

▶ Praticando a pronúncia, a tonicidade e a entonação do inglês

Bem-vindo ao início da aventura. Se você está lendo este livro é porque talvez já more em algum país de língua inglesa ou planeje viajar daqui a algum tempo. De qualquer forma, você busca uma maneira de melhorar o nível de seu inglês e descobrir um pouco mais sobre essa cultura. Nesse caso, parabéns, você fez a escolha certa!

Este livro o guia por entre as complexidades do inglês cotidiano e ensina algumas coisas a respeito da vida no Reino Unido. Quando terminar, parecerá que você viveu fora por muitos anos. Aprenderá a se expressar como um nativo – não só as palavras e a gramática, mas também as ideias e as particularidades que fazem os ingleses serem quem são. Resumindo, você se sentirá íntimo de todo esse universo. Surpreenda seus amigos com o traquejo social e impressione seu chefe com a habilidade ao telefone e a desenvoltura em reuniões.

Então, se estiver pronto, podemos começar. Neste capítulo, exploraremos o que você já sabe da língua inglesa e veremos tópicos elementares: falsos cognatos, empréstimos linguísticos, pronúncia, cadência e entonação.

Perceba o Que Você Já Sabe em Inglês

Não importa qual a sua idade ou o lugar de onde venha, há uma grande possibilidade de que já saiba algumas palavras em inglês. Pense naquelas músicas famosas que ouviu durante toda a vida. Você pode ser do tempo dos Beatles ou dos Rolling Stones ou gostar de bandas mais recentes como o Coldplay ou o U2, mas se você passa uma parte de seu tempo ouvindo música ou assistindo à MTV, então, provavelmente, já tem um grande vocabulário, em inglês.

É claro que o vocabulário das músicas pode não ser apropriado para determinados contextos. Você estará seguro com "Hello Goodbye" dos Beatles, mas não é uma boa ideia usar muito da linguagem dos raps, por exemplo. A maior parte dessas palavras não condiz com o local de trabalho.

Além disso, você já deve ter visto muitos filmes em inglês, ao longo dos anos e aprendeu palavras que só esperam a hora de serem ditas. Você também deve usar regularmente a internet, que ainda tem a maior parte de seu conteúdo em inglês. Talvez utilize seu inglês no trabalho ou apenas socialmente.

Quando tiver um tempo livre, escute uma música em inglês, leia uma revista mais simples ou um artigo de jornal on-line. O que você entende? É bem provável que reconheça um monte de palavras, mesmo que não compreenda tudo o que diz a canção ou a matéria. Isso é resultado do contato que teve com o inglês: você já viu, ouviu e leu muitas coisas. Na verdade, é a exposição ao idioma que pode ajudá-lo a se tornar fluente mais rápido. Essa é uma boa lição para se aprender bem no começo do livro – leia, fale e ouça o quanto mais puder. Esperamos que você se torne fluente bem rápido.

Fuja dos Falsos Amigos no Idioma

Quando falamos dos falsos amigos no idioma, estamos falando das palavras que parecem e/ou soam similares em duas línguas, mas que têm significados totalmente diferentes. Os falsos amigos podem constranger o falante e muitas vezes estão ironicamente ligados a questões delicadas.

Um exemplo típico é a palavra *preservative*, que, em geral, faz referência aos produtos químicos usados para conservar alimentos. Pessoas de muitas partes da Europa reconhecem essa palavra, mas para elas *preservative* pode dar a ideia de um meio contraceptivo – a camisinha (preservativo em português e *préservatif* em francês). Confundi-las pode gerar situações engraçadas na drogaria local.

Da mesma forma, um falante de espanhol, ao ouvir algo a respeito de alguém que ficou *embarrassed*, pode se surpreender ao descobrir que não há bebês envolvidos nessa situação – *embarazar*, em algumas variações do espanhol, é engravidar.

Se um falante de português for à drogaria e pedir um remédio alegando que está *constipated*, certamente conseguirá algo que o ajude a ir ao banheiro, mas nada para resfriado – o que a palavra, em português, quer dizer.

Capítulo 1: Você Já Sabe um Pouco de Inglês **11**

Não há como aprender ou listar por completo todas essas palavras em um livro porque elas aparecem em uma grande variedade de contextos. Preste sempre atenção e anote quando ouvir qualquer uma delas. É provável que você, em certo momento, use de forma incorreta uma palavra de sua língua que tenha a forma parecida em inglês, mas não se preocupe com isso. Aprenda com essas situações.

Diferenças entre o Inglês Britânico e o Americano

Muitas palavras diferem entre o inglês americano e o britânico. George Bernard Shaw disse: "A Inglaterra e os Estados Unidos são dois países divididos por uma língua em comum". Ele estava, em parte, correto. Em particular, no que se refere a certas palavras e usos diferentes de tempos verbais. Por exemplo, os ingleses geralmente usam o presente perfeito (present perfect tense) para descrever uma ação completada recentemente. Os americanos usam o passado simples. Imagine que você acabou de tomar seu café da manhã. Um britânico perguntaria: "*Have you finished breakfast yet?*". Por outro lado, é mais fácil um americano perguntar: "*Did you finish breakfast yet?*".

Listamos aqui as diferenças mais comuns entre o inglês americano e britânico:

Inglês britânico	*Inglês americano*	*Português*
anywhere	anyplace	em qualquer lugar
autumn	fall	outono
bill	check	conta (em um restaurante)
biscuit	cookie	biscoito
bonnet	hood	capô (de um carro, na frente)
boot	trunk	porta-malas (de um carro, atrás)
chemist	drugstore	drogaria
chips	french fries	batata frita
cinema	movies	cinema
crisps	potato chips	batata frita tipo de saquinho
crossroads	intersection	cruzamento
dustbin	trashcan	lata de lixo
film	movie	filme
flat	apartment	apartamento
ground floor	first floor	térreo

Inglês britânico	Inglês americano	Português
holiday	vacation	férias
lift	elevator	elevador
lorry	truck	caminhão
mobile	cellphone	telefone celular
motorway	freeway	autoestrada
nappy	diaper	fralda
pants	shorts	calças curtas
pavement	sidewalk	calçada
petrol	gas(oline)	gasolina
post	mail	correio
postcode	zip code	código de endereçamento postal (cep)
pub	bar	bar
return (ticket)	round-trip (ticket)	passagem de ida e volta
rubber	eraser	borracha
shop	store	loja
single (ticket)	one-way (ticket)	passagem de ida
sweets	candy	doces
tap	faucet	torneira
taxi	cab	táxi
timetable	schedule	horário
toilet	bathroom, restroom	banheiro
trousers	pants	calças compridas
tube (train)	subway	metrô
vest	undershirt	camiseta
wallet	billfold	carteira para notas
zip	zipper	fecho de correr

Empréstimos Linguísticos

As palavras internacionais ou empréstimos linguísticos são vocábulos emprestados de outras línguas. É possível que você encontre uma palavra ou duas de sua língua porque o inglês fez empréstimos de quase todas as línguas.

A Figura 1-1 mostra as principais influências no vocabulário da língua inglesa.

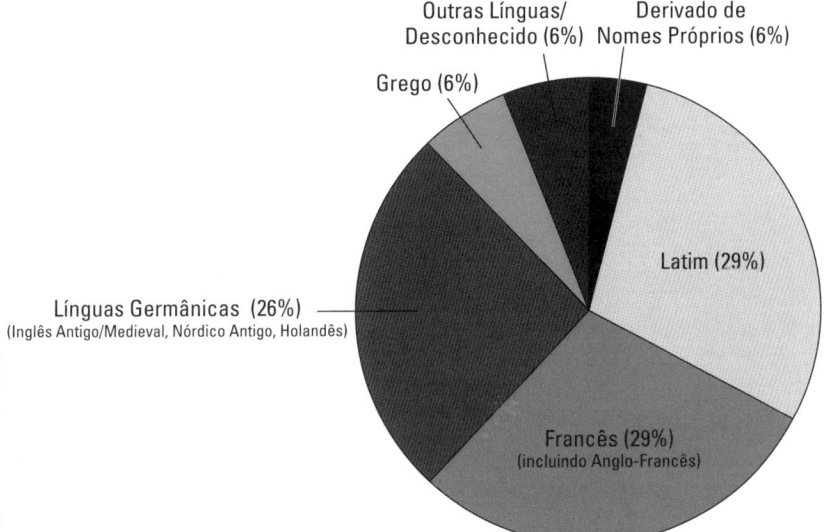

Figura 1-1: As principais influências no vocabulário inglês.

Palavras das "outras línguas" constituem apenas 6% do inglês, mas é nesse grupo que você possivelmente encontrará palavras da sua. Aqui estão alguns exemplos:

Ketchup	Amoy (chinês)
Robot	Tcheco
Paper	Egípcio
Igloo	Inuíte (esquimó)
Yeti	Tibetano
Walrus	Norueguês
Paprika	Húngaro
Karate	Japonês
Yoghurt	Turco
Horde	Polaco

Em geral, os empréstimos vêm dos primeiros encontros com algo novo e as palavras, na maior parte das vezes, sofrem modificações para soarem mais parecidas com o idioma que toma emprestado. Então, quando o escritor tcheco Karel Capek usou pela primeira vez a palavra *roboti* para descrever humanoides, em uma de suas peças (*roboti* é a palavra tcheca para "trabalho" ou "labuta") não demorou muito tempo para que os falantes de inglês a anglicizassem na forma de *robot*.

Esteja atento às palavras de seu idioma – você pode se surpreender. Há uma boa chance de que soe ouvir algo de seu país sendo usado cotidianamente na Grã-Bretanha, a palavra provavelmente soará bem familiar.

Aperfeiçoe a Pronúncia e a Tonicidade

De modo geral, a pronúncia diz respeito à maneira como você fala e a tonicidade refere-se à ênfase que você coloca, em certa parte da palavra ou frase. Em outros termos, a pronúncia é relativa aos sons e a tonicidade à intensificação de parte da palavra quando se fala. Por exemplo: "*This cake is delicious!*" (Este bolo é delicioso).

- A pronúncia da palavra delicious é *de-li-shus*. Note que a última sílaba se escreve "-cious", mas quando você fala diz "shus".

- *Delicious* tem três sílabas – *de-li-cious*. A segunda sílaba (li) é pronunciada com maior ênfase. Em outras palavras, é a parte onde está o acento tônico. Não se fala *de*-li-cious nem de-li-*cious*.

Entenda os fonemas

Nesta seção mostramos os fonemas do inglês britânico. Na coluna da esquerda da Figura 1-2 está a representação dos fonemas usando o alfabeto fonético internacional (AFI). Você pode checar a transcrição fonética de uma palavra ao lado de seu verbete no dicionário. Por exemplo:

/ju: nəˈvɜ:.si.ti/   university

Podemos falar o seguinte desse exemplo:

- A palavra tem cinco sílabas (geralmente há um espaço entre as sílabas).

- O acento tônico está na terceira sílaba (você pode ver o sinal de ' na sílaba tônica. Isso significa que a palavra é pronunciada *university*.

Capítulo 1: Você Já Sabe um Pouco de Inglês

A Figura 1-2 mostra os sons de consoante e vogal em inglês, de acordo com o AFI, na coluna da esquerda. Na coluna da direita há uma palavra como exemplo de cada som. Assim, você pode saber a maneira de pronunciá-los.

/p/	pen	/ʃ/	shut
/b/	boy	/ʒ/	measure
/t/	ten	/h/	hope
/d/	door	/m/	man
/k/	king	/n/	no
/g/	goal	/h/	human
/f/	friday	/l/	lad
/v/	van	/r/	ring
/θ/	think	/w/	week
/ð/	that	/j/	yet
/s/	sip	/tʃ/	change
/z/	zip	/dʒ/	gin
/I/	pink	/ɒ/	top
/e/	get	/ʊ/	measure
/æ/	tap	/ə/	potato
/ʌ/	shut		
/i:/	key	/u:/	shoe
/a:/	far	/ɜ:/	girl
/ɔ:/	law		
/eɪ/	may	/aʊ/	cow
/aɪ/	my	/ɪə/	here
/ɔɪ/	toy	/ɛa/	there
/əʊ/	no	/ʊə/	tour

Figura 1-2: Alfabeto Fonético Internacional.

Ênfase nas palavras e frases

Salientar a ênfase que você dá em determinadas partes da palavra ou em partes da frase. Aqui daremos uma rápida olhada nas frases enfatizadas.

A tonicidade nas palavras

Quando você fala uma palavra, não pronuncia todas as sílabas da mesma forma. Algumas sílabas são mais altas e fortes do que as outras. Esta é a chamada sílaba tônica. Ela tem mais importância quando se produz o som da palavra. Veja novamente o verbete universidade:

/juː.nɪˈvɜː.sɪ.ti/   university

Observando a transcrição fonética, você pode dizer que a palavra tem cinco sílabas (ou sons) por causa da forma como é escrita e a sílaba tônica é a terceira, pois é marcada com o sinal de ' antes da sílaba.

Veja quantas sílabas têm essas palavras:

Palavra	*AFI*	*Sílabas*
dog	/dɒg/	uma
quiet	/ˈkwaɪ ət/	duas
expensive	/ɪkˈspent .sɪv/	três
ceremony	/ˈser.ɪ.mə.ni/	quatro
unexceptional	/ˌʌn.ɪkˈsep.ʃən.nl/	cinco

Tendo uma Conversa

 Ouça agora como as palavras são pronunciadas:

1. Dog
2. Quiet
3. Expensive
4. Ceremony
5. Unexceptional

Consegue ouvir as sílabas tônicas?

Uma das formas de se descobrir as sílabas tônicas é olhar as palavras no dicionário. Mas, algumas vezes, é mais fácil fazer seus próprios registros da tonicidade. Um método que particularmente gostamos é usar letras "o" maiúsculas e minúsculas. Dessa maneira, a letra "o" minúscula representa a sílaba átona e a maiúscula ("O") a tônica. Assim:

Palavra	*Sílabas*	*AFI*	*Símbolo*
dog	uma	/dɒg/	O
quiet	duas	/ˈkwaɪ ət/	Oo
expensive	três	/ɪkˈspent .sɪv/	oOo
ceremony	quatro	/ˈser.ɪ.mə.ni/	Oooo
unexceptional	cinco	/ˌʌn.ɪkˈsep.ʃən.əl/	ooOoo

Essa é uma maneira rápida de lembrar como soa uma palavra. Tente se acostumar a manter registros da tonicidade. Veja se consegue encontrar padrões ou regras que possam ajudá-lo a recordar o ponto em que estão as sílabas tônicas, no vocabulário que mais usa.

A ênfase nas frases

Certas palavras nas frases também precisam de ênfase. As frases em inglês consistem de "palavras de conteúdo" (*content words*) e "palavras de estrutura" (*structure words*). As *content words* são as palavras importantes. São aquelas que, normalmente, comunicam o sentido da frase. As *structure words* dão forma à frase. Em geral, as *content words* são enfatizadas na frase:

>I've **done** the **shopping**. Please **cook lunch**.

>Fiz as compras. Por favor, prepare o almoço.

No exemplo, *as content words* estão em **negrito**. Você pode retirar as *structure words* e ainda assim, entender a frase:

>*Done shopping. Cook lunch.*

>Fiz compras. Prepare almoço.

É claro que ninguém fala desse jeito – isso parece mais com um recado escrito para alguém – mas, de fato mostra, que a ênfase na frase está nas palavras de conteúdo. Essa é uma regra básica, no entanto o ajuda a pensar em como a ênfase na frase é aplicada. Em geral, as seguintes regras são usadas, em uma frase, em inglês:

- A ênfase é dada às palavras de conteúdo.
- As palavras de estrutura não são enfatizadas.
- O tempo entre as palavras enfatizadas é sempre o mesmo.

A única exceção acontece quando se quer dar ênfase a certo termo:

>*Have you seen the latest James Bond film? No, I haven't – but I **did** see the one before.*

>Você viu o último filme de James Bond? Não, mas vi o anterior.

Aqui, *did* é enfatizado para destacar alguma informação nova ou para reforçar algo.

Examinando a Entonação

A entonação diz respeito à intensidade ou ao tom das frases. Aqui estão algumas regras a respeito da entonação em inglês:

- Com palavras interrogativas (wh-questions – what, where, who) a intensidade decresce no final da frase:

    What are you doing ↘ tonight?

    O que você fará à noite?

- Nas perguntas fechadas (yes/no questions) a intensidade geralmente aumenta no final:

    Are you coming to ↗ the cinema?

    Você irá ao cinema?

- Nas frases negativas, a intensidade decresce no final:

    No, I'm not ↘ coming to the cinema.

    Não, não vou ao cinema.

- Nas afirmativas, a intensidade decresce no final:

    He's a ↘ doctor. He works ↘ in Manchester.

    Ele é médico. Ele trabalha em Manchester.

Tendo uma Conversa

 Ouça agora a entonação nas frases:

1. *What are you doing tonight?* (intensidade decrescente)
   O que você fará à noite?

2. *He's a doctor?* (intensidade crescente)
   Ele é médico?

3. *Are you working on Saturday?* (intensidade crescente)
   Você trabalhará no sábado?

4. *No, I'm not working until next Monday.* (intensidade decrescente)
   Não, não trabalho até a próxima segunda.

5. *I'm a teacher. I work in London.* (intensidade decrescente)
   Sou professor. Trabalho em Londres.

Consegue perceber as sutis mudanças de entonação?

Diversão & Jogos

Procure essas palavras no dicionário ou use www.dictionary.com se tiver acesso à internet. Registre a tonicidade de cada uma e pratique repetindo-as em voz alta:

1. Teacher   Oo
2. Embarrassing   _____
3. Tomorrow   _____
4. Goodbye   _____
5. International   _____
6. Dictionary   _____
7. Intonation   _____
8. Pronunciation   _____
9. Languages   _____
10. Already   _____
11. Shopping   _____

Resposta:

1) Oo
2) oOoo
3) oOo
4) Oo
5) ooOoo
6) Oooo
7) ooOo
8) oooOo
9) Ooo
10) oOo
11) Oo

Capítulo 2
Gramática Básica da Língua Inglesa

Neste capítulo

▶ Começando com frases simples

▶ Construindo frases mais complexas

▶ Formando perguntas

▶ Estudando verbos e tempos verbais

▶ Trabalhando com orações condicionais

Muitas pessoas – incluindo alunos e alguns professores – acham que a gramática é a parte mais importante do idioma. E muitos deles acreditam que se você aprender a gramática, aprenderá também a língua. Isso não é uma verdade absoluta. Ela é a estrutura de um idioma – quando você conhece a gramática, sabe coisas como o passado dos verbos, a forma de usar as orações condicionais, como formular perguntas e por aí vai. Mas, a estrutura (a gramática) não tem muita utilidade se não puder montá-la e preenchê-la para formar algo concreto (comunicação com os outros). Mesmo que saiba todas as regras da gramática da língua inglesa, se não souber aplicá-las na conversação, tal conhecimento não será muito útil.

Uma forma muito eficaz de começar a se comunicar, mesmo sabendo só um pouco de gramática ou ter estudado ou ouvido quase nada de inglês, é memorizar partes ou porções da língua e saber o modo de usá-las. Na década de 1920, Harold Palmer, que é conhecido como o pai da linguística, disse que seria melhor que os alunos usassem seu tempo memorizando expressões ou bocados do idioma do que gastá-lo simplesmente estudando regras gramaticais.

Neste capítulo apresentamos a gramática essencial. No resto do livro, fornecemos porções do idioma na forma de expressões e questões que possam realmente ser usadas em diversas situações. Assim, você não precisa dar início necessariamente por este capítulo ou lê-lo por completo, antes de começar a falar inglês. Anteveja as situações pelas quais passará e estude primeiro os textos dos outros capítulos. Depois, volte a este e pesquise as regras que o ajudam a elaborar mais expressões com construções similares.

Parte I: Começando

Elabore Frases Simples

Na forma afirmativa, as frases simples, em inglês, se parecem com isso:

sujeito (S) – verbo (V) – objeto (O)

Aqui estão alguns exemplos de frases simples:

Sujeito (subject)	Verbo (verb)	Objeto (object)
Paul - Paul	*works* - trabalha	*in an office.* - em um escritório.
I - Eu	*love* - amo	*pizza.* - pizza.

Em frases maiores você pode adicionar um complemento (complement) e um advérbio ou locução adverbial (adverbial) à estrutura anterior:

sujeito (S) – verbo (V) – objeto (O) – complemento (C) – advérbio/locução adverbial (A)

Aqui estão nossas frases simples com alguns acréscimos:

Sujeito (subject)	Verbo (verb)	Objeto (object)	Complemento (complement)	Advérbio/ Locução adverbial (Adverbial)
Paul Paul	works trabalha	in an office em um escritório	that has no heating que não tem calefação	in winter. no inverno.
I Eu	love amo	pizza a pizza	made by my mother feita pela minha mãe	with Granny's old recipe. com a antiga receita da vovó.

Podemos citar os elementos de uma oração como sendo:

- ✔ **Sujeito:** o tópico principal de uma oração (quem ou o que/who or what?).
- ✔ **Verbo:** palavra que indica ação.
- ✔ **Objeto:** quem ou o que é afetado pela ação.
- ✔ **Complemento:** acrescenta informação a respeito de um dos elementos na oração.
- ✔ **Advérbio/locução adverbial:** acrescenta informação relativa ao tempo (quando/when?), lugar (onde/where?) ou maneira (como/how?).

Em algumas línguas se usa a dupla negativa nas frases. Por exemplo, o italiano e o francês utilizam a negação (palavra *não*) duas vezes na mesma frase. Em inglês a palavra *não* aparece apenas uma vez. Você pode dizer:

✔ I do**n't** know his name. Não sei o nome dele.

✔ We have**n't** got any bread in the house. Não temos nenhum pão em casa.

✔ We've got **no** bread in the house. Não temos pão em casa.

✔ Laura knows **nothing** about the phone call. Laura não sabe nada a respeito da ligação.

✔ Laura does**n't** know anything about the phone call. Laura não sabe coisa alguma a respeito da ligação.

Mesmo que a estrutura correta de uma frase afirmativa simples, em inglês, siga a ordem S-V-O, você geralmente ouve falantes nativos usarem frases incompletas ou incorretas. É possível escutar frases sem o sujeito no início, como por exemplo: "*Went there, did she?*", "*Got the time?*" ou "*Likes his football, he does*". Também podemos perceber frases gramaticalmente incorretas, tal como "*He don´t know nothing*" (o correto seria "*He doesn´t know anything*"). A não ser que seu inglês seja extremamente avançado, não use de propósito frases sem o sujeito ou que estejam gramaticalmente incorretas – os falantes nativos são "perdoados" porque, em tese, eles sabem quais são as formas corretas. Quando pessoas menos proficientes falam de tal modo pode simplesmente parecer que elas estão cometendo um erro.

Trabalhe com Frases Mais Complexas

Frases maiores geralmente são mais difíceis de entender, em especial se elas têm várias partes ou orações.

As *relative clauses* são trechos incluídos nas frases que dão informação extra a respeito de alguma coisa, como por exemplo: "*This is the Japanese restaurant that Isabel recommended to me*". A *relative clause* na frase é *that Isabel recommended to me*. Ela fornece mais informações acerca do restaurante japonês. Aqui estão outros exemplos:

✔ I've got a new dress **that** my husband gave me for my birthday.
(Eu tenho um vestido novo que meu marido me deu de aniversário.)

✔ The cafe **where** I have lunch every day is really cheap.
(A lanchonete onde almoço todo dia é muito barata.)

✔ This part of town, **which** has a fantastic market, is very difficult to get.
(A esta parte da cidade, que tem um mercado fantástico, é muito difícil de se chegar.)

✔ My brother, **whose** wife is Japanese, has recently moved to Tokyo.
(Meu irmão, cuja esposa é japonesa, mudou-se recentemente para Tóquio.)

✔ My boss, **who** lived in Greece for years, speaks really good Greek.
(Meu chefe, que morou na Grécia por anos, fala grego muito bem.)

As *relative clauses* geralmente são introduzidas pelas palavras *which, that, who, whose* e *where*. *Which* e *what* remetem a coisas; *who* e *whose* a pessoas e *where* a lugares.

Forme Perguntas em Inglês

Saber como formular perguntas em inglês é extremamente importante. Em todos os capítulos deste livro você encontra exemplos de perguntas que pode fazer, em uma variedade de situações. Neste capítulo revisamos algumas das regras básicas para a formulação de perguntas em inglês.

Você encontra diferentes tipos de perguntas na língua inglesa:

- **"Wh" questions.** Exemplos: *Where do you live? What's your name? Who are your favorite singers? Which one did you want? How does Irene get to work?*
  Embora "how" não comece com as letras wh, também é chamado de *wh-question*. Essas são perguntas feitas para se saber a respeito de alguma coisa.

- **Yes/no questions.** Exemplos: *Do you live in Newcastle? Is your surname Jones? Are your favorite singers Elvis and Bono? Is this the one you wanted? Does Irene go to work by bus?*
  Essas são perguntas que exigem como resposta *yes* ou *no* (sim ou não). Você pode observar que alguns dos exemplos acima usam os verbos auxiliares *do/does* (para o presente) ou *did* (para o passado) e outros usam o verbo *to be*. Não usamos o verbo auxiliar com to be. Veja como perguntas com *to be* são formadas:

    - **Frase afirmativa:** *His name is Tom Jones.*
      (O nome dele é Tom Jones.)
    - **Pergunta:** *Is his name Tom? / Is his surname Jones?*
      (O nome dele é Tom? O sobrenome dele é Jones?)

Você inverte a ordem do sujeito (his name) e do verbo (is) para formar a pergunta com o verbo *to be*.

Para perguntas que usam os verbos auxiliares, preste atenção nos exemplos novamente:

- **Frase afirmativa:** *I live in Newcastle.* (Eu moro em Newcastle.)
- **Pergunta:** *Do you live in Newcastle? / Where do you live?* (Você mora em Newcastle? Onde você mora?)
- **Frase afirmativa:** *Irene goes to work by train.* (Irene vai trabalhar de trem.)
- **Pergunta:** *Does Irene go to work by train? / How does Irene go to work?* (Irene vai trabalhar de trem? Como Irene vai trabalhar?)

Os verbos usados nos exemplos acima são *live* e *go*. Você usa o verbo auxiliar *do* ou *does* para mostrar que está fazendo uma pergunta. O *does* é usado apenas na terceira pessoa do singular – o que faz bastante sentido porque o verbo na afirmativa também leva um "s": *Irene goes to work by train* vai para a forma interrogativa como *Does Irene go to work by train?* e não *Does Irene goes to work by train?*. Você só tem espaço para uma terceira pessoa com "s"!

Lembre-se de que a ordem das palavras para a formação da interrogativa em inglês é muito importante. A Tabela 2-1 mostra como:

Tabela 2-1		Fazendo perguntas em inglês			
Perguntas com "Do" e "Does"	**Pronome interrogativo**	**Verbo auxiliar**	**Sujeito**	**Verbo principal**	**Objeto/ complemento**
	How como	does	Irene	go vai	to work trabalhar?
	How much Quanto	does	this dress este vestido	cost? custa?	
	Where Onde	do	you você	live? mora?	
		Do	you Voce	like gosta	living in London? de morar em Londres?
		Does	Mike	work trabalha	in the same office as you? no mesmo escritório que você?
Perguntas com "to Be"	**Pronome interrogativo**	**Verbo auxiliar**	**Sujeito**	**Verbo + -ing**	**Objeto/ complemento**
	What Qual	is é	his name? o nome dele?		
	Where Onde	are estão	my glasses? meus óculos?		
		Are	you Você	coming vai	to the cinema? ao cinema?
		Is	Sue	living (está) morando	in Hull now? em Hull agora?

Perguntas em relação ao sujeito ou objeto

O uso dos verbos auxiliares *do*, *does* ou *did* pode depender caso você faça uma pergunta a respeito do sujeito ou do objeto. Observe essas duas perguntas:

> *Jenny likes Mario. Pietro likes Jenny.*
>
> Jenny gosta de Mario. Pietro gosta de Jenny.
>
> *Who does Jenny like? Who likes Jenny?*
>
> De quem Jenny gosta? Quem gosta de Jenny?

Ambas as perguntas estão corretas – mas suas respostas são diferentes. Veja se você consegue responder corretamente. Aqui está:

- **Frase afirmativa:** *Jenny likes Mario.*
- **Pergunta:** *Who does Jenny like?*
- **Resposta:** *Mario.*

Neste caso, who refere-se ao objeto (Mario), por isso você deve usar *does*. Esse tipo de pergunta requer uma informação a respeito do objeto.

- **Frase afirmativa:** *Pietro likes Jenny.*
- **Pergunta:** *Who likes Jenny?*
- **Resposta:** *Pietro.*

Nessa pergunta, *who* refere-se ao sujeito (Pietro), por isso você não precisa do verbo auxiliar. Esse tipo de pergunta requer uma informação a respeito do sujeito.

Aqui está outro exemplo:

> *Michelle lives in a blue house by the sea.*
>
> Michelle mora em uma casa azul perto do mar.

Veja a ordem das palavras: *Michelle* (S) *lives* (V) *in a blue house* (O) *by the sea* (A).

Listamos aqui perguntas que podem ser feitas a respeito da frase anterior:

> *Who lives in a blue house? Where* refere-se ao sujeito (Michelle).
>
> Quem mora em uma casa azul?
>
> *Where does Michele live? Who* refere-se ao objeto (blue house).
>
> Onde Michelle mora?

Perguntas indiretas

Você pode usar perguntas indiretas (*indirect questions*) para pedir informações de forma educada. Pode-se começar uma *indirect question* com expressões como: "*Could you tell me...?*", "*Would you mind telling me...?*", "*Do you have any idea...?*" ou "*I was wondering whether you know...?*". Os capítulos neste livro contêm diversos exemplos de *indirect questions* para auxiliá-lo a perguntar de forma educada quando precisar de informação ou ajuda. Para começar, aqui estão alguns exemplos:

Pergunta direta: *Where is the post office?*

Onde fica o posto dos correios?

Pergunta indireta: *Could you tell me where the post office is?*

Poderia me dizer onde fica o posto dos correios?

Note como o verbo *is* (uma forma de *to be*) vai para o final da pergunta em *indirect questions*. Considere que a expressão "*Could you tell me...*" é a pergunta, por isso o resto da frase (*...where the post office is*) pode ficar na forma afirmativa. Aqui está outro exemplo:

Pergunta direta: *Where does Michelle live?*

Onde Michelle mora?

Pergunta indireta: *Could you tell me where Michelle lives?*

Poderia me dizer onde Michelle mora?

Observe que não usamos o verbo auxiliar *does* na *indirect question* acima. Você pode ver claramente que "*Could you tell me...*" é a pergunta e o resto da frase (*...where Michelle lives*) está na forma afirmativa.

Há dois tipos principais de *indirect questions*:

- *"Wh" questions*
- *Yes/no questions*

Na primeira parte da seção de formulação das perguntas, vimos perguntas indiretas usando *"wh" questions*. Aqui podemos ver as perguntas indiretas do tipo *yes/no*. Observe-as:

Pergunta direta: *Is the post office near here?*

O posto dos correios fica aqui perto?

Pergunta indireta: *Could you tell me if the post office is near here?*

Poderia me dizer se o posto dos correios fica aqui perto?

Pergunta direta: *Does Michelle live in this house?*

A Michelle mora nesta casa?

Pergunta indireta: *Could you tell me if Michelle lives in this house?*

Poderia me dizer se a Michelle mora nesta casa?

Assim, para uma *indirect question* do tipo *yes/no* você simplesmente adiciona a palavra *if* ou *whether* após a expressão interrogativa (*Could you tell me if... / Do you know whether...*).

Question tags

Se você já estudou inglês ou leu uma gramática da língua inglesa, então provavelmente sabe a respeito das *question tags*. Elas estão no topo da lista de pontos gramaticais odiados por muitos alunos. *Question tags* têm uma lógica gramatical, mas são difíceis de serem corretamente utilizadas. A boa notícia é que você pode evitar sua utilização (leia a informação do ícone "Pareça nativo"). Entretanto, você precisa entender as *question tags* quando outras pessoas as usarem. Aqui estão alguns exemplos:

- *Paulette is studying in France, isn't she?* (Paulette está estudando na França, não está?)
- *You are not looking so well, are you?* (Você não parece muito bem, parece?)
- *He liked her a lot, didn't he?* (Ele gostava muito dela, não gostava?)
- *They didn't buy it, did they?* (Eles não compraram isso, compraram?)
- *Jack can't play very well, can he?* (Jack não joga muito bem, joga?)
- *I really should go, shouldn't I?* (Eu realmente deveria ir, não deveria?)

Você conseguiu perceber a regra de formação das *questions tags* acima, não percebeu? É quase uma fórmula matemática: uma oração (afirmativa ou negativa) + verbo auxiliar ou modal (na afirmativa ou negativa) + pronome. É assim:

Para o verbo to be

Frase afirmativa	+ verbo *to be* na negativa	+ pronome
Paulette is studying in France,	*isn't*	*she?*
Frase negativa	+ verbo to be na afirmativa	+ pronome
You are not looking so well,	*are*	*you?*

Para outros verbos

Frase afirmativa	+ verbo auxiliar na negativa	+ pronome
He liked her a lot,	*didn't*	*he?*
Frase negativa	+ verbo auxiliar na afirmativa	+ pronome
They didn't buy it,	*did*	*they?*

Para verbos modais

Frase negativa	+ verbo modal na afirmativa	+ pronome
Jack can't play very well,	*can*	*he?*
Frase afirmativa	+ verbo modal na negativa	+ pronome
I really should go,	*shouldn't*	*I?*

Não se preocupe muito com *questions tags*. Embora as regras sejam bastante claras, lembrar-se de qual auxiliar, modal ou pronome utilizar no final é difícil. Geralmente usamos *questions tags* para enfatizar algo ou para convidar o ouvinte a concordar conosco. A resposta de uma *question tag* é, em geral, *yes* para aquelas cuja primeira oração está na afirmativa e *no* para aquelas cuja primeira oração está na negativa. *Questions tags* servem, em muitos casos, para iniciar uma conversa. Imagine que você está parado no ponto de ônibus e alguém lhe diz: "*Nice day, isn't it?*" (Belo dia, não?). Isso é um convite para iniciar uma conversa sobre o tempo. Sua resposta poderia ser: "*Yes, it is, and it was very cold yesterday…*" (Sim, e estava tão frio ontem…).

SONS NATIVOS Em certos países de língua inglesa e algumas partes do Reino Unido, pode-se ouvir *question tags* diferentes. Em Londres, por exemplo, você possivelmente ouvirá o final *innit* (*isn't it*) como uma *question tag* generalizada. Na Índia, as pessoas usam a mesma question tag (*isn't it*), mas a pronunciam de forma mais clara. Você pode ouvir, por exemplo, "*He's just got a new job, innit?*" ou "*She's been on holiday, innit?*". Usar essas formas coloquiais não é uma boa ideia, a não ser que você seja um falante nativo dessas regiões – caso contrário, soa estranho. Outra *tag question* que é possível ouvir as pessoas dizendo é *no*, assim, sozinho. Por exemplo, "*She lives here, no?*" ou "*Jack doesn't eat fish, no?*". Essa forma é gramaticalmente incorreta, mas é possível escutá-la até mesmo de falantes nativos.

Trabalhando com Tempos Verbais

Outra estrutura fundamental que precisa ser estudada é o tempo verbal. Conjugar verbos em inglês não é um processo muito complicado. Nesta seção mostraremos como conjugar os tempos verbais essenciais da língua inglesa.

Tempos verbais do presente

A ordem das palavras na forma afirmativa em inglês é sujeito – verbo – objeto. Para fazer uma pergunta no presente simples (*present simple tense*), você usa o verbo auxiliar *do* (ou *does*, na terceira pessoa do singular). Quando a pergunta é com o verbo *to be*, você inverte a ordem do sujeito e do verbo. Aqui está um pequeno resumo:

Tempos essenciais do presente

- **Forma afirmativa**
    - *Juan comes from Spain.* (presente simples/*present simple*)
      (Juan é da Espanha.)
    - *I often go to the cinema on Sundays.*
      (Eu frequentemente vou ao cinema aos domingos.)
    - *Juan is living in Glasgow at the moment.* (presente contínuo/ *present continuous ou progressive*)
      (Juan está morando em Glasgow atualmente.)
    - *Just a moment, I'm speaking on the other line.*
      (Só um momento, estou falando na outra linha.)
- **Forma negativa**
    - *Juan doesn't come from Poland.* (presente simples/*present simple*)
      (Juan não é da Polônia.)
    - *I don't go to the cinema during the week.*
      (Eu não vou ao cinema durante a semana.)

- *Juan isn't living in London at the moment.* (presente contínuo/ *present continuous ou progressive*) Juan não está morando em Londres atualmente.

- *I'm not speaking on the other line.* (Eu não estou falando na outra linha.)

✓ **Forma interrogativa**

- *Where does Juan come from? Does Juan come from Spain?* (presente simples/*present simple*) (De onde é Juan? Juan é da Espanha?)

- *What do you do on Sundays? Do you go to the cinema?* (O que você faz aos domingos? Você vai ao cinema?)

- *Is Juan living in London?* (presente contínuo/*present continuous ou progressive*) (Juan está morando em Londres?)

- *Are you speaking on the other line?* (Você está falando na outra linha?)

Alguns verbos em inglês não são normalmente usados na forma contínua. Aqui estão os verbos mais comuns que são usados, preferencialmente, na forma simples:

like, dislike, hate, love, prefer, wish, want

doubt, feel, know, remember, understand, believe, mean

hear, taste, smell, sound, see

please, surprise, impress, satisfy, appear, seem

As gramáticas chamam esses verbos de estáticos (*stative ou state verbs*). Aqueles que podem ser usados regularmente em uma forma contínua são denominados dinâmicos (*dynamic verbs*) – eles indicam atividade. Os verbos listados acima são apenas alguns exemplos de *state verbs*. Entretanto, dependendo do contexto, você até pode usá-los na forma contínua. Por exemplo, utiliza-se o verbo *think* para expressar uma opinião, tal como, "*I think Edinburgh is beautiful*", ou para exprimir uma atividade, como na frase, "*I'm thinking of you*". Quando uma rede de *fast food* internacional e muito conhecida inventou o slogan "*We're lovin' it*", algumas pessoas reclamaram dizendo que a frase não estava gramaticalmente correta porque não se usa o verbo *love* na forma contínua.

Presente perfeito

Usa-se o presente perfeito (*present perfect tense*) para falar de algo que aconteceu no passado, mas que está relacionado com o presente. Por isso, embora a estrutura se pareça com o tempo passado, é chamada de presente perfeito. O *present perfect* é um tempo difícil de ser usado corretamente e as regras podem parecer um pouco confusas. Há, também, diferenças entre os usos nos Estados Unidos e no Reino Unido – americanos tendem a utilizar o passado simples (*past simple*) em vez do presente perfeito (*present perfect*), especialmente com as palavras "*yet*" e "*already*". Por exemplo, na Grã-Bretanha é possível ouvir a pergunta "*Have you eaten breakfast yet?*" enquanto na América é mais comum, "*Did you eat breakfast yet?*". A boa notícia é que, mesmo que você não use o *present perfect* de forma correta e empregue o *simple present* equivocadamente, se o contexto estiver claro, é bastante fácil para o ouvinte entender o que quer dizer.

Da mesma forma que o tempo presente básico descrito anteriormente, o *present perfect* também apresenta a forma simples e a contínua. Aqui estão alguns exemplos:

- **Forma afirmativa**

    - *I've seen that movie twice.* (presente perfeito simples/*present perfect simple*) Eu vi esse filme duas vezes.

    - *Juan has been living in Glasgow for two years.* (presente perfeito contínuo/*present perfect continuous ou progressive*) (Juan está morando em Glasgow há dois anos.)

- **Forma negativa**

    - *I haven't seen a movie for ages.* (presente perfeito simples/*present perfect simple*) (Não vejo um filme há tempos.)

    - *He hasn't been doing his homework, he's been reading the newspaper instead.* (presente perfeito contínuo/*present perfect continuous ou progressive*) (Ele não estava fazendo o trabalho de casa, mas sim lendo o jornal.)

- **Forma interrogativa**

    - *Have you seen that movie yet?* (presente perfeito simples/*present perfect simple*) (Você já viu esse filme?)

    - *How long has Juan been living in Glasgow?* (presente perfeito contínuo/*present perfect continuous ou progressive*) (Há quanto tempo Juan está morando em Glasgow?)

Os exemplos acima mostram que o *present perfect* é formado por *have* (ou *has* para a terceira pessoa do singular) + o particípio do verbo principal.

- **Present perfect simple:** *have/has + past participle*

- **Present perfect continuous/progressive:** *have/has + been + -ing (present participle)*

Usa-se o *present perfect* para falar de acontecimentos do passado que estão relacionados com o presente. Quando você diz que alguma coisa aconteceu, ou está acontecendo, geralmente inclui o presente. Por exemplo, quando você fala "*I've seen that movie twice*" (Vi esse filme duas vezes), quer dizer que o viu duas vezes no passado, mas que pode vê-lo novamente. Quando você diz que "*Juan has been living in Glasgow for two years*" significa que Juan foi morar em Glasgow há dois anos e ainda está morando por lá.

Há duas principais circunstâncias para se usar o *present perfect*:

- Usa-se o *present perfect* para descrever uma ação ou situação que começou no passado e continua até o presente momento. Por exemplo, "*I've been waiting for 20 minutes*" e não "*I'm waiting for 20 minutes*". Eu comecei a esperar há 20 minutos e continuo esperando até agora. Esse tempo também é utilizado para uma série de ações repetidas no passado que continuam até o presente: "*I have seen this movie twice*".

✔ Usa-se o *present perfect* para descrever uma ação ou situação que aconteceu no passado, mas que tem importância no presente. Por exemplo, "*I've spoken to my boss about the report*". Se você disser exatamente quando isso aconteceu, então precisa usar o *past simple* – "*I spoke to my boss about the report yesterday*" e não "*I've spoken to my boss about the report yesterday*".

As palavras *since* e *for* geralmente são usadas com o *present perfect tense*. *Since* refere-se a um ponto no tempo e é usado para indicar quando algo começou. Por exemplo: "*Juan has been living in Glasgow since 2007*". *For* refere-se a um período de tempo e é usado para expressar há quanto tempo algo está ocorrendo. Por exemplo: "*Juan has been living in Glasgow for two years*".

No inglês britânico, normalmente se usa a palavra *just* com o *present perfect*. Por exemplo:

Jan: *Have you got the report I need?*

Você está com o relatório de que preciso?

Isabel: *Yes, I've just finished it.*

Sim, acabei de terminá-lo.

Aqui, *just* significa que você acabou o relatório há poucos minutos.

Passado

Comparado a muitas outras línguas, o passado simples (*simple past tense*) na língua inglesa é relativamente fácil. Em português, italiano, francês, japonês, grego ou russo (entre outros idiomas) cada verbo tem uma desinência diferente, dependendo da pessoa a qual se refere (eu, tu, ele, nós, vós, eles, no caso do português). Os verbos em inglês, por outro lado, não variam muito – isso significa que há poucas terminações diferentes. Na parte anterior foi explicado que flexionamos os verbos (colocar um "s") na terceira pessoa do singular no *present simple*.

O *simple past tense* é usado para descrever situações que aconteceram no passado e que agora estão acabadas. "*I lived in London*" quer dizer que eu morei em Londres no passado, mas hoje em dia não moro mais. Você também pode informar quando a ação aconteceu: "*I lived in London two years ago*" ou "*I lived in London for a while*". Você pode usar o *past simple* para fazer referência a um passado recente, se a ação estiver terminada. Por exemplo: "*I went to the bank this morning*" ou "*I finished the report five minutes ago*" (entretanto, como explicamos na seção anterior a respeito do *present perfect*, se quiser enfatizar o quão recentemente a ação foi concluída, mas sem estabelecer o momento, você pode usar o present perfect – "*I've just finished the report*". Note que o exemplo não diz quando).

Verbos regulares

Os verbos regulares (*regular verbs*) no *simple past tense* são acrescidos da terminação –ed para todas as pessoas. Você não precisa se preocupar com a terceira pessoa do singular se estiver usando o passado. Aqui listamos o passado simples de alguns verbos comuns:

Forma básica (infinitivo sem "to")	Passado simples (past simple)
live (morar)	lived
walk (andar)	walked
look (olhar)	looked
want (querer)	wanted
use (usar)	used
ask (perguntar)	asked
work (trabalhar)	worked
try (tentar)	tried
call (chamar)	called
seem (parecer)	seemed

Formar o *past simple* de um verbo regular em inglês é muito fácil: simplesmente acrescente "ed" no final do verbo. No entanto, cuidado com a pronúncia. Na maior parte dos casos listados acima, o "ed" colocado no final da palavra é pronunciado com o som de "t". Então, *walked* é pronunciado "walkt" – como se tivesse só uma sílaba em vez de duas (walk-ed). Similarmente, *looked* é falado "lookt" e *asked*, "askt". Há uma mudança muito sutil na pronúncia de *lived* – o verbo continua sendo falado como se tivesse apenas uma sílaba, mas em vez do som de "t", o som é do próprio "d". Por isso, fale "livd". O mesmo acontece com *used* (pronunciado "yoosd"), *called* (pronunciado "calld") e seemed (pronunciado "seemd"). Escutar a diferença entre a pronúncia do "t" e do "d" nesses verbos é bastante difícil, mas concentre-se para falar esses verbos usando apenas uma sílaba.

Sendo isso inglês, há exceções! Com alguns verbos regulares no passado, você pronuncia a terminação –ed como uma sílaba separada. Por exemplo: *wanted* (pronunciado "want-ed"), *hated* (pronunciado "heit-ed") e *afforded* (pronunciado "afford-ed"). Os verbos mencionados já terminam com som de "t" ou "d" no infinitivo. Por isso, seria impossível acrescentar esses mesmos sons ao passado. Você não conseguiria ouvi-los! Tente dizer "wantt" ou "heitt" – não dá para perceber o "t" extra no final. No caso desses verbos, você de fato acrescenta uma sílaba (–ed) para que possa escutá-los no passado.

Verbos irregulares

Há, é claro, exceções quanto ao acréscimo do –ed para a formação do *past simple*. Alguns dos verbos mais comuns em inglês têm o passado irregular. Você precisa memorizá-los. Aqui está uma lista com 16 dos mais usados e a pronúncia daqueles que podem nos enganar:

Forma básica (infinitivo sem "to")	Passado simples (past simple)	Pronúncia
be (ser/estar)	was/were	woz/wer
have (ter)	had	
do (fazer)	did	

eat (comer)	ate	eit
put (colocar)	put	
take (tomar/pegar)	took	tuk
make (fazer)	made	meid
know (saber)	knew	niu
go (ir)	went	
see (ver)	saw	saw (como "door")
come (vir)	came	keim
think (pensar)	thought	thawt
give (dar)	gave	geiv
find (achar)	found	faund
leave (sair)	left	
tell (dizer)	told	

SONS NATIVOS

Além de memorizar esses e outros verbos irregulares no passado, você precisa saber como pronunciá-los corretamente para que as pessoas consigam entendê-lo. Nós tentamos mostrar a pronúncia dos mais difíceis na tabela, mas a melhor coisa a fazer é ouvir o modo de falar e praticar, repetindo para si mesmo quantas vezes forem necessárias até que se alcance a pronúncia correta. Há vários dicionários grátis disponíveis na internet nos quais só é preciso clicar e ouvir a palavra. O site www.dictionary.com é um exemplo.

As formas afirmativa, interrogativa e negativa são formadas no passado (*past simple*) da mesma maneira que o presente (*present simple*). E, como o presente, também há a forma contínua. Veja como funciona:

- **Forma afirmativa**

    - *I went to the cinema at the weekend.* (passado simples/*past simple*) (Eu fui ao cinema no fim de semana.)
    - *Heinrich was reading the newspaper when the phone rang.* (passado contínuo/*past continuous ou progressive*) (Heinrich estava lendo o jornal quando o telefone tocou.)

- **Forma negativa**

    - *I didn't go to the gym at the weekend.* (passado simples/*past simple*) (Não fui à academia no fim de semana.)
    - *Heinrich wasn't watching TV when the phone rang.* (passado contínuo/*past continuous ou progressive*) (Heinrich não estava assistindo à televisão quando o telefone tocou.)

- **Forma interrogativa**

    - *Did you go to the cinema at the weekend?* (passado simples/*past simple*) (Você foi ao cinema no fim de semana?)
    - *What was Heinrich doing when the phone rang?* (passado contínuo/*past continuous ou progressive*) (O que Heinrich estava fazendo quando o telefone tocou?)

Usa-se o *past continuous/progressive* para falar de uma ação ou situação que estava em progresso quando outra, de menor duração aconteceu. No exemplo anterior, Heinrich estava lendo o jornal (ação contínua e mais longa) quando o telefone tocou (ação de menor duração que ocorreu durante a primeira). Também se usa o *past continuous* para falar de uma atividade que estava em progresso no passado, em dado período de tempo. Por exemplo: "*Heinrich was reading the newspaper at seven o'clock*".

Futuro

O futuro pode ser expresso de várias formas em inglês. O verbo auxiliar *will*, a estrutura *going to*, o presente contínuo e o presente simples podem ser usados. Nesta seção, veremos alguns exemplos de cada uma das formas e como elas remetem ao futuro.

Will

Muitas pessoas que estudam inglês acham que usar *will* é a melhor forma de falar do futuro. Isso não é uma verdade absoluta. *Will* é usado em certos contextos, como a predição do futuro. Por exemplo: "*Computers will take over the world one day*". *Will* também é empregado para expressar vontades ou desejos futuros, tal como: "*I hope it will be sunny next week – we're going camping*" ou "*I'm sure you will love New York*". Além disso, *will* pode ser usado para oferecer ajuda às pessoas e fazer promessas. Por exemplo, se o amigo com quem divide o apartamento está cansado, você pode se oferecer para lavar a louça dizendo: "*I'll do the washing up tonight*". Você também pode prometer algo, como telefonar para alguém, falando: "*I'll ring you tomorrow*".

Observe que, quando você fala rápido, pode contrair o verbo auxiliar (*'ll*). Por isso, diz "*I'll ring you tomorrow*" em vez de "*I will ring you tomorrow*". Entretanto, ambas as formas estão corretas. Com nomes próprios, em especial os mais longos, é mais difícil contrair *will*. Assim, é comum ouvir as pessoas usarem a forma completa. Por exemplo: "*Frederick will let us know*". Mas também é correto dizer: "*Frederick'll let us know*". Na hora da escrita, prefira usar a forma completa porque esse tipo de contração fica estranho no papel – são muitas consoantes juntas em "*Frederick'll...*".

Will é um verbo auxiliar, desta maneira você não precisa se preocupar com o "s" na terceira pessoa. A mesma forma é mantida para todos os sujeitos (*I, you, he, she* etc.). A negativa de *will* é *won't* (*will* + *not*). Sempre use infinitivo com *will*, por exemplo: "*Where will you be at ten o'clock?*" e não "*Where will you are at ten o'clock?*".

- **Forma afirmativa**
  - *I'll ring you tomorrow.* (Eu ligarei para você amanhã.)
  - *Jane will get back to you as soon as she can.* (Jane voltará para você assim que puder.)

✔ **Forma negativa**

- *I won't ring you tomorrow.* (Eu não ligarei para você amanhã.)
- *Jane won't be back in the office until late.* (Jane estará ausente do escritório até mais tarde.)

✔ **Forma interrogativa**

- *Will you give me a hand with the shopping?* (Você pode me ajudar com as compras?)
- *What will you wear to the party?* (O que você usará na festa?)

Going to

Usa-se "*verbo to be* + '*going to*' + infinitivo" para falar dos planos futuros, por exemplo, "*We're going to drive around Scotland in the summer*" ou "*Jem is going to see what he can do to help with the project*".

Se você não tiver certeza se emprega *will* ou *going to* em uma frase, prefira *going to*. As pessoas certamente irão entendê-lo.

✔ **Forma afirmativa**

- *We are going to drive around Scotland in the summer.* (Nós iremos de carro até a Escócia no verão.)
- *Jane is going to call them tomorrow.* (Jane ligará para eles amanhã.)

✔ **Forma negativa**

- *We're not going to visit my aunt this year.* (Nós não iremos visitar minha tia este ano.)
- *Pol is not going to finish the report on time.* (Pol não terminará o relatório a tempo.)

✔ **Forma interrogativa**

- *When are you going to let them know the results?* (Quando você irá mostrar-lhes o resultado?)
- *Is Jane going to call them tomorrow?* (Jane irá ligar para eles amanhã?)

Com o verbo *to go*, geralmente se usa o presente contínuo. Assim, em vez de dizer "*I'm going to go to York*", é comum falar "*I'm going to York*". Ambas estão corretas. O mesmo acontece com o verbo *to come* – em vez de dizer "*I'm going to come to the party*", é habitual falar "*I'm coming to the party*". De novo, as duas frases estão certas, mas o presente contínuo é mais corriqueiro.

Presente contínuo usado para indicar futuro

Emprega-se o presente contínuo (*present continuous* ou *progressive*) para falar de ajustes previamente definidos em um futuro próximo. Se você diz "*I'm meeting Sergio at ten*", isso indica que você e Sergio já combinaram o encontro. Aqui estão outros exemplos:

- *Hanna is catching the ten o'clock bus.* (Sugere que Hanna já está com a passagem em mãos.)

- A secretária diz ao chefe: "*You are having lunch with the new head of department tomorrow*". (Indica que o encontro já foi marcado.)

- *I'm flying to Singapore tomorrow morning.* (Dá a entender que eu já estou com minha passagem aérea para viajar.)

Usa-se o presente contínuo para perguntar às pessoas a respeito de seus planos futuros. "*What are you doing next week / next Saturday / in the summer?*" são formas comuns de procurar saber sobre as intenções de alguém. Também se pode empregar *going to* ("*What are you going to do next weekend?*), mas o presente contínuo é mais comum nesse caso.

Presente simples usado para indicar futuro

O presente simples (*present simple*) normalmente faz referência ao presente, mas algumas vezes pode ser usado para indicar futuro. Isso acontece quando nos referimos a ações ou situações que já estão programadas ou agendadas. Por exemplo, quando falamos a respeito de horários de voos, usamos o *present simple*.

- *We fly to Belfast next Monday at 8am.* (Vamos de avião a Belfast na próxima segunda às 8 horas.)

- *What time does your bus leave?* (Que horas o ônibus sai?)

- *The train leaves from platform four.* (O trem sai da plataforma 4.)

- *The 4.15 train from Victoria stops at Clapham Junction.* (O trem das 4h15 de Vitoria para em Clapham Junction.)

O *present simple* também é empregado para se falar do futuro depois da palavra *when*. Assim, você diz "*I'll call you when I get home*" e não "*I'll call you when I will get home*". Você também ouve as pessoas usarem o present simple indicando futuro depois de expressões como "*I bet*" ou "*I hope*". Por exemplo: "*I hope you have a great holiday this summer*" ou "*I bet he doesn't call tomorrow*".

Outras expressões

Aqui estão outras expressões que você pode usar para falar do futuro:

- *to be + hoping + to*: *I'm hoping to visit the Lake District on my way to Scotland.* (Espero visitar Lake District a caminho da Escócia.)

- *to be + planning + to*: *I'm planning to give him a call as soon as the meeting is over.* (Planejo ligar para ele tão logo a reunião acabe.)

- *to be + looking forward to + –ing*: *We're looking forward to having a holiday.* (Esperamos ter férias em breve.)

- *to be + thinking of + -ing*: *We're thinking of stopping at the Lake District on our way to Scotland.* (Estamos pensando em parar em Lake District a caminho da Escócia.)

"*Look forward to*" é uma expressão muito usada em inglês. É comum aparecer em e-mails e cartas, como por exemplo: "*I'm looking forward to hearing from you soon*". Lembre-se de usar o verbo no gerúndio (com *–ing*) depois de "*look forward to*". Isso pode parecer um pouco confuso porque depois de "*to*" o verbo normalmente fica no infinitivo. Se você pensar na expressão "*look forward to*" como um bloco que não se separa, fica mais fácil de lembrar. O que é um pouco mais difícil ter em mente é que *–ing* precisa vir depois da expressão. Você sempre diz "*I am looking forward to seeing you soon*" e nunca "*I am looking forward to see you soon*". Também se pode usar um substantivo ou um pronome depois de "*look forward to*", como: "*I'm looking forward to the holidays*" ou "*I'm looking forward to it*".

Orações Condicionais

As orações condicionais são usadas para falar de possíveis situações ou ações no presente, passado ou futuro. As formas condicionais empregam a palavra *if*.

- *If you take the number 19 bus, it will take you into the centre of the town.* (Se você pegar o ônibus número 19, ele irá levá-lo ao centro da cidade.)

- *If she doesn't arrive soon, she'll miss the start of the movie.* (Se ela não chegar logo, perderá o começo do filme.)

- *If I pass the exam, I'll get a better job.* (Se eu passar na prova, terei um trabalho melhor.)

If clause (*if* + presente simples)	**Oração principal (*will* / *won't* + infinitivo sem "*to*")**
If I pass the exam,	*I'll get a better job.*
Se eu passar na prova,	terei um trabalho melhor.

O *present simple* é usado na oração com *if*. Não se diz "*If I'll pass the exam, I'll get a better job*". Além disso, usa-se uma construção denominada *second conditional* para falar de acontecimentos e situações hipotéticos, imaginários e improváveis.

- *If I had £1 million, I would never work again.* (Se eu tivesse 1 milhão de libras, não trabalharia mais). (Mas é improvável que eu consiga tal quantia.)

- *If I were him, I'd leave that job.* (Se eu fosse ele, largaria aquele trabalho). (Mas eu nunca serei ele.)

- *If I didn't have you, I don't know what I would do.* (Se eu não tivesse você, não saberia o que fazer.) (Mas tenho essa pessoa em minha vida.)

- *If Elizabeth studied more, she would pass the exam.* (Se Elizabeth estudasse mais, passaria na prova.) (Mas ela nunca estuda.)

If clause (if + passado simples)	Oração principal (would / wouldn't + infinitivo sem "to")
If Elizabeth studied more, Se Elizabeth estudasse mais,	*she would pass the exam.* passaria na prova.

Nossos exemplos referem-se a situações imaginárias ou irreais. Mesmo quando o verbo na *if clause* é usado no passado, não se está falando do que passou, mas sim de um acontecimento hipotético. No exemplo anterior, Elizabeth ainda não fez a prova, que será realizada em algum ponto no futuro. Mas está claro que o interlocutor sabe que Elizabeth não estudará mais e, por isso, é improvável que passe no exame. Se ele tivesse dito "If Elizabeth studies more, she will pass the exam", seria possível, nesse caso, que ela estudasse mais e tivesse, assim, uma chance real de passar na prova.

É comum usar *were* para todas as pessoas (e não *was*) depois de uma oração com *if*, especialmente em situações formais e na escrita. Por exemplo, "*If he were smarter, he'd be the director now*" ou "*If Jaime were to ask her, she'd probably say yes*". *Were* é particularmente habitual na expressão "*If I were you...*". Entretanto, algumas pessoas usam *was* em tais frases. Mesmo que estudiosos falem que a forma anterior (*was*) não é gramaticalmente correta, a verdade é que *were*, em orações condicionais, está perdendo sua preferência e os falantes nativos estão usando *was* cada vez mais. Por isso, é fácil escutar por aí: "*If he was smarter, he'd be the director by now*" ou "*If Jaime was to ask her, she'd probably say yes*". Também é possível ouvir "*If I was you...*", mas a oração com *were* (*If I were* you – a forma mais "correta"), ainda é muito usada.

Também se pode falar de situações possíveis ou imaginárias, no passado, usando uma construção denominada *third conditional*. Nesse caso, falamos a respeito de coisas que não aconteceram no passado, como:

- *If I had known you were coming, I would have brought Tim along.* Se eu soubesse que você viria, teria trazido Tim. (Mas eu não sabia que você viria, por isso não trouxe Tim.)
- *If he hadn't go to Belfast, he wouldn't have met Shona.* Se ele não tivesse ido a Belfast, não teria conhecido Shona. (Mas ele foi a Belfast e conheceu-a.)
- *If you hadn't called her, she would have missed the meeting.* Se você não tivesse telefonado, ela teria perdido a reunião. (Mas você ligou para ela e, por isso, ela foi à reunião)

If clause (if + had / hadn´t + particípio passado)	Oração principal (would / wouldn't have + particípio passado)
If you hadn't called her, Se você não tivesse telefonado,	*she would have missed the meeting.* ela teria perdido a reunião.

Pode-se usar a *second conditional* para dar um tom mais educado à fala. Para pedir ajuda de forma polida, você pode dizer "*It would be great if you helped me with the washing up*" (ou "*It would be great if you could help me with the washing up*"). Você também pode pedir permissão de forma educada usando a *second conditional*. Por exemplo: "*Would it be okay if I came round at about ten?*".

Capítulo 3
Conhecendo Pessoas

Neste capítulo

▶ Conversando com novas pessoas

▶ Falando sobre o tempo

▶ Conversando sobre você e sua família

▶ Contando histórias e piadas

Conhecer pessoas em um país estrangeiro pode ser difícil e estressante. Nesse tipo de situação, as *small talks* (conversas informais em situações sociais) podem ajudá-lo a firmar relacionamentos e achar interesses em comum com novos amigos e conhecidos. As pessoas gostam quando você demonstra simpatia e interesse por sua vida, família, animais de estimação e até mesmo – especialmente na Grã-Bretanha – pelo tempo.

Conversando com Estranhos

A maior parte das perguntas em inglês começa com *wh*, como já vimos no Capítulo 2. As palavras iniciadas por *wh* ("wh" questions) a seguir são bastante úteis quando se trata de conhecer novas pessoas:

- *Who...?* (Quem...?)
- *What...?* (O quê...?)
- *Where...?* (Onde...?)
- *When...?* (Quando...?)
- *Why...?* (Por quê...?)

Podemos adicionar à lista anterior:

- *How...?* (Como...?)
- *How long...?* (Quanto tempo...?)
- *Which...?* (Qual...?)

Aqui estão alguns exemplos de *"wh" questions* em ação:

- *Who's that man over there?* (Quem é aquele homem?)
- *What do you do?* (para perguntar a respeito da profissão de alguém) (O que você faz?)
- *Where do you live?* (Onde mora?)
- *When does the train live?* (Quando o trem parte?)
- *Why is this bus late?* (Por que o ônibus está atrasado?)
- *How do I get to Baker Street?* (para perguntar sobre endereços) (Como chego à rua Baker?)
- *How long does it take you to get to work?* (Quanto tempo demora para chegar ao trabalho?)
- *Which bus goes to London?* (Qual ônibus vai para Londres?)

Tendo uma Conversa

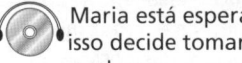

Maria está esperando o trem na estação. Ela ainda tem meia hora, por isso decide tomar um café. A lanchonete está cheia e ela tenta encontrar um lugar.

Maria: *Excuse me, is this seat free?* Com licença, este assento está livre?

Mike: *Sure.* Claro.

Maria: *Thanks. [Maria sits down.]* (Obrigada. [Maria se senta.])

Mike: *My name is Mike – nice to meet you.* (Meu nome é Mike – prazer em conhecê-la.)

Maria: *I'm Maria – nice to meet you too.* (Eu sou Maria – prazer em conhecê-lo também.)

Mike: *Where are you from, Maria? I think I hear an accent.* (De onde você é, Maria? Acho que ouvi um sotaque.)

Maria: *I'm from Portugal. I'm going to visit some friends in Manchester. How about you?* (Eu sou de Portugal. Estou indo visitar alguns amigos em Manchester. E você?)

Mike: *I'm on my way to work, as usual!* (Estou a caminho do trabalho, como sempre!)

Maria: *What do you do?* (O que você faz?)

Mike: *I'm a teacher. How about you?* (Sou professor. E você?)

Maria: *I'm a banker, but I'm on my holiday right now.* (Eu sou bancária, mas agora estou de férias.)

Conversas iniciais são geralmente como essa: pergunta-se o nome da pessoa, de onde ela é e o que faz. Você pode usar essas três informações-chave em muitas circunstâncias sociais para iniciar conversas – em festas, *pubs*, lanchonetes, no transporte público...

Se você conhecer alguém em um bar ou pub, não é uma boa ideia perguntar: "*Do you come here often?*" (Você vem sempre aqui?). Os britânicos acham que essa pergunta é a cantada (tentativa de fazer alguém se interessar por você sexualmente) mais banal e estereotipada da língua inglesa. Em vez disso, tente algo como: "*Nice place, isn't it?*" ou "*It´s crowded in here, isn't it?*" ou mesmo "*What are you drinking?*" (se a resposta não for óbvia, é claro).

Algumas vezes você não vai entender tudo o que ouvir. Nem sempre é necessário compreender palavra por palavra, mas nas ocasiões em que você sabe que está perdendo uma informação importante, as frases aqui listadas podem ser úteis:

- *Can you speak more slowly, please?* (Por favor, pode falar mais devagar?)
- *Pardon?* (Como disse?)
- *Sorry, what's that?* (Desculpe, o que é aquilo?)
- *Could you repeat that, please?* (Poderia repetir, por favor?)
- *I'm sorry, I don't understand what you mean.* (Desculpe, não entendo o que quer dizer.)

Os falantes nativos geralmente usam as seguintes expressões quando querem esclarecer algo que não entenderam:

- *Come again?* (Como disse?)
- *Sorry?* (Perdão?)
- *You what?* (Você o quê?)

Falando do Tempo

Um tema popular em muitos países de língua inglesa é o tempo. Isso se aplica especialmente ao Reino Unido, onde as pessoas gostam muito de falar sobre o clima, em geral de forma otimista, mesmo se o tempo estiver ruim.

Se você escutar estranhos conversando dentro de uma loja, em um ponto de ônibus ou em qualquer outro lugar público, notará que eles geralmente usam o assunto "clima" para começar uma conversa ou passar o tempo. Aqui estão algumas expressões úteis a respeito desse tema:

Parte I: Começando

- *Lovely day!* (Lindo dia!)
- *It's turned out nice again.* (Ficou bom novamente.)
- *Terrible weather, isn't it?* (Tempo horrível, não é?)
- *Isn't this weather miserable?* (Esse tempo não está horroroso?)
- *Isn't cold today?* (Não está frio hoje?)
- *I hear it'll clear up later.* (Ouvi que irá abrir o tempo mais tarde.)
- *It's looking nice out today.* (Lá fora está agradável hoje.)

É comum adicionar uma *question tag* ao final da frase que fala do tempo. Assim, temos: "*It's turned out nice again, hasn't it?*" ou "*Lovely day, isn't it?*". Fazemos isso para estimular uma resposta positiva e poder continuar a conversa. (Ver Capítulo 2 para mais informações a respeito *de questions tags*.)

Uma expressão que você provavelmente não ouvirá um britânico falar é "*It's raining cats and dogs*" (equivalente a "Está chovendo canivetes"). É mais comum "*It's chucking it down*" ou "*It's tipping down*", o que quer dizer que está chovendo muito.

Tendo uma Conversa

Goran está comprando jornal em uma banca. Ouça como ele conversa sobre o tempo com o jornaleiro.

Goran:	*Morning!* (Bom dia!)
Newsagent:	*Morning. How's it going?* (Bom dia. Como vai?)
Goran:	*Not bad, thanks, you?* Nada mal, obrigado. (E você?)
Newsagent:	*Fine, apart from this rain! It's chucking down!* Bem, fora essa chuva! (Está chovendo demais!)
Goran:	*Yes, it's terrible, isn't it? And it's so cold!* (Terrível, não é? E está tão frio!)
Newsagent:	*They said it will brighten up later.* (Disseram que o tempo vai abrir mais tarde.)
Goran:	*They always say that! Still, it's warmer than back home.* Eles sempre dizem isso! (Mesmo assim, ainda está mais quente do que lá na minha terra.)
Newsagent:	*Really? What's the weather like in Zagreb now?* (É mesmo? Como está o tempo em Zagreb agora?)
Goran:	*Freezing cold, and snowing.* (Congelando e nevando.)
Newsagent:	*Right! So this is like summer for you!* Sei! (Então isso aqui é como o verão para você!)
Goran:	*Right!* (Certo!)

Minha Família e Outros Animais

Como Gerald Durrell, o autor do adorado livro *Minha família e outros animais*, sugere, a família pode ser muito especial! As pessoas adoram falar sobre os familiares. Elas mostram fotografias aos amigos, contam detalhes de conversas que tiveram ao telefone ou de e-mails recebidos. Famílias têm diversos níveis de importância em culturas diferentes. Em países de língua inglesa é normal fazer uma ou duas perguntas a respeito dos familiares no primeiro encontro, mas é bom esperar até que a pessoa dê mais informações até que você possa se aprofundar no assunto. Uma *family tree* mostra como as pessoas de uma família se relacionam com as outras.

- *John is David's father.* (John é pai de David.)
- *Mary is David's mother.* (Mary é mãe de David.)
- *David is John's son.* (David é filho de John.)
- *Susan is John's daughter.* (Susan é filha de John.)
- *David is Susan's brother.* (David é irmão de Susan.)
- *Susan is David's sister.* (Susan é irmã de David.)
- *Charlie is David's brother-in-law.* (Charlie é cunhado de David.)
- *Carla is Susan's sister-in-law.* (Carla é cunhada de Susan.)
- *Charlie is Mary's son-in-law.* (Charlie é genro de Mary.)
- *Carla is Mary's daughter-in-law.* (Carla é nora de Mary.)
- *Jamie is John's grandson.* (Jamie é neto de John.)
- *Rosa is John's granddaughter.* (Rosa é neta de John.)
- *Jamie and Rosa are Stuart's cousins.* (Jamie e Rosa são primos de Stuart.)
- *David is Stuart's uncle.* (David é tio de Stuart.)
- *Susan is Rosa's aunt.* (Susan é tia de Rosa.)
- *John is Rosa's grandfather* (grandpa, granddad). (John é avô de Rosa.)
- *Mary is Stuart's grandmother* (grandma, granny, gran, nan). (Mary é avó de Stuart.)

Tendo uma Conversa

Carla está mostrando fotografias do churrasco em família a sua nova amiga do trabalho.

Carla: *Well, that's me, obviously – and my husband, David. And our two kids, Rosa and Jamie.*
(Bem, essa sou eu, óbvio – e meu marido, David. E nossos dois filhos, Rosa e Jamie.)

Jane: *They look lovely – how old are they?*
(Parecem encantadores. Quantos anos têm?)

Carla: *Rosa is twelve now e Jamie's ten in September. They are good kids, but quite noisy sometimes.*
(Rosa tem doze agora e Jamie faz dez em setembro. São boas crianças, mas aprontam de vez em quando.)

Jane: *And who are these two?* (E quem são esses dois?)

Carla: *My in-laws, John and Mary – David's mum and dad. They're great – I get on really well with them and they're good with the kids.*
(Meus sogros, John e Mary – o pai e a mãe de David. São ótimos – eu me dou muito bem com eles e eles são bons com as crianças.)

Jane: *And this must be David's sister?*
(E essa deve ser a irmã do David?)

Carla: *Right – that's Susan and her husband, Charlie, and little Stuart.*
(Certo – essa é Susan e o marido dela, Charlie, e o pequeno Stuart.)

Jane: *How old's Stuart?* (Quantos anos tem o Stuart?)

Carla: *He was two last month.* (Fez dois mês passado.)

Jane: *He's very cute!* (Ele é muito fofo.)

Contando Casos e Piadas

Piadas e histórias engraçadas são muito populares em momentos de descontração e é normal que as pessoas se revezem contando casos ou descrevendo coisas inusitadas de suas vidas. Quando estiver ouvindo, é uma boa ideia mostrar que está prestando atenção e parecer interessado.

A piada tem uma introdução para chamar a atenção das pessoas. Depois do desenrolar vem o final, que é a parte engraçada.

Capítulo 3: Conhecendo Pessoas 47

CUIDADO

Em geral, cada país tem outro como alvo preferido de piadas. O Reino Unido não é exceção. Os britânicos, como um todo, normalmente fazem graça com os ingleses, escoceses e irlandeses. É comum ouvir piadas começando com "Um escocês, um inglês e um irlandês entraram no bar...". Use esse tipo de humor com cuidado, caso contrário você pode ofender pessoas. Se quiser contar algo engraçado, mantenha-se num limite seguro e nunca faça graça a respeito de outro país ou nacionalidade que não seja a sua.

SABEDORIA CULTURAL

Os britânicos geralmente contam piadas a respeito de si mesmos, riem das coisas estúpidas que fazem ou dos enganos que cometem. Comentários como, "Oh, *I'm hopeless at skiing / maths*" (Não tenho salvação nos esquis / matemática) ou "*I'm useless when it comes to skiing / maths*" (sou inútil quando se trata de esquiar / matemática) não são incomuns. As pessoas tendem a dizer tais coisas em momentos de descontração. Esse tipo de brincadeira (rir de si mesmo, zombar das coisas que faz) é pouco habitual em outros países e pode levar a interpretações culturais errôneas. Só faça esses comentários quando se tratar de assuntos irrelevantes – se estiver querendo uma vaga de professor de matemática, nunca diga "*I'm hopeless at maths*".

Tendo uma Conversa

Dan, Carla e Goran estão tomando uma bebida no bar antes da sessão de cinema. Ouça Dan contando uma piada:

Dan: *This'll make you laugh.* (Você vai rir disto.)

Carla: *What?* (O quê?)

Dan: *An elephant walks into a bar and asks for a whisky.* (Um elefante entra no bar e pede um uísque.)

Goran: *Yes?* (Sim?)

Dan: *And the barman says, "Sure, but what's with the long face?"* (E o barman diz: "Claro, mas por que essa tromba?")

Carla: *Ha-ha – that's a good one!* (Ha, ha... Essa é boa!)

Goran: *I don't get it.* (Não entendo.)

Carla: *Goran! Elephants have long faces, right?* Goran! (Os elefantes têm trombas, não têm?)

Goran: *Yes...* (Sim...)

Dan: *And in English "to have a long face" is to look sad. So, if you say to someone "What's with the long face?" you are asking "Why are you so sad?".* (Em português "estar com uma tromba" é estar aborrecido. Então, se você pergunta "por que essa tromba?" está querendo saber por que a pessoa está chateada.)

Goran: *Oh!* (Ah!)

Dan: *Hummm... it's not so funny when you have to explain it.* (Hummm... não fica tão engraçada quando você precisa explicar.)

Carla: *I've got one!* (Tenho uma!)

Goran: *No, no more jokes, please! Let's go and see the film.* (Não, sem mais piadas, por favor! Vamos assistir ao filme.)

Os casos, histórias curtas a respeito de algo que aconteceu com você ou com pessoas que conhece, são ótimos para iniciar um papo. Se contar um, procure usar o presente simples ou o contínuo (veja o Capítulo 2) porque isso faz com que a narração fique próxima daquele que ouve. Esses tempos também são mais fáceis de se lembrar do que os do passado.

Tendo uma Conversa

Ouça Carla explicando como suas férias começaram:

Carla: *So, I get up at four in the morning and get a taxi to the station. It's freezing outside and the taxi driver is going too quickly. Of course, I know what's going to happen. Sure enough, we hit some ice and the car leaves the road.*

(Então, acordo às 4 da madrugada e pego um táxi para a estação de trem. Está congelando lá fora e o motorista dirige muito rápido. É claro que eu sei o que vai acontecer. Infalível, nós batemos no gelo e o carro sai da estrada.)

Gina: *No!* (Não!)

Carla: *I'm not joking. We finished up next to the river, the car turns over and suddenly we're upside down.*

(Não estou brincando. Terminamos perto do rio, o carro vira e de repente estamos de cabeça para baixo.)

Gina: *Seriously?* (Sério?)

Carla: *Yes! And guess what the taxi driver does?*
(É! E adivinhe o que o motorista do táxi faz?)

Gina: *What?* (O quê?)

Carla: *He starts smoking a cigarette!*
(Começa a fumar um cigarro!)

Gina: *You're joking!* (Você está brincando!)

Carla: *I'm not. So there we are upside down in the car!*
(Não estou. Então lá estamos de cabeça para baixo.)

Capítulo 3: Conhecendo Pessoas

Observe como as pessoas mostram interesse e comentam a respeito das piadas e dos casos nos exemplos anteriores. No Reino Unido, mostrar que você está ouvindo a pessoa e interessado na história é educado. Aqui estão algumas expressões e interjeições muito úteis:

- *Really?* (É mesmo?)
- *Seriously?* (Sério?)
- *No!* (Não!)
- *No way!* (De jeito nenhum!)
- *You're joking!* (Está brincando)
- *I don't believe it!* (Não acredito!)
- *Unbelievable!* (Inacreditável!)

Diversão & Jogos

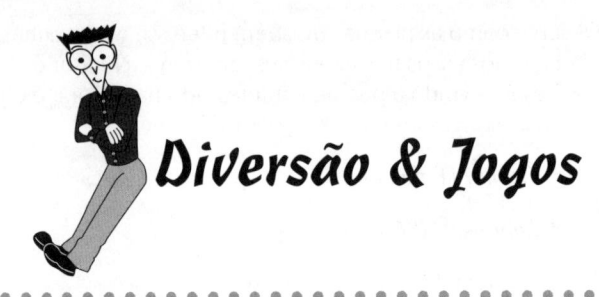

1. Ordene as palavras para formar frases. A primeira palavra está em negrito e o exercício número 1 foi feito como exemplo:

1 *you* **Where** *come say you from did?*

Where *did you say you come from?*

2. been **How** country have in you long this?
3. that what was **Sorry**,?
4. have you any **Do** then kids?
5. **It's** nicely isn't clearing it up,?
6. it weather, **Terrible** isn't?
7. drink are to **What** having you?
8. quiet isn't here, it **It's** tonight in?
9. he says **And** what next guess?
10. heard **Have** one this you?

Agora verifique em qual contexto cada pergunta é usada. O primeiro já está feito para você.

- ✔ Talking about the weather
- ✔ Making small talk in a pub or bar
- ✔ Asking about a person's background
- ✔ Asking for clarification
- ✔ Asking about family
- ✔ Telling a joke or anecdote

1 Where did you say you come from?

Asking about a person's background.

Respostas:

Where did you say you came from? Asking about a person´s background

How long have you been in this country? Asking about a person's background

Capítulo 3: Conhecendo Pessoas

Sorry, what was that? Asking for clarification

Do you have any kids then? Asking about family

It's clearing up nicely, isn't it? Talking about the weather

Terrible weather, isn't it? Talking about the weather

What are you having to drink? Making small talk in a pub or bar

It's quiet in here tonight, isn't it? Making small talk in a pub or bar

And guess what he says next? Telling a joke or anecdote

Have you heard this one? Telling a joke or anecdote

2. Coloque as frases em ordem para formar uma conversação. As duas primeiras já estão na ordem correta:

Em um pub:

Mick: ***Crowded in here tonight, isn't it?***

Elena: ***Sorry, what was that?***

Elena: I'm Brazilian. I'm here for a few months studying at the university.

Mick: Ah, I thought it was bloody Mary [tomato juice with vodka]. So where are you from? I thought I detected an accent?

Mick: Well your English sounds pretty good to me!

Elena: It's tomato juice – I don't drink much alcohol.

Mick [louder]: I said there are lots of people in this pub tonight!

Elena: Ah. Yes, loads. I've never been here before, but it's quite nice.

Mick: Really? What are you studying?

Elena: Actually, I'm studying English.

Mick: Yeah, it's usually pretty crowded on a Friday and Saturday though. What's that you´re drinking? Looks interesting!

Resposta:

Mick: ***Crowded in here tonight, isn't it?***

Elena: ***Sorry, what was that?***

Mick [louder]: I said there are lots of people in this pub tonight!

Elena: Ah. Yes, loads. I've never been here before, but it's quite nice.

Mick: Yeah, it's usually pretty crowded on a Friday and Saturday though. What's that you're drinking? Looks interesting!

Elena: It's tomato juice – I don't drink much alcohol.

Mick: Ah, I thought it was bloody Mary [tomato juice with vodka]. So where are you from? I thought I detected an accent?

Elena: I'm Brazilian. I'm here for a few months studying at the university.

Mick: Really? What are you studying?

Elena: Actually, I'm studying English.

Mick: Well your English sounds pretty good to me!

Parte II
Inglês em Ação

A 5ª Onda   por Rich Tennant

"Se a linguagem corporal for indicativo, eu diria que você precisa trabalhar nas suas boas-vindas."

Nesta parte...

Quer melhorar seu inglês? Então vai ter que arregaçar as mangas e praticar. Nós mostramos a você como se comunicar em diversas situações do dia a dia – ao fazer compras, pedir pratos em restaurantes, marcar encontros, falar sobre hobbies e sobre o que faz no tempo livre. Além disso, também o ajudamos a se comunicar em ocasiões mais formais, como no trabalho. Você vai aprender a falar ao telefone, receber recados e escrever e-mails. No final, demonstraremos as diferenças entre o inglês escrito e falado.

Esta parte do livro faz com que você desenvolva um amplo vocabulário para se expressar usando o inglês, que vai desde papos descontraídos com amigos, conversas em shoppings e restaurantes até a utilização da linguagem mais formal para escrever o que você precisa.

Capítulo 4
Compras e Números

Neste capítulo

▶ Comprando roupas e sapatos que caibam

▶ Fazendo compras em mercados e supermercados

▶ Desvendando os números: dinheiro, números de telefone, datas e andares de edifícios

*I*r ao shopping em um país diferente pode parecer estranho nas primeiras vezes. Você precisa saber como pedir as coisas, o horário de funcionamento das lojas e de que forma não se enganar nas compras. Por exemplo, em alguns países você pode achar selos, brinquedos e até mesmo roupas íntimas em uma tabacaria. No Reino Unido, os visitantes são muitas vezes surpreendidos pela quantidade de chocolates e doces à venda nas lojas de jornais e revistas. Algumas grandes cadeias de drogarias no Reino Unido vendem, além de remédios, aparelhos domésticos como ferros de passar roupa e secadores de cabelo.

Fazendo Compras na High Street

A *high street* é a rua onde se concentra a maior parte das lojas de uma cidade. Londres, que originalmente era um monte de pequenos povoados, tem muitas *high streets*.

Recentemente, as *high streets* britânicas começaram a ficar muito parecidas, com as mesmas grandes cadeias de lojas vendendo roupas, sapatos e eletrônicos em todas as principais cidades. Você ainda encontra pequenas lojas especializadas em certos produtos, como *butcher's shop* ou *butchery* (açougue), *baker's* ou *bakery* (padaria), *greengrocer's* (hortifrúti, também conhecido apenas como *grocer's*) e *chemist's* (drogaria). As pessoas geralmente dizem "I'm going to the butcher's" em vez de "I'm going to the butcher's shop". A palavra *shop* é descartada porque já está implícita. Além disso, *butcher's* sempre se escreve com apóstrofo.

Alguns tipos de lojas têm denominações derivadas de outras línguas, especialmente o francês, que supostamente soa mais sofisticado quando o assunto é comida, bebida ou vestuário. Assim, você pode se deparar com uma delicatessen (ou deli), cuja especialidade é iguarias, ou com uma boutique, loja que vende roupas.

Outro tipo de loja que você pode encontrar é a *pawn shop*. Lá as pessoas vendem coisas como equipamentos eletrônicos (TVs, rádios, CD players e por aí vai...) e joias ao dono que os revende aos seus clientes com uma margem de lucro. Mais comum ainda que as *pawn shops* são as *betting shops*, onde se aposta dinheiro em corridas de cavalos e cachorros, partidas de futebol e outros esportes.

Palavras a Saber

high street (rua principal do comércio)	butcher's (açougue)	baker's ou bakery (padaria)	Newsagent's (loja que vende jornais e revistas)
chemist's (drogaria)	deli (loja de iguarias)	betting shop (casa de apostas)	corner shop (loja de mercadorias em geral)
clothes shop (loja de roupas)	shoe shop (sapataria)	supermarket (supermercado)	market (mercado)

Aqui estão algumas expressões úteis para solicitar produtos em lojas:

- *I'd like...* (Eu gostaria de...)

- *Do you have... / Have you got...* (Você tem...)

- *I'll have...* (Vou querer...)

- *I'll take...* (Vou levar...)

É provável que o vendedor diga:

- *Can I help you?* (Posso ajudá-lo?)

- *Here you go.* (Aqui está.)

- *Anything else?* (Algo mais?)

- *That'll be three pounds sixty-five.* (São três libras e sessenta e cinco.)

- *Cash or credit card?* (Dinheiro ou cartão de crédito?)

Tendo uma Conversa

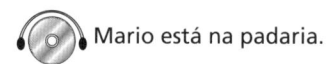

🎧 Mario está na padaria.

Mario:	*Morning! I'd like a loaf of bread, please.* (Bom dia. Eu gostaria de um pão de fôrma.)
Shop assistant:	*Certainly – white or brown?* (Claro. Branco ou integral?)
Mario:	*Brown, please.* (Integral, por favor.)
Shop assistant:	*We have several types of whole-wheat bread – with cereals or sesame seeds, or just plain.* (Nós temos vários tipos de pão integral – com grãos, gergelim ou simples.)
Mario:	*Plain, please. And I'd like half a dozen white bread rolls too, please.* (Simples, por favor. E eu gostaria de meia dúzia de pães franceses, por favor.)
Shop assistant:	*Here you go – anything else?* (Aqui está. Algo mais?)
Mario:	*And one Danish pastry, to eat now.* (E um pão doce para comer agora.)
Shop assistant:	*Oh yes, these are freshly baked, just out of the oven. That'll be three pounds sixty-five.* (Claro, estes estão fresquinhos, saíram do forno agora. São três libras e sessenta e cinco.)
Mario:	*Thanks.* (Obrigado.)

Você encontra vários tipos de pães em uma padaria. Os principais são o *white bread* (é o pão branco) e o *brown bread* (integral), mas existem muitas variações de cada um desses. Você pode ver o nome dos pães e as informações adicionais sobre eles (se contêm nozes, grãos ou gergelim, por exemplo) nas prateleiras. Isso facilita na hora de fazer o pedido.

Palavras a Saber

whole-wheat bread (pão integral)	white bread (pão branco)	pastry (doces)
doughnut (donut / rosquinha)	baguette (baguete)	cereal (cereal)
seeds (grãos)	freshly baked (recém-assado)	roll (pãozinho)

As áreas residenciais de cidades maiores no Reino Unido, geralmente, possuem *corner shops* (loja de mercadorias em geral). Essas lojas ficam abertas por muitas horas, sete dias por semana, e vendem o essencial como leite, pão, alimentos básicos e produtos de higiene (até mesmo bebidas alcoólicas, se o estabelecimento tiver autorização). Uma loja que só comercializa bebidas alcoólicas é conhecida como *off-licence*. Você pode ouvir um nativo dizer "*I'm off down the offy*" que significa que ele está indo à (loja) off-licence comprar algo. Doces e cigarros também são vendidos em uma *off-licence*. Ninguém com menos de 18 anos pode comprar legalmente cigarros ou bebidas alcoólicas, no Reino Unido.

Tendo uma Conversa

Antonio está na loja de jornais e revistas comprando uma revista:

Antonio:	*Hello. I'm looking for the latest copy of Car Now magazine. Do you have it?* (Olá. Estou procurando a última edição da revista Car Now. Você tem?)
Newsagent:	*Just a sec, I'll check. Look, the car magazines are here on this shelf.* (Só um segundo, vou verificar. Olhe, as revistas de carros ficam nessa prateleira.)
Antonio:	*Oh, sorry, I didn't see that.* (Desculpe, não tinha visto.)
Newsagent:	*Okay, let's see. This one is last month's. No, sorry, this month magazine hasn't arrived yet. It'll be here in a day or two.* (Tudo bem. Vejamos... Esta aqui é do mês passado. Não, desculpe, a deste mês ainda não chegou. Chegará em um ou dois dias.)
Antonio:	*Alright, thanks.* (Tudo bem, obrigado.)
Newsagent:	*Is there anything else you need?* (Há outra coisa que queira?)
Antonio:	*I'll have a bar of this dark chocolate.* (Vou querer essa barra de chocolate amargo.)
Newsagent:	*Okay, that's ninety-five pence, please.* (Certo. São noventa e cinco pence, por favor.)

Em vez de dizerem "*I'm going to the shops*" (vou às lojas / compras) com o verbo *to go*, os nativos de língua inglesa usam expressões como "*I'm off down the shops*" ou "*I'm just popping down the shops*". Lembre-se que, a menos que seu inglês seja excelente, usar essas expressões coloquiais pode soar estranho. Não há nada de errado em dizer "*I'm going to the shops*".

Horário de funcionamento das lojas

As lojas das *high streets*, no Reino Unido ficam abertas de segunda a sábado, das 9 ou 10 às 17 ou 18 horas. O funcionamento do comércio aos domingos começou a ficar mais comum nos últimos anos. A maior parte dos shoppings, em cidades maiores, abre aos domingos, mas não as lojas menores. *Pubs* (bares ingleses) e restaurantes funcionam até tarde. Em teoria, os *pubs* podem ficar abertos durante toda a noite: depois de muitos anos de leis restritivas, o governo concedeu recentemente autorização para o funcionamento 24 horas. A verdade é que muitos pubs ainda fecham entre 23 horas e 1 da manhã. Veja o Capítulo 6 para mais sobre pubs.

Comprando roupas e sapatos

Os nomes das lojas são fáceis de lembrar. Você compra *clothes* (roupas) em uma *clothes shop,* shoes (sapatos) em uma *shoe shop*, *toys* (brinquedos) em uma *toy shop* e *electronic goods* (aparelhos eletrônicos) em uma *eletronics shop*.

Além disso, você ainda pode encontrar as *charity shops* ou as *second-hand shops*, lojas que vendem roupas usadas e outros itens, e doam a maior parte do dinheiro para instituições de caridade. Quase todas as *high streets* britânicas têm pelo menos uma dessas. Os britânicos não se importam de usar roupas de segunda mão. Entretanto, como o Reino Unido moderno é um país multicultural, nem todas as pessoas acham aceitável ou legal usar itens que foram de outras pessoas.

Você vai ao *butcher's*, ao *greengrocer's* (ou *grocer's*) e ao *newsagent's*. Mas os nomes de alguns tipos de lojas são muito mais fáceis de dizer: *shoe shop*, *clothes shop, toy shop*. Não há apóstrofo nesses itens, por isso você nunca diz *shoe's shop*, *toy's shop* ou *clothes' shop*.

Use essas frases e perguntas quando for às compras:

- *I'm looking for* [*a white jacket*]. (Estou procurando [uma jaqueta branca].)

- *Have you got / Do you have* [*any white jackets*]?
  (Você tem [jaquetas brancas]?)

- *How much is* [*this jacket*] / are [*theses jackets*]?
  (Quanto é [esta jaqueta] / são [estas jaquetas]?)

- *Can I try this one*? (Posso experimentar essa?)

- *Where are the changing rooms*? (Onde ficam os provadores?)

Depois que experimentar uma peça, talvez você não goste do que vestiu ou precise de um tamanho, cor ou modelo diferente. Nesses casos, use as expressões abaixo:

- *What size is this*? (Que tamanho é esse?)

- *This doesn't fit / these don't fit.* (Este não coube. Estes não couberam.)

- *This is too big / small. Have you got a* [*bigger / smaller*] *size*? (Este é muito grande / pequeno. Você tem um tamanho maior / menor?)

- *Do you have this in* [*a different color / a brighter color / black*]? (Você tem este em [cor diferente / uma cor mais viva / preto]?)

- *I'll leave this.* (Vou deixar este.)

Se a peça for exatamente o que está buscando e você queira comprá-la, use essas frases:

- ✔ *This is perfect.* (Está perfeito.)
- ✔ *This fits perfectly.* (Este serviu perfeitamente bem.)
- ✔ *Does this suit me? That really suits you.* (Este cai bem em mim? Aquele cai bem em você.)
- ✔ *I'll take it.* (Vou levar.)

Tendo uma Conversa

Mila está na loja de roupas:

Shop assistant:	*Can I help you?* (Posso ajudá-la?)
Mila:	*Hello, yes, I'd like to try on the black skirt I saw in the window.* (Olá. Sim, gostaria de experimentar a saia preta que vi na vitrine.)
Shop assistant:	*Certainly, madam. What size are you?* (Certo, senhora. Qual o seu tamanho?)
Mila:	*I'm not sure about the sizes here. I'm a European size forty.* (Não estou bem certa dos tamanhos aqui. Sou tamanho quarenta europeu.)
Shop assistant:	*Okay, let me see. I think that's a size fourteen here. Here you are.* (Certo, deixe-me ver. Acho que é tamanho 14 aqui. Aqui está.)
Mila:	*Thanks. Where are the changing rooms?* (Obrigada. Onde são os provadores?)
Shop assistant:	*Over there in the corner.* (Lá no canto.)

Mila tries on a skirt and goes back to the shop assistant.
(Mila experimenta a saia e volta até a vendedora.)

Mila	*I'm sorry, but this doesn't fit. The size fourteen is too big for me. Have you got a smaller size?* (Sinto muito, mas não coube. O tamanho 14 é grande para mim. Você tem um tamanho menor?)
Shop assistant:	*You'll be a size twelve then. Let me check... No, sorry, we don't have any more black skirts in a size twelve. What about a different color?* Você deve ser tamanho 12, então. (Deixe-me ver... Não, desculpe. Não temos mais saias pretas no tamanho 12. Que tal uma cor diferente?)
Mila:	*I do like the style very much. What other colours do you have?* (Eu gostei muito do modelo. Quais outras cores você tem?)
Shop assistant:	*Dark gray, green and brown.* (Cinza-escuro, verde e marrom.)

Capítulo 4: Compras e Números

Mila:	*This dark gray looks nice. I'll try this size twelve. And I'l also try that grey jumper with it, in a size twelve.* (Esta cinza-escuro é bonita. Vou experimentar o tamanho 12. E também vou provar o suéter no tamanho 12.)

Mila tries on the second skirt and jumper, and goes back to the shop assistant. (Mila experimenta a segunda saia e o suéter e volta até a vendedora.)

Mila:	*Okay, this skirt fits perfectly. I'll take it, but I'll leave the jumper: the style is a little too short.* Certo, a saia serviu perfeitamente bem. (Vou levá-la, mas não o suéter: a modelagem é pequena.)
Shop assistant:	*Certainly madam. Will you pay by cash or credit card?* (Certo, senhora. Vai pagar em dinheiro ou cartão?)
Mila:	*Cash, please.* (Dinheiro, por favor.)
Shop assistant:	*Right. That's eighty-three pounds seventy-five in total.* Certo. (São oitenta e três libras e setenta e cinco pence no total.)
Mila:	*Here you go. Thanks.* (Aqui está. Obrigada.)
Shop assistant:	*Goodbye.* (Tchau.)
Mila:	*Bye.* (Tchau.)

Elogiando

Para elogiar o que alguém está vestindo, você pode usar as seguintes expressões:

- *I really like [that skirt].* (Eu adorei [essa saia].)
- *It looks great / lovely / gorgeous / fabulous!*
  (Isso parece (ou fica) excelente / bonito / deslumbrante / fabuloso!)
- *It's great / lovely / gorgeous / fabulous!*
  (É excelente / bonito / deslumbrante / fabuloso!)
- *That's a great / lovely / gorgeous / fabulous [skirt]!*
  (Essa é uma saia excelente / bonita / deslumbrante / fabulosa!)
- *Where did you get [that skirt]?* I love it!
  (Onde você comprou [essa saia]? Eu amei!)
- *That [skirt] really suits you!* (Essa [saia] realmente cai bem em você!)

Se você elogiar a roupa de alguém, não se surpreenda com uma resposta que pareça negativa. Você pode dizer "*That's a lovely jumper*" e ouvir algo como: "*This old thing? Oh, I've had it for years*" (Essa coisa velha? Já tenho há tantos anos) ou "*Do you think so? I got really cheap in the sales*" (Você acha? Comprei na liquidação). Essa é uma convenção social que você, como visitante, não precisa seguir. Se alguém elogiar o que está usando, pode simplesmente dizer "Obrigado" e sorrir. É muito mais fácil do que ficar tentando achar motivos para não aceitar o elogio.

Parte II: Inglês em Ação

Compare o tamanho das roupas e sapatos

SABEDORIA CULTURAL

As roupas e os sapatos têm diferentes sistemas de numeração em cada país. Os tamanhos S (*small* / pequeno), M (*medium* / médio), L (*large* / grande) e XL (*extra large* / extragrande) podem ser achados em quase todo o mundo. Entretanto, a Europa e o Reino Unido, por exemplo, usam referências diferentes. A confusão acontece quando um vendedor lhe oferece o tamanho 12, mas em seu país você veste o 40. A Tabela 4-1 mostra as diferenças:

Tabela 4-1	Diferenças de tamanho			
	Internacional	*Europa (polegadas)*	*Reino Unido*	*Brasil*
Tamanhos	*Small* (pequeno)	36-40	8-10	36-40
	Medium (médio)	40-44	12-14	40-44
	Large (grande)	46-50	16-20	46-50
Tamanhos de camisa (homens)	*Small* (pequeno)		34-36	
	Medium (médio)		38-40	
	Large (grande)		42-44	
Tamanho dos sapatos		37	4	37
		38	5	38
		39	6	39
		40	7	40
		41	8	41
		42	9	42
		43	10	43
		44	11	44
		45	12	45

Palavras a Saber

dress (vestido)	*skirt* (saia)	*shirt* (camisa)	*blouse* ((para mulheres) blusa)
trousers (calça)	*jeans* (calça jeans)	*suit* (terno)	*jacket* (jaqueta)
tie (gravata)	*shoes* (sapato)	*boots* (botas)	*sandals* (sandálias)
coat (casaco)	*jumper* (suéter)	*jersey* (pulôver)	*tights* (meia-calça)

Capítulo 4: Compras e Números

Tendo uma Conversa

🎧 Mila quer comprar sapatos em uma loja.

Shop assistant:	*Good morning. Can I help you? Do you see anything you like?* Bom dia. (Posso ajudá-la? Gostou de alguma coisa?)
Mila:	*Hello, yes, I'm looking for some black shoes to wear at work. Something formal, smart... These are nice. How much are they?* (Olá. Bem, estou procurando sapatos pretos para usar no trabalho. Algo formal e elegante... Estes estão ótimos. Quanto custam?)
Shop assistant:	*Let's see... the price is on the back here. They are thirty-nine pounds ninety nine.* (Deixe-me ver... o preço está aqui atrás. Custam trinta e nove libras e noventa e nove.)
Mila:	*Nearly forty pounds. Right... and these are size 6. Can I try them on?* (Quase quarenta libras. Certo... e estes são tamanho 6. Posso experimentar?)
Shop assistant:	*Yes, of course, madam. Please take a sit here.* Claro, senhora. (Sente-se aqui, por favor.)
Mila tries on the shoes. (Mila experimenta os sapatos.)	
Mila:	*Hmmm. These are too small; they don't really fit. Have you got a bigger size?* (Hummm. Estão pequenos. Não cabem. Você tem uma numeração maior?)
Shop assistant:	*Right, I'll get you a size six and a half then.* (Tenho. Vou pegar o tamanho 6 e meio.)
Mila:	*Thanks. Oh yes, these are much better. They fit perfectly.* (Obrigada. Agora sim, estão muito melhores. Cabem perfeitamente.)
Shop assistant:	*Very nice. They suit you, especially with that skirt.* (Muito bem. Eles combinam com você, especialmente com essa saia.)
Mila:	*Okay, I'll take them. Can I pay by credit card?* (Certo. Vou levá-los. Posso pagar com cartão de crédito?)
Shop assistant:	*Yes, of course.* (Sim, claro.)

Na conversa anterior, você pode observar três verbos essenciais usados em compras de roupas e sapatos: *try on*, *suit* e *fit*. *Try on* significa experimentar. O produto *fits* (serve) quando é o seu número. Se o que você está experimentando *suits* (veste bem), quer dizer que cai bem em você. Então, da próxima vez que for às compras, primeiro você irá *try on* para verificar se as roupas *fit*. Depois, irá se olhar no espelho para ver se as peças *suit*.

No Supermercado

Quando você está em um país estrangeiro, é sempre tentador dar uma passadinha no supermercado para comprar guloseimas. Lá dentro você não precisa falar com ninguém e pode pegar os produtos das prateleiras sem necessitar de ajuda ou se preocupar em pedir tamanhos que caibam! Na verdade, as grandes cadeias de supermercados hoje em dia vendem não só alimentos, mas também roupas e brinquedos.

Você só precisará de uma mãozinha no supermercado se quiser encontrar um produto ou talvez no caixa, na hora de pagar. As seguintes frases podem ser úteis:

- *Have you got / Do you have [any shoe polish]?* (Você tem [graxa]?)
- *Which aisle is the [shoe polish] in?* ((Observe que aisle é pronunciado da mesma forma que I'll) Em qual corredor fica [a graxa]?)
- *Can I pay by credit card?* (Posso pagar com cartão de crédito?)
- *Can I have a plastic bag, please?* (Posso levar uma sacola plástica?)

Tendo uma Conversa

Pierre está no supermercado.

Cashier: Hello, sir, nice to see you. (Olá, senhor. Prazer em vê-lo.)

Pierre: Hi. (Olá.)

The cashier totals Pierre's purchases. (O caixa totaliza as compras de Pierre.)

Cashier: Reward card? No? Then that's forty-eight pounds and sixty pence, please. (Cartão de fidelidade? Não? Então, são quarenta e oito libras e sessenta pence, por favor.)

Pierre: Can I have two plastic bags please? (Posso levar duas sacolas plásticas, por favor?)

Cashier: Yes, they are two p each. Is that alright? (Sim, custam dois pence cada. Está certo?)

Pierre: Okay. And can I pay by credit card? Certo. (E posso pagar com cartão de crédito?)

Cashier: Yes, of course – just put your card through here, please. (Sim, claro. Insira seu cartão aqui, por favor.)

Pierre: Okay. Oh, the machine won't accept my card. Maybe because it's from France? (Certo. Ih, essa máquina não aceita meu cartão. Talvez seja porque é da França.)

Cashier: That's alright, it's probably not chip and PIN. You can sign for your shopping. I'll put your card through here. And here your receipt. Have a nice day! (Certamente. É provável que não tenha o sistema chip and PIN. Vou passar seu cartão aqui. E aqui está seu recibo. Tenha um bom dia!)

Pierre: Thank you. (Obrigado.)

Capítulo 4: Compras e Números   **65**

Cartões de crédito chip and PIN

As grandes lojas do Reino Unido, como os supermercados, em geral usam um sistema de cartões de crédito chamado *chip and Pin*. *Chip* é o dispositivo eletrônico no cartão e *PIN* significa "número de identificação pessoal". Esse tipo de cartão exige que você digite sua senha em vez de assinar o comprovante da compra. Essa transação é mais segura do que aquela na qual você só assina o comprovante. Entretanto, muitos visitantes não têm os cartões *chip and PIN*. Por isso, os estabelecimentos também possuem o sistema antigo de pagamento com cartão, o que permite que pessoas de fora assinem seus comprovantes.

Palavras a Saber

shopping trolley
(carrinho de supermercado)

aisle (pronunciado "I'll")
(corredor)

cashier
(caixa (pessoa))

receipt (pronunciado "re-SEET")
(recibo)

shopping basket
(cesta de compras)

checkout
(caixa (lugar))

reward card
(cartão de fidelidade)

to sign (pronunciado "sihn")
(assinar)

Sacolas de compras e cartões de fidelidade

Algumas grandes cadeias de supermercados cobram centavos pelas bolsas de compras (shopping bags). Por isso, muitas pessoas levam de casa suas próprias sacolas (de plástico ou tecido). O caixa do supermercado também pode perguntar se o cliente tem o cartão de fidelidade (*reward card*), que é parecido com o de crédito e dá descontos nas compras ou acumula "pontos". Em geral, você precisa residir no Reino Unido para pedir um desses. Ao pagar suas compras nos grandes supermercados, o caixa normalmente pergunta se você tem o cartão de fidelidade. Entretanto, é comum que se refira ao cartão como Nectar, marca de um dos mais comuns, usado em muitos estabelecimentos diferentes. Certos supermercados dão pontos extras em seu cartão de fidelidade se você levar as sacolas de casa e evitar o uso das bolsas plásticas.

Visitando o Mercado

Os mercados, tanto os cobertos quanto os ao ar livre, costumam ser mais interessantes do que os supermercados. Alguns deles abrem todos os dias e outros somente aos fins de semana ou dias especiais. Você pode comprar quase tudo em um mercado: de comida a móveis, de salgadinhos a porcelana.

Comprando frutas e vegetais

Para comprar frutas e vegetais, você precisa saber sobre pesos e quantidades, o que explicamos na seção "Medidas – pesos e quantidades". Palavras e expressões úteis para comprar frutas e vegetais, em um mercado, podem ser:

- *I'd like a pound / kilo of [oranges], please.* (Gostaria de uma libra / um quilo de [laranjas], por favor.)

- *I'll take some of [these strawberries].* (Vou levar [esses morangos].)

- *How much are [the strawberries]?* (Quanto custam [esses morangos]?)

Comprando carne e peixe

Da mesma forma que frutas e vegetais, pode-se comprar carne e peixe em libras (*pounds*) ou em quilos. Entretanto, por lei, os donos das lojas precisam exibir uma tabela de pesos. Você pode pedir ao açougueiro (*butcher*) para cortar a carne para você e o peixeiro (*fishmonger*) para limpar o peixe.

Carnes

Aqui estão algumas carnes (*meat*) que você encontra nos açougues de mercados – e também nos açougues das *high streets*.

- *Meat: beef* (carne bovina), *pork* (carne suína), *lamb* (carne de cordeiro), *liver* (fígado), *tripe* (vísceras), *sausages* (linguiça), *bacon*.

- *Poultry*: *chicken* (frango), *duck* (pato).

- *Steak: cooking steak* (fatia grossa de carne para assar), *rump steak* (bife de alcatra), *T-bone steak* (bife com osso em forma de T).

- Mince or mincemeat (carne cortada em fatias muito finas ou picadinho).

- Chops: lamb chops (costeletas de cordeiro), pork chops (costeletas de porco).

Peixes

Os peixes são vendidos em uma peixaria (*fishmonger's*). Alguns dos peixes mais consumidos no Reino Unido são: *Trout* (truta)

- *Salmon* (salmão)

- *Plaice* (linguado)

✔ *Cod* (bacalhau)

✔ *Trout* (truta)

Frutos do mar

Os frutos do mar (*shellfish*) também são encontrados nas peixarias, mas costumam ser mais caros do que os peixes. Você geralmente acha os seguintes frutos do mar nas peixarias:

✔ *Shrimp/prawn* (camarão)

✔ *Lobster* (lagosta)

✔ *Crayfish* (pitu)

✔ *Mussel* (mexilhão)

✔ *Cockles* (certos moluscos bivalves como o sururu)

✔ *Oyster* (ostra)

Medidas: pesos e quantidades

Como outros países europeus, o Reino Unido usa oficialmente quilos e gramas, mas você encontra o sistema imperial britânico (libras e onças – *pounds* e *onces*) em tabelas e também ouve muitas pessoas falando dessa forma. Mesmo se estiver escrito em uma placa "£1.50 per kilo", é possível escutar o cliente pedindo "*two pounds of oranges*" (duas libras de laranja), o que equivale a mais ou menos um quilo. Isso às vezes soa estranho porque a moeda também se chama "pound"! No caso das laranjas, duas libras custam uma libra e meia.

As lojas e bancas de mercado registram tanto o sistema métrico internacional quanto o sistema imperial britânico, na mesma placa. Então, se você está acostumado ao sistema métrico internacional, tudo o que precisa fazer é usar quilos e gramas em suas compras sem precisar ficar quebrando a cabeça acerca das complexidades das 16 onças de uma libra!

Algo parecido acontece quando você compra líquidos. Embora, o suco de laranja seja vendido no supermercado em litros, o leite é geralmente medido em *pints* (1 litro corresponde a cerca de 1,8 pint). E, se for beber cerveja em um *pub*, peça um *pint* ou meio *pint* (*half a pint*), mas nunca um litro.

Os mártires do metro

Os "mártires do metro" foram um grupo de comerciantes britânicos multados por usarem somente as medidas imperiais nas placas em seus produtos. A lei diz que elas podem ser usadas, mas sistema métrico internacional também precisa estar registrado. Os jornais chamaram esses homens de "mártires do metro" depois que um político disse que eles poderiam se martirizar o quanto quisessem, mas que a lei era a lei.

Car boot sales

Car boot sales são mercados não oficiais montados em lugares públicos ao ar livre, como estacionamentos, geralmente aos domingos. Qualquer um pode levar coisas que não quer mais e vendê-las no porta-malas de seu carro (car boot). Em um car boot sale você encontra itens interessantes como ornamentos, aparelhos elétricos antigos, relógios, joias, livros usados, mobília... Enfim, qualquer coisa que estava encostada na casa de alguém por anos e cujo dono quer se livrar. Cuidado: car boot sales têm muitos objetos velhos e sem serventia. Entretanto, você pode dar sorte e fazer um bom negócio.

Palavras a Saber

A bunch of grapes / bananas / radishes
(Um cacho de uvas / bananas / rabanetes)

A packet of peas / nuts / crisps
(Um pacote de ervilhas / nozes / batata frita tipo de saquinho)

A box of strawberries
(Uma caixa de morangos)

A dozen / half a dozen eggs
Uma dúzia / meia dúzia de ovos.

A pint of milk
(Aproximadamente meio litro de leite)

A carton of orange juice
(Uma caixa de suco de laranja)

A tin of tuna
(Uma lata de atum)

Tendo uma Conversa

Gina está no mercado fazendo as compras semanais. Ela vai primeiro à banca de frutas e vegetais:

Trader 1: Hello, love, what would you like?
(Olá, querida. Do que gostaria?)

Gina: Let's see... I'm making a salad for eight tomorrow, so two lettuces, I think, and a bunch of radishes... (Deixe-me ver... Farei uma salada para oito amanhã, então, duas alfaces, eu acho, e um cacho de rabanetes...)

Trader 1: Okay, I've got some lovely tomatoes here...
(Certo. Eu tenho uns tomates muito bonitos aqui...)

Capítulo 4: Compras e Números

Gina:	*Right, I'll take two pounds of tomatoes, and that cucumber. Oh, and half a dozen eggs. Those grapes look nice too – I'll have two bunches.* (Certo. Levarei um quilo de tomates e aquele pepino. Ah, e meia dúzia de ovos. Aquelas uvas também estão bonitas – vou levar dois cachos.)
Trader 1:	*Is that all then?* (Isso é tudo, então?)
Gina:	*Just a pound of potatoes and that's it.* (Mais meio quilo de batatas e é só.)
Trader 1:	*Here you go, love. That'll be six pounds forty.* (Aqui está, querida. São seis libras e quarenta.)
Gina:	*Thanks. Bye.* (Obrigada. Tchau.)

Gina goes to the butcher's stall. (Gina vai ao açougue.)

Trader 2:	*Can I help you?* (Posso ajudá-la?)
Gina:	*I'll take some of those nice looking lamb chops. How much are they?* (Vou querer aquelas costeletas de cordeiro que estão bonitas. Quanto custam?)
Trader 2:	*Five ninety-nine a pound.* (Meio quilo custa cinco e noventa e nove.)
Gina:	*Oh! Right, that's more than I thought! Okay, so I'd like two pounds of mince, please.* (Oh! Bom, é mais do que eu pensava. Bem, então vou querer um quilo de carne moída.)
Trader 2:	*No problem. Here you go. Anything else I can help you with?* (Sem problema. Aqui está. Posso ajudá-la em outra coisa?)
Gina:	*I need some chicken too, so five chicken thighs, please, and that's it.* (Preciso de frango, também. Então, cinco coxas, por favor, e é só.)
Trader 2:	*Right, that's three pounds fifty.* (Certo. São três libras e cinquenta.)
Gina:	*Here you go. Thanks.* (Aqui está. Obrigada.)

Decifrando os Números

Nós não iremos ensiná-lo a contar em inglês, porque isso você provavelmente já sabe. Então vamos mostrar como os números são usados em certas situações, tais como valores e números de telefone.

Dinheiro

A moeda no Reino Unido é a libra (*pounds*) e o pêni (*pence*), sendo o pêni uma moeda divisionária (1/100 da libra). Como você diz os preços, então? É muito simples – fale os *pounds* primeiro e depois *os pence*.

- £4.99: *four pounds, ninety-nine*
- £18.75: *eighteen pounds, seventy-five*

Note que quando diz os valores, você não usa o "*and*" (e) entre os *pounds* e *pence* (não se diz "*four pounds and ninety-nine*") e geralmente não se fala *pence* no final (ex.: "*four pounds and ninety-nine pence*").

E quando se fala *pence*, então? Você geralmente reduz a palavra "*pence*" para "*p*" (pronunciado "pee").

- 59p: *fifty-nine pence* ou *fifty-nine p*
- 16p: *sixteen pence* ou *sixteen p*

Aqui estão outros exemplos:

- £19.99: *nineteen pounds ninety-nine*
- £50: *fifty pounds*
- £3.89: *three pounds eighty-nine*
- 25p: *twenty-five pence* ou *twenty-five p*
- 75p: *seventy-five pence* ou *seventy-five p*
- 10p: *ten pence* ou *ten p*

Quando você precisa dizer números grandes, geralmente os arredonda para mais ou menos. Então, em vez de falar "*the car cost me three thousand, one hundred and twenty pounds*" você diz "*The car cost me about three thousand pounds*". Outras expressões que pode usar são:

- *Three thousand and something.* (Três mil e alguma coisa.)
- *Nearly five hundred.* (Quase quinhentos.)
- *Just under six thousand.* (Um pouco menos de seis mil.)
- *Over ten thousand.* (Mais de dez mil.)

Você usa as expressões anteriores com centenas e milhares, mas não com números pequenos.

Tome cuidado com a pronúncia das dezenas e dos números entre 13 e 19. Por exemplo, observe a diferença entre o 60 (*sixty*) e o 16 (*sixteen*). Com as dezenas, você coloca ênfase na primeira sílaba, então diz "*SIX-ty*". Com números de 13 a 19, você coloca ênfase na segunda sílaba, por isso fala "*six-TEEN*". Diga o número alto e ouvirá a diferença! Até mesmo os falantes nativos às vezes precisam de esclarecimento. Se quiser que repitam o número, diga: "*Sorry, was that SIXty or sixTEEN?*", exagerando na ênfase.

Como muitas línguas, o inglês tem muitas gírias (*slangs*) e palavras coloquiais. Uma das mais conhecidas é "*quid*" para a libra (inglês britânico) e "*buck*" para o dólar (inglês americano e australiano). Assim, você pode ouvir alguém dizer "*that cost ten quid*" (aquilo custou dez libras) ou "*give us a tenner*" (dê-nos uma nota de dez libras). A palavra "*fiver*" também existe e designa uma nota de cinco libras, como: "*It's only a fiver*" – só custa cinco libras.

Datas

Sempre use os números ordinais para falar as datas em inglês. Você pode escrever "*28 December*" ou "*28th December*", mas sempre diz "*the twenty-eighth of December*" ou "*December (the) twenty-eighth*". Então *1 May* é falado "*The first of May*" ou "*May (the) first*", mas nunca "*one of May*" ou "*May one*".

Para os anos antes de 2000, divida o ano em duas partes. Assim, *1989* (19-89) fica "*nineteen eighty-nine*". Para datas depois de 2000, diga: "*two thousand and...*". Desta forma, 2010 é falado "*two thousand and ten*". Você também pode dizer "*twenty-ten*" para 2010, mas essa é uma forma menos comum.

Aqui estão mais alguns exemplos:

- 1964: *nineteen sixty-four*
- 1992: *nineteen ninety-two*
- 2001: *two thousand and one* (ou *twenty-oh-one*)
- 2012: *two thousand and twelve* (ou *twenty-twelve*)

Só use "*and*" em datas com a palavra "*thousand*". O ano de 2011 fica "*two thousand and eleven*". Entretanto, para 1985 diga "*nineteen eighty-nine*" e não "*nineteen and eighty-five*".

Andares de prédios

Grandes lojas com muitos andares e que vendem diferentes categorias de produtos são conhecidas como *department stores*. Em Londres ficam algumas das *department stores* mais famosas, como a Harrods e a Fortnum & Mason.

O primeiro piso dos edifícios no Reino Unido é chamado de "*ground floor*" (térreo), o andar seguinte, de primeiro e assim sucessivamente. Lembre-se de quando entrar no elevador e quiser ir para o térreo, apertar o G (*ground floor*) e não o 1!

Tendo uma Conversa

Goran liga para Dan para falar do atraso da entrega de roupas em uma loja.

Goran: *Hi, Dan, I'm just calling to check what happened to that order for three hundred jackets for the fourteenth of June. Today is sixteenth and it's still not here.* (Oi, Dan. Estou só ligando para saber o que houve com aquele pedido de trezentas jaquetas para o dia 14 de junho. Hoje já são 16 e ainda não está aqui.)

Dan: *Yes, you are right, sorry. I meant to call you and tell you there's been a problem at the factory. They say they can get the order to you by the twentieth.* (Sim, você está certo, desculpe. Eu ia ligar para dizer que houve um problema na fábrica. Eles disseram que conseguem entregar o pedido por volta do dia 20.)

Goran: *The twentieth is a little too late, but if you can give me Steve's phone number, I'll ring him and tell him about this. Have you got his number handy?* (Dia 20 é um pouco tarde, mas se você puder me dar o telefone do Steve, eu ligarei para ele e falarei sobre isso. Você tem o número dele à mão?)

Dan: *Just a sec. Yes, here you go, it's oh two oh seven five eight three two double nine three.* (Só um segundo. Sim, aqui está. É zero dois zero sete cinco três dois duas vezes nove três.)

Goran: *Sorry, was that double nine or double three?* (Desculpe, são duas vezes nove ou duas vezes três?)

Dan: *Double nine, then three.* (Duas vezes nove, então o três.)

Goran: *Okay. I suppose that if he's only paying a fiver for each jacket, he can hardly complain...* (Certo. Considerando que ele só está pagando cinco libras por cada jaqueta, imagino que não possa reclamar muito.)

Dan: *Exactly. A few days won't make that much difference. Thanks, Goran.* (Exatamente. Alguns dias não fará muita diferença. Obrigado, Goran.)

Goran: *No problem. Cheers.* (Sem problemas. Passar bem.)

Capítulo 4: Compras e Números   **73**

Diversão & Jogos

1. Em qual tipo de loja você poderá dizer as seguintes frases? Relacione a frase à loja:

butcher's/market – market – shoe shop – clothes shop/boutique – supermarket – department store – pub – newsagent's – baker's/bakery – off-licence

1. I'd like a dozen brown bread rolls, please.
2. I'm looking for the latest copy of Home Owner's magazine.
3. Where are the changing rooms?
4. These trainers don't fit – can I try on a bigger size?
5. Which aisle is the frozen food in?
6. I'll take that box of strawberries and two bunches of grapes.
7. I'd like a pound of cooking steak, please.
8. Two pints of lager, please.
9. Which floor for soft furnishings, please?
10. Is this white wine on offer a chardonnay? Okay, I'll have two bottles.

Resposta:

1. baker's/bakery
2. newsagent's
3. clothes shop/boutique
4. shoe shop
5. supermarket
6. market
7. butcher's/market
8. pub
9. department store
10. off-licence

74 Parte II: Inglês em Ação

2. Paula está em uma loja de roupas. Coloque o diálogo entre Paula e a vendedora na ordem correta. A primeira linha está em negrito:

Shop assistant:	***Can I help you?***
Shop assistant:	On that side of the shop.
Shop assistant:	Okay, I think European size forty-two is a twelve or fourteen here. Why don't you try on both a twelve and a fourteen?
Paula:	Good idea. Where are the changing rooms?
Paula:	Yes, I'd like to try on these jeans, but I'm not sure what my size in UK is. In Portugal I'm a size forty-two.

Resposta:

Shop assistant:	***Can I help you?***
Paula:	Yes, I'd like to try on these jeans, but I'm not sure what my size in UK is. In Portugal I'm a size forty-two.
Shop assistant:	Okay, I think European size forty-two is a twelve or fourteen here. Why don't you try on both a twelve and a fourteen?
Paula:	Good idea. Where are the changing rooms?
Shop assistant:	On that side of the shop.

3. Paula experimenta o jeans e volta para falar com a vendedora. Coloque o resto da conversa na ordem correta. A primeira linha está em negrito:

Paula:	***The size twelve jeans fit fine. I'll take them.***
Paula:	Okay, that's great. Where I can pay?
Paula:	No, I'll just take the jeans, thanks. These are on sale, right?
Shop assistant:	You can pay at the cash till over there, in cash or by credit card.
Shop assistant:	Yes, there's a ten per cent discount on these.
Shop assistant:	Okay, can I help you with anything else?

Resposta:

Paula:	The size twelve jeans fit fine. I'll take them.
Shop assistant:	Okay, can I help you with anything else?
Paula:	No, I'll just take the jeans, thanks. These are on sale, right?
Shop assistant:	Yes, there's a ten per cent discount on these.
Paula:	Okay, that's great. Where I can pay?
Shop assistant:	You can pay at the cash till over there, in cash or by credit card.

Capítulo 5
Fazendo Refeições em Casa e na Rua

Neste capítulo

▶ Entendendo o horário das refeições britânicas

▶ Fazendo refeições em casa

▶ Fazendo refeições em pubs e restaurantes

Quando você pensa em comida britânica, imagina coisas sem graça, sem sabor e sem criatividade? Nada poderia estar mais distante da realidade. O Reino Unido é hoje uma sociedade multicultural com uma longa tradição de imigração, de todos os cantos do planeta. Por causa disso, você consegue achar a culinária de todas as partes do mundo em muitos lugares – comida italiana, indiana, chinesa, mexicana, polonesa... As grandes cidades têm à disposição comida de quase todos os países que conseguir se lembrar! E, fora a grande variedade de cozinha internacional, você pode se deliciar com a boa e velha comida britânica em muitos pubs e pequenos restaurantes locais. Há muito mais o que comer do que apenas *fish and chips*!

Conhecendo as Refeições Britânicas

As três principais refeições feitas durante o dia são o café da manhã (*breakfast*), o almoço (*lunch*) e o jantar (*dinner ou supper*). O almoço é servido entre meio-dia e 13 horas e o jantar é cedo, entre 17 (para crianças) até 20 ou 21 horas (para os adultos). Não chegue a um restaurante às 14 para o almoço nem às 22 para o jantar – você provavelmente não vai conseguir comer!

É um tanto confuso, mas almoço (*lunch*) às vezes é chamado jantar (*dinner*). As crianças na escola, por exemplo, têm um intervalo na hora do almoço chamado *school dinner*. E as pessoas do norte da Inglaterra, da Escócia e da Irlanda de vez em quando chamam o jantar (*dinner*) de chá (*tea*). Ainda bem que o café da manhã (*breakfast*) sempre é chamado de café da manhã!

Café da manhã

É possível que você já conheça o típico café da manhã inglês – ovos, bacon, salsicha, torrada, chá... Muitos hotéis oferecem essa refeição enorme como parte de seus serviços. Você também encontra pequenos restaurantes locais servindo o café da manhã inglês completo. Mas a maioria dos britânicos não come isso todo dia. Para começar, o Reino Unido tem pessoas de todos os povos, por isso há tantos cafés da manhã diferentes quanto há culturas. Depois, o contato cada vez maior com outros países da Europa faz com que haja um café da manhã europeu ou "continental" no cardápio. Muitos adultos e crianças só comem uma tigela de cereal, antes de ir para o trabalho ou escola.

Palavras a Saber

English breakfast (café da manhã inglês)	Continental breakfast (café da manhã continental)
scrambled eggs (ovos mexidos)	toast (torrada)
beans (feijão)	butter (manteiga)
fried eggs (ovos fritos)	jam (geleia de frutas)
bacon (bacon)	croissant (croissant)
sausages (salsichas)	orange juice (suco de laranja)
cooked tomatoes (tomates assados)	coffee and tea (café e chá)

Almoço

A maioria das pessoas que trabalha fora no Reino Unido tem um intervalo muito pequeno de almoço – geralmente não mais do que uma hora. Isso significa que o horário do almoço, durante a semana, é curto. A maior parte delas come um sanduíche ou uma refeição rápida em um *pub* (veja "Onde comer" para mais informações sobre refeições em *pubs*). Quando o tempo está bom, você pode ver os parques e os bancos lotados de gente, comendo sanduíches ou lanches, na hora do almoço.

O dia da semana em que as pessoas geralmente fazem um almoço mais farto é o domingo – o *Sunday lunch* (almoço de domingo). Entretanto, o jantar é a principal refeição do dia. O prato típico do almoço de domingo é o assado (*roast*) – carne ou frango assado no forno acompanhado de batatas e legumes. Rega-se o assado com o molho da carne (*gravy*). Nem todo mundo come esse tipo de almoço no domingo, é claro. Mas você encontra o prato nos pubs nesse dia, se quiser experimentar.

Jantar

Os britânicos jantam relativamente cedo (entre 18 e 20 horas) porque o jantar é a maior refeição do dia e é preciso tempo para digeri-lo! É mais fácil as pessoas irem a um restaurante na hora do jantar, pois é quando têm tempo de relaxar e aproveitar a refeição, sem correria para voltar ao trabalho.

Antes de começar a comer, você pode desejar que a sua companhia desfrute da refeição dizendo "*bon appétit*". É, isso é francês, não inglês – a língua inglesa não tem uma expressão específica para desejar que alguém aproveite a comida. Você consegue, no entanto, beber à saúde de alguém em inglês quando levanta seu copo e com ele toca os copos das outras pessoas, dizendo: "*Cheers*" (Saúde).

Palavras a Saber

Bon appétit! (Bom apetite!)	*Cheers!* (Saúde!)	*a roast* (um assado)
dinner (jantar)	*lunch* (almoço)	*supper* (ceia)

Fazendo Refeições em Casa

Você não precisa ir a um restaurante caro para comer bem, no Reino Unido. As pessoas geralmente preferem fazer suas refeições em casa. Se não quiser cozinhar, a comida para viagem é sempre uma boa pedida, pois não é cara e é muito saborosa.

Pedindo comida para viagem

Fora os famosos restaurantes internacionais de hambúrgueres, que são os mesmos em todas as partes do mundo, você tem outras opções de comidas rápidas e baratas para viagem. A maioria dos novos cidadãos do Reino Unido vem da Ásia. Isso significa que é muito fácil achar *kebabs* (carne em um espeto), assim como *fish and chips*. Nas lojas especializadas em *fish and chips*, as refeições são servidas com sal e vinagre. Mas se você não gosta de vinagre nas batatas, não tem problema: a maior parte das lojas permite que adicione o quanto quiser de tempero. As lojas de *fish and chips* são mais comuns em áreas turísticas, como a costa sul da Inglaterra. Os nativos geralmente as chamam de *chippie*, em vez de *chip shop*.

Tendo uma Conversa

🎧 Jorge está em uma *chip shop*.

Jorge:	*Can I have one plaice and chips, and some pickled onions, please.* (Vou querer plaice and chips e pickled onions, por favor.)
Chip shop owner:	*Eat here or take away?* (Para comer aqui ou levar?)
Jorge:	*Take away, please.* (Para viagem, por favor.)
Chip shop owner:	*Do you want vinegar on your chips?* (Vai querer vinagre nas batatas?)
Jorge:	*No, thanks. Just salt.* (Não, obrigado. Apenas sal.)
Chip shop owner:	*Anything else for you?* (Algo mais?)
Jorge:	*I'll also have a can of that apple juice, please.* (Vou querer também uma lata de suco de maçã, por favor.)
Chip shop owner:	*Here you go then. That'll be six pounds thirty-five.* (Aqui está. São seis libras e trinta e cinco.)

Você pode pedir comidas fáceis de carregar para viagem, como fish and chips, hambúrgueres ou kebabs. Mas também consegue refeições completas em restaurantes, tais como pizzas, comida indiana e chinesa. Muitas pizzarias e restaurantes entregam em casa e o pagamento é feito na entrega. Hoje em dia também é possível pedir refeições pela internet.

Jantando na casa de um amigo

Se um amigo convidá-lo para um jantar em sua casa, é normal vocês falarem um pouco a respeito da comida. Elogie os pratos, mesmo se não gostar muito do que foi servido. Aqui estão algumas expressões que pode usar:

- *This is delicious*! (Está delicioso!)

- *How did you make it?* (Como você fez?)

- *Can I have the recipe* [re-si-pee]? (Pode me dar a receita?)

- *Thank you so much for a wonderful meal!* (Muito obrigado pela comida maravilhosa!)

Capítulo 5: Fazendo Refeições em Casa e na Rua

Tendo uma Conversa

Natalya está jantando na casa de uma amiga. Jane é a anfitriã.

Natalya: *This meat is delicious, Jane!* (Esta carne está deliciosa, Jane!)

Jane: *It's an old recipe of my mother's. The secret is to add soy sauce to the gravy.* (É uma antiga receita da minha mãe. O segredo é adicionar molho de soja ao caldo da carne.)

Natalya: *Well, it's fantastic.* (Bem, está maravilhoso.)

Jane: *I'm so glad you like it. It's really easy to make, you know.* (Fico feliz que tenha gostado. É muito fácil de fazer, sabe?)

Natalya: *Really? Well, you must give me the recipe then!* (Verdade? Bem, você precisa me dar a receita, então!)

Se um amigo convidá-lo para jantar em sua casa, é comum levar um presentinho para o anfitrião, tal como flores, chocolates ou uma garrafa de vinho. Se você é fumante, peça permissão e vá para o lado de fora da casa para fumar. Não é educado se levantar imediatamente após a refeição. As pessoas normalmente continuam sentadas à mesa depois da sobremesa para conversar um pouco.

Durante o jantar, você pode conversar a respeito de quase tudo: viagens, amigos, família e até mesmo política, se as duas partes têm opiniões parecidas – mas evite os assuntos polêmicos. Uma coisa que não se deve falar é de quanto as pessoas ganham. Veja o Capítulo 3 para mais informações sobre conversas informais (*small talks*).

Palavras a Saber

eat in (fazer refeições em casa)	takeaway ([comida] para viagem)	plaice (tipo de peixe semelhante ao linguado)	cod (bacalhau)
chips (batatas fritas)	picked onion (cebola em conserva)	kebab (kebab)	recipe (receita culinária)

Saindo para Comer

Uma das melhores coisas de se fazer em visita a outro país é sair para experimentar os sabores locais, e o Reino Unido não é a exceção! Você pode achar de tudo lá, desde os tradicionais pratos britânicos de nomes esquisitos, tal como *Welsh rarebit* ou *haggis*, até as famosas iguarias internacionais, como a *pizza* e o *curry*.

Escolhendo onde comer

Como em qualquer parte do mundo, você escolhe onde comer dependendo de sua disponibilidade financeira – isto é, quanto de dinheiro tem para gastar. Os lugares mais baratos são os restaurantes *fast food*, como McDonald's e Burger King, encontrados em todos os cantos do planeta, existindo apenas pequenas variações locais de cardápios. Isso significa que seus menus são entendidos facilmente e muitos têm figuras ilustrando quase todos os itens. Mas, estando no Reino Unido, você provavelmente vai querer experimentar a comida local – e um dos melhores lugares para encontrá-la – e pagar pouco – é no *pub*.

Pub

Os pubs são um ótimo lugar para provar a culinária local a preços razoáveis. Alguns deles têm uma área mais parecida com um restaurante, com mesas guarnecidas de talheres (garfos e facas). Entretanto, a maioria possui um espaço informal de refeições, que fica geralmente no centro do estabelecimento, onde as pessoas bebem. No *pub* você pede a refeição diretamente ao atendente no balcão do bar e efetua o pagamento na hora do pedido, e não ao término da refeição. Alguns pubs têm um cardápio impresso e outros colocam placas no estabelecimento anunciando as ofertas do dia.

A Figura 5-1 mostra um típico cardápio de pub:

Capítulo 5: Fazendo Refeições em Casa e na Rua

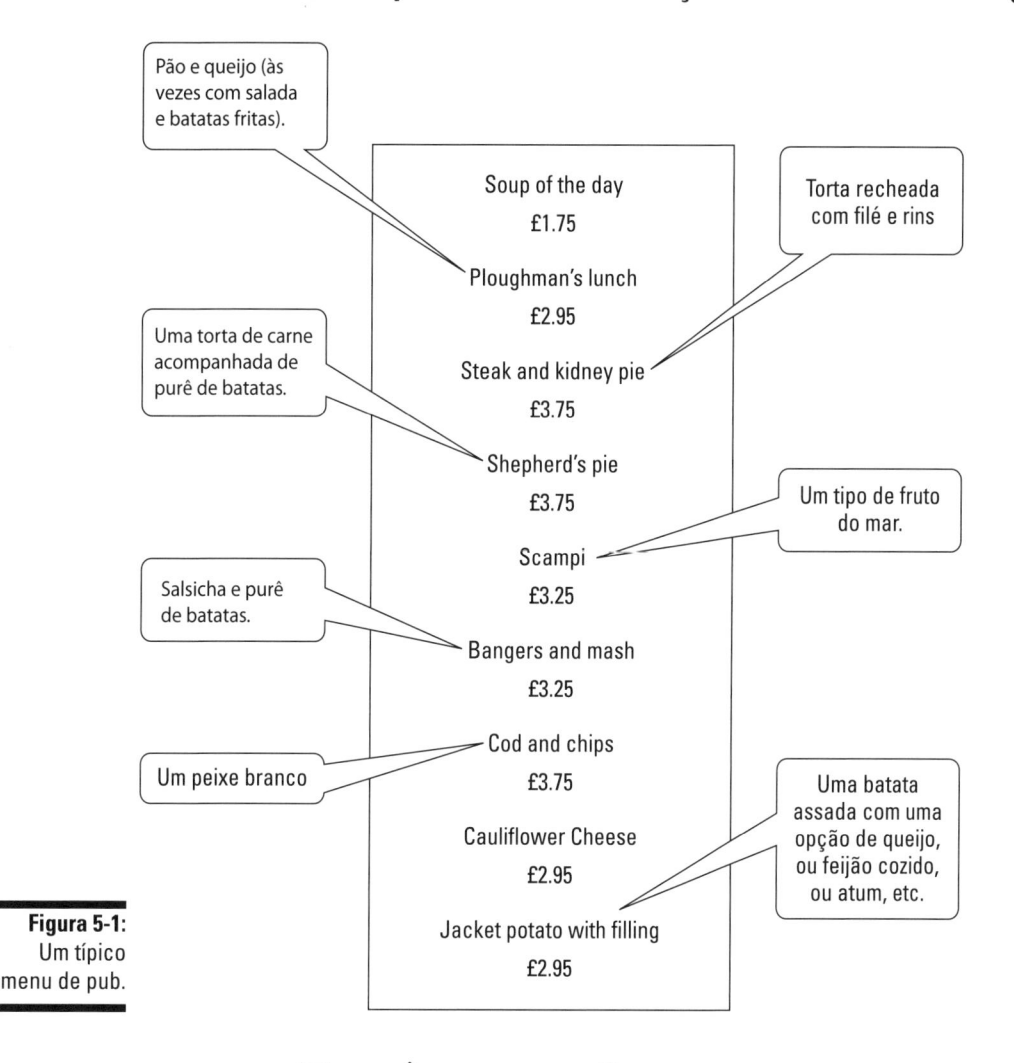

```
┌─────────────────────────────────┐
│         Soup of the day         │
│              £1.75              │
│                                 │
│        Ploughman's lunch        │
│              £2.95              │
│                                 │
│       Steak and kidney pie      │
│              £3.75              │
│                                 │
│         Shepherd's pie          │
│              £3.75              │
│                                 │
│            Scampi               │
│              £3.25              │
│                                 │
│        Bangers and mash         │
│              £3.25              │
│                                 │
│         Cod and chips           │
│              £3.75              │
│                                 │
│       Cauliflower Cheese        │
│              £2.95              │
│                                 │
│     Jacket potato with filling  │
│              £2.95              │
└─────────────────────────────────┘
```

- Pão e queijo (às vezes com salada e batatas fritas). → Ploughman's lunch
- Torta recheada com filé e rins → Steak and kidney pie
- Uma torta de carne acompanhada de purê de batatas. → Shepherd's pie
- Um tipo de fruto do mar. → Scampi
- Salsicha e purê de batatas. → Bangers and mash
- Um peixe branco → Cod and chips
- Uma batata assada com uma opção de queijo, ou feijão cozido, ou atum, etc. → Jacket potato with filling

Figura 5-1: Um típico menu de pub.

Tendo uma Conversa

Pierre e Goran estão almoçando em um *pub*.

Goran: *Hello, I'd like to order lunch and a drink, please.* (Olá. Gostaria de pedir o almoço e uma bebida, por favor.)

Bartender: *Okay, what can I get you?* Certo. (O que deseja?)

Goran: *What's scampi?* (O que é scampi?)

Bartender: *It's a type of seafood. It's covered in breadcrumbs, deep-fried and served with a slice of lemon. You can have it with salad or chips.* (É um tipo de camarão. É empanado com farinha de rosca, frito e servido com uma fatia de limão. Você pode pedir como acompanhamento salada ou batatas fritas.)

Goran:	No, I think I'll have cod with chips then. What about you, Pierre? (Não. Vou querer o peixe com batatas fritas, então. E você, Pierre?)
Pierre:	Do you have anything for vegetarians? (Você tem algo para vegetarianos?)
Bartender:	Yes, we have cauliflower cheese or jacket potatoes with baked beans, or cheese. The ploughman's lunch is also vegetarian – bread, cheese and chutney. (Sim, temos couve-flor gratinada com queijo, ou batata assada recheada com feijões cozidos ou queijo. O ploughman's lunch também é vegetariano – pão, queijo e chutney.)
Goran:	Chutney? (Chutney?)
Bartender:	It's a kind of thick pickle sauce, sort of like tomato relish... Well, you have to try it. (É um tipo de molho espesso picante, parecido com um molho de tomate condimentado. Bem, você tem que experimentá-lo.)
Pierre:	Okay, I'll have the ploughman's lunch then. (Tudo bem. Vou querer o ploughman's lunch, então.)
Bartender:	Right, and what would you like to drink? (Certo. E o que gostaria de beber?)
Pierre:	Orange juice for me, please. (Suco de laranja para mim, por favor.)
Goran:	A pint of Guinness for me. (Uma tulipa de Guinness para mim.)
Bartender:	Okay, just take this number and we'll bring the food over to your table when it's ready. You'll find cutlery and napkins on the side table over there. The condiments are there as well. (Certo. Pegue este número e levaremos o pedido até sua mesa quando estiver pronto. Você encontra talheres e guardanapos na mesinha mais adiante. Os temperos também ficam lá.)

Palavras a Saber

cutlery (talheres)	Knife (faca)	fork (garfo)
napkin (guardanapo)	condiments (condimentos)	salt (sal)
pepper (pimenta)	mustard (mostarda)	relish (tempero)
tomato sauce (ketchup molho de tomate / catchup)	mayonnaise (maionese)	pickle (conserva)

Pratos típicos

Como acontece em muitos países, o Reino Unido também tem variações nos pratos consumidos em seu território. A Escócia, por exemplo, é famosa pelo *game* (carne de caça, como cervo) e o *salmon* (salmão). Você também já deve ter ouvido falar do *haggis*, que é o bucho de carneiro recheado com vísceras temperadas e servido com *neeps* (turnips/nabos). Na Irlanda encontramos o *Irish stew* (carne, batatas e vegetais ao molho de carne) e o famoso *Irish coffee* (café com uísque). No País de Gales temos o *Welsh rarebit* (molho de queijo sobre uma torrada, servido quente). Tome cuidado com o nome desse prato, porque *rarebit* soa como *rabbit* (coelho) e pode confundi-lo! O norte da Inglaterra é famoso por seus *chip butties* — sanduíches de batata frita — não recomendado para pessoas que querem emagrecer!

Embora os agentes de turismo regional deduzam que todo mundo, em uma determinada região, só come comida típica, o prato mais popular, na Grã-Bretanha, continua sendo o *curry*, que é parte integrante da vida britânica.

Hoje em dia você encontra pratos internacionais, no cardápio de um *pub*. Além disso, também é possível achar as tradicionais refeições britânicas com nomes estranhos, tal como *toad in the hole* (literalmente "sapo na toca", que é um tipo de massa com linguiças inteiras dentro), *black pudding* (linguiça feita com sangue animal, um tipo de chouriço) e *bangers and mash* (linguiças e purê de batatas).

No Reino Unido a sobremesa (*dessert*) às vezes é chamada de *pudding*. Então, as pessoas dizem "*What's for pudding?*", que é o mesmo que "*What's for dessert?*" (o que tem para a sobremesa?). Você também pode perguntar "*What's for afters?*". Entretanto, esta última é menos comum.

Restaurantes

O Reino Unido tem uma grande variedade de cozinha internacional e é possível experimentar o melhor dela em restaurantes. Você encontra cozinha italiana, indiana, indonésia, turca, tailandesa, tunisiana, mexicana, malaia, marroquina. As maiores cidades do Reino Unido têm tudo isso a oferecer. Os restaurantes italianos e indianos são especialmente populares.

Os restaurantes variam muito em termos de preços. Alguns são mais caros e outros nem tanto. Aqui estão algumas expressões muito úteis para perguntar, a respeito de restaurantes e seus preços:

- *Do you know of a good [Thai] restaurant around here?* (Você conhece algum bom restaurante [tailandês] por aqui?)
- *How expensive is it?* (Qual a faixa de preço?)
- *That's a bit out of my price range / That's a bit beyond my budget.* (Está um pouco além do meu orçamento.)
- *That´s a bit pricey for me.* (Isto é um pouco caro para mim.)
- *Is there anywhere else more economical / cheaper nearby?* (Há algum mais econômico / barato por perto?)

Sobremesas britânicas

Algumas das mais tradicionais sobremesas britânicas têm nomes muito estranhos. Você encontra coisas como "*spotted dick*", "*trifle*" e "*apple crumble and custard*" no cardápio. *Spotted dick* é uma espécie de pudim de frutas secas normalmente servido com *custard*, um creme espesso e amarelado, feito de leite e ovos. *Trifle* é uma sobremesa preparada com camadas de bolo, de geleia de frutas ou frutas, de *custard* e de chantili. As pessoas geralmente comem esse doce no Natal (veja abaixo). *Apple crumble* é uma sobremesa feita de maçãs cobertas com farinha de biscoitos, posteriormente cozida. Também é servida com *custard* e chantili.

Os britânicos comem doces e sobremesas especiais no Natal: *Christmas cake* (um bolo de frutas com marzipã e glacê), *Christmas pudding* (um pudim quente de frutas secas, geralmente embebidas em álcool, consumido com *brandy butter*, mistura de açúcares, manteiga e conhaque) e *mince pies*. Mince significa picadinho de carne, mas essa torta não é recheada com carne, mas sim com passas e sultanas (um tipo de uva).

O Reino Unido, como uma sociedade multicultural, também tem sobremesas de outras cozinhas, é claro. Algumas das mais conhecidas são as indianas, tais como *barfi* (um doce açucarado), *gulab jamun* (doce frito em forma de bolinhas servido com calda), e as do Oriente Médio, como *halwa* (um doce consistente e açucarado feito com nozes) e *baclava* (massa folheada recheada com nozes). Da Itália encontramos o *tiramisu* (camadas de pão de ló embebidas em café, queijo cremoso e creme). Todas essas são facilmente encontradas em cardápios de restaurantes.

A melhor maneira de encontrar um bom restaurante é perguntar a um amigo ou conhecido. Você também pode procurar recomendações em um guia turístico, em jornais ou revistas locais.

Tendo uma Conversa

Goran pergunta a seu amigo Mike sobre restaurantes locais.

Goran: *Mike, can you give me a minute? I need some advice.* (Mike, pode me dar um minuto? Preciso de umas dicas.)

Mike: Sure, what is it? (Claro. O que é?)

Goran: *I have some friends from Croatia coming to visit me next week, and I want to take them to a Thai restaurant. I don't think they've tried Thai food before. Do you know of a good Thai place around here?* (Alguns amigos meus da Croácia estão vindo me visitar na semana que vem e eu quero levá-los a um restaurante tailandês. Acho que eles não conhecem a comida tailandesa. Você sabe de algum bom lugar por aqui?)

Mike: *Right, let me think... Well, there's a really good Thai restaurant on Lever Street, but it's not cheap.* (Certo, deixe-me ver... Bem, há um restaurante tailandês muito bom na rua Lever, mas não é barato.)

Goran: *How expensive is it?* (Qual a faixa de preço?)

Mike: *About forty pounds a head if you have wine...* (Cerca de quarenta libras por pessoa se você consumir vinho...)

Goran: *Forty pounds! That's a bit beyond my budget! Is there anything else cheaper you know of?* (Quarenta libras! Está um pouco além do meu bolso! Há outra coisa mais barata que você conheça?)

Mike: *I can't think of one. But take a look into Time Out magazine. They usually have restaurant recommendations, and they tell you the price range.* (Não consigo pensar em nada. Mas dê uma olhada na revista Time Out. Eles geralmente têm sugestões de restaurantes e dizem a faixa de preços.)

Goran: *Okay, good idea. I'll see what I can find in that.* (Certo. Boa ideia. Verei o que posso achar lá.)

Mike: *Good luck, mate. You can always take them to the local chippie [fish and chips shop]!* (Boa sorte, parceiro. Mas você sempre tem a opção de levá-los ao *chippie* [loja especializada em *fish and chips*] local!)

Reservando uma mesa

Se você quiser ir a um restaurante disputado, procure fazer a reserva um ou dois dias antes. É possível fazer o agendamento on-line em alguns, mas ainda é preciso telefonar para a maioria dos restaurantes, no Reino Unido.

Expressões úteis:

- *I'd like to make a booking.* (Gostaria de fazer uma reserva.)
- *I'd like to make a reservation.* (Gostaria de fazer uma reserva.)
- *I'd like to book a table for [Friday night].* (Gostaria de reservar uma mesa para [sexta-feira à noite]).
- *A table for two, please.* (Mesa para dois, por favor.)

Culinária internacional

Aqui estão os principais pratos internacionais que você pode encontrar, em restaurantes e *pubs*:

- *Lasagne*: lasanha, um prato italiano.
- *Moussaka:* um prato grego feito com berinjela.
- *Chicken/lamb tikka:* frango ou cordeiro apimentado.
- *Tandoori: chicken/lamb:* frango ou cordeiro assado e apimentado.
- *Chilli* con carne: um prato mexicano feito com carne apimentada e feijão.
- *Nachos:* prato mexicano que consiste de pedaços finos e crocantes de massa de milho cobertos com queijo e/ou carne.
- *Moules frites:* um prato francês que é feito com mexilhões e batatas fritas.
- *Chicken teriyaki:* frango servido com molho japonês feito de soja.

Tendo uma Conversa

Maria quer reservar uma mesa no restaurante The Lamb's Tail. Ela telefona para fazer a reserva um dia antes.

Waiter: *Good afternoon, The Lamb's Tail, can I help you?* (Boa tarde, *The Lamb's Tail*, posso ajudá-lo?)

Maria: *Yes, please, I'd like to book a table for tomorrow evening, please.* (Sim, por favor. Eu gostaria de reservar uma mesa para amanhã à noite, por favor.)

Waiter: *Right, we're very busy on Saturdays nights, let me check. A table for how many people, please?* (Certo. Temos muitas reservas para as noites de sábado, deixe-me ver. Mesa para quantas pessoas, por favor?)

Maria: *Just two people.* Apenas duas pessoas.

Waiter: *Oh, yes, that's fine. For what time?* (Ah, sim. Tudo bem. Para qual horário?)

Maria: *Eight-thirty.* (Oito e meia.)

Waiter: *Certainly. And could you give me your name, please?* (Certo. Você poderia me dizer seu nome, por favor?)

Maria: *Yes, it's Maria Gonzalez.* (Sim, é Maria Gonzalez.)

Waiter: *Sorry, how do you spell your surname?* (Desculpe, como se soletra seu sobrenome?)

Maria: *G-O-N-Z-A-L-E-Z.* (G-O-N-Z-A L-E-Z.)

Waiter: *Right, you have a table for two booked for tomorrow evening, at eight-thirty, in the name of Maria Gonzalez.* (Certo. Você tem uma mesa reservada para dois amanhã à noite, às oito e meia, em nome de Maria Gonzalez.)

Maria: *Thank you.* (Obrigada.)

Waiter: *You're welcome.* (De nada.)

Ao fazer a reserva de um restaurante pelo telefone, muitas vezes é preciso soletrar seu nome ou sobrenome. Verifique se sabe pronunciar corretamente as letras do alfabeto em inglês.

Chegando ao restaurante

No momento em que você chega a um restaurante mais caro, especialmente quando há uma reserva, é comum esperar até que o garçom mostre sua mesa.

Tendo uma Conversa

Maria chega ao restaurante com sua amiga Gina.

Maria: *Good evening. We have a reservation for two, for eightthirty.* (Boa noite. Nós temos uma reserva para duas pessoas às oito e meia.)

Waiter: *In what name?* (Em nome de quem?)

Maria: *Maria Gonzalez.* (Maria Gonzalez.)

Waiter: *Oh, yes. Can I take your coats?* (Ah, sim. Posso pegar seus casacos?)

Gina: *Yes, please.* (Sim, por favor.)

Maria: *That's okay, I prefer to keep my jacket on.* (Tudo bem, eu prefiro ficar com minha jaqueta.)

Waiter: *Thank you. Right this way, please.* (Obrigado. Por aqui, por favor.)

[*Maria and Gina follow the waiter to the table.*] ([Maria e Gina seguem o garçom até a mesa.])

Fazendo o pedido

Quando você faz o pedido em um *pub* ou restaurante, é comum pedir apenas o prato principal (*main course*). Em restaurantes mais sofisticados, pode-se pedir uma entrada ou aperitivo (*starter ou appetiser*) e depois o prato principal. Se você gosta de doces, pode pedir a sobremesa (*dessert*). A sobremesa geralmente é pedida depois do prato principal.

Se o estabelecimento tiver licença para vender bebidas alcoólicas, você pode pedir vinho (*wine*), cerveja (*beer*) ou bebidas mais fortes, como uísque, vodca ou rum (*spirits*). Muitos deles têm o que chamam de *house wine* (vinho da casa, geralmente o mais barato). No menu, você também encontra bebidas sem álcool (*soft drinks*), além de vinhos, cervejas e *spirits*. A água mineral pode ser sem gás (*still*) ou gasosa (*sparkling*). Alguns restaurantes oferecem coquetéis (*cocktails*), sucos de fruta com álcool.

Aqui estão algumas frases úteis para pedir refeição:

- *I'd like / We'd like [a bottle of wine].* (Gostaria / Gostaríamos (uma garrafa de vinho))
- *Can I have [the soup of the day], please?* (Para mim (a sopa do dia), por favor?)
- *We'll have [some sparkling mineral water], please.* (Nós beberemos (água mineral com gás), por favor.)
- *I'd like my steak rare / medium / well done.* (Gostaria do meu bife / malpassado / ao ponto / bem-passado.)

  Nota: Se você pedir um bife, o garçom geralmente vai lhe perguntar se você deseja *rare* (sangrento, ou seja, malpassado), *medium* ou *well done* (muito bem-passado).

- *What exactly is in [the chef's salad]?* (O que tem mesmo nessa (salada do chef)?)
- *Does it come with [chips / salad]?* (Pode vir com (batatas / salada)?)
- *Could I have the bill, please?* (Pode trazer a conta, por favor?)

Tendo uma Conversa

Maria e Gina estão fazendo o pedido em um restaurante.

Waiter:	*Good evening. Are you ready to order?* (Boa noite. Estão prontas para pedir?)
Gina:	*Yes, please. As starter, I'd like the deep fried scampi, please.* Sim, por favor. (Como entrada, eu gostaria de scampi frito, por favor.)
Maria:	*And I'll have a tuna salad.* (E eu vou querer uma salada de atum.)
Waiter:	*Certainly. And what would you like for your main course?* (Pois não. E o que vocês gostariam como prato principal?)
Gina:	*Can I have the lamb chops with mint sauce, please?* (Vou querer costeletas de cordeiro com molho de hortelã, por favor.)
Waiter:	*I'm sorry, madam, we've just run out of the lamb chops. Would you like to order something else?* (Sinto muito, senhora. Estamos sem costeletas de cordeiro no momento. Gostaria de pedir outro prato?)
Gina:	*Ummm... I'm not sure. What do you recommend?* (Hummm ... não sei o quê. O que você sugere?)
Waiter:	*Today's chef's specials are on the board over there. I recommend the braised lamb in red wine if you like lamb.* (Os pratos especiais do chefe estão ali na placa. Eu recomendo o cordeiro refogado no vinho tinto, se você gosta de cordeiro.)
Gina:	*Okay, that sounds lovely. Does it come with salad or vegetables?* (Certo, parece delicioso. Vem com salada ou legumes?)
Waiter:	*With vegetables or salad – which would you like?* (Com legumes ou salada. O que você gostaria?)
Gina:	*With salad, please. What are you having, Maria?* (Com salada, por favor. O que vai querer, Maria?)
Maria:	*The same for me, please, but with vegetables. Oh, and we'd also like a bottle of wine, please.* (O mesmo para mim, por favor, mas com legumes. Ah, e gostaríamos também de uma garrafa de vinho, por favor.)
Waiter:	*Red or white?* (Tinto ou branco?)
Maria:	*The house red, please. And a bottle of sparkling mineral water.* (O tinto da casa, por favor. E uma garrafa de água mineral com gás.)
Waiter:	*Certainly, madam, anything else?* (Pois não, senhora. Mais alguma coisa?)
Maria:	*No, that's all for the moment, thank you.* (Não, por enquanto é tudo. Obrigada.)

Palavras a Saber

starter (entrada)	main course (prato principal)	a bottle of house red / white wine (uma garrafa de vinho tinto / branco da casa)
still mineral water (água mineral sem gás)	sparkling mineral water (água mineral com gás)	salad (salada)
vegetables (legumes)	braised / roasted [lamb] ([cordeiro] refogado / assado)	chef's specials (pratos do chef)
today's specials (pratos do dia)		

Reclamando da comida

Se você não for tão sortudo e receber uma comida que estiver ruim ou estragada (*off*), fale com o garçom ou o gerente do restaurante. Em geral, os britânicos preferem não reclamar. Mas, se tiver uma boa razão, não hesite. Use um tom de voz respeitoso, diga sempre "por favor" (*please*) e procure não se exaltar. Explicar com clareza e justificar o porquê da refeição não estar boa é a melhor maneira de fazer a queixa. Se sua reclamação for razoável, o gerente pode não cobrar pelo prato ou substituir aquele que não estava bom. Entretanto, tal decisão caberá a cada restaurante.

Aqui estão algumas expressões para reclamar da comida:

- *Excuse me, waiter, but my meal is underdone / overdone.* (Com licença, garçom, mas a minha refeição está malpassada ou muito passada.)
- *There is something wrong with this [wine / meat / dessert].* (Há algo de errado com esse(a) [vinho / carne / sobremesa].)
- *This food is cold / off [rotten].* (Essa comida está fria / estragada) (off é usado especialmente para carnes ou peixe).
- *This bread is stale.* (Esse pão está velho.) (Nesse caso, stale pode ser usado para pães e bolos.)
- *This beer / sparkling water is flat.* (Essa cerveja / água mineral com gás está choca.) (Flat é usado para bebidas com gás.)
- *Please could you heat this up for me?* (Por favor, pode aquecer mais um pouco para mim?)
- *Please take this back to the kitchen.* (Por favor, leve isto de volta à cozinha.)
- *Please call the manager.* (Por favor, chame o gerente.)

Parte II: Inglês em Ação

Tendo uma Conversa

Maria e Gina não estão satisfeitas com o prato que pediram no restaurante.

Maria: *Excuse me, waiter.* (Com licença, garçom.)

Waiter: *Yes, madam?* (Sim, senhora.)

Maria: *I'm sorry, but this lamb is underdone.* (Desculpe-me, mas este cordeiro está malpassado.)

Waiter: *Are you sure? Nobody else has complained about the lamb tonight. It looks all right to me.* (Tem certeza? Ninguém mais reclamou do cordeiro até agora. A comida me parece boa.)

Maria: *But look – the inside is almost raw. Could you call the manager, please?* (Mas olhe – por dentro está quase cru. Poderia chamar o gerente, por favor?)

Waiter: *All right, one moment.* (Certo, um momento.)

[*The manager comes over.*] ([O gerente chega.])

Manager: *Can I help you?* (Posso ajudá-la?)

Gina: *Yes, we're not happy with the braised lamb. It's completely underdone – look!* (Sim, não estamos satisfeitas com o cordeiro refogado. Está completamente malpassado. Olhe!)

Manager: *Well, some people like their lamb rare, but if you're not happy with this, of course we can put it back in the oven for you, or we can offer a different main course – but that will take at least twenty minutes to prepare.* (Bem, algumas pessoas gostam do cordeiro malpassado, mas se não estão satisfeitas, é claro que podemos colocá-lo de volta no forno para vocês ou oferecer-lhes um prato principal diferente. Mas levará pelo menos vinte minutos para prepará-lo.)

Gina: *Well, I'd prefer a different main course now; this looks horrible. I'll have the T-bone steak instead – well done not rare.* (Bem, eu prefiro um prato principal diferente agora. Este me parece terrível. Gostaria do T-bone steak no lugar deste – bem-passado e não malpassado.)

Maria: *Please put mine back in the oven to cook for another ten minutes, and I'm sure it will be fine.* (Por favor, coloque o meu de volta ao forno para cozinhar por mais dez minutos e tenho certeza de que vai ficar bom.)

Manager: *Of course, madam, and I'm sorry about this. I'll have a word with the chef.* (Claro, senhora. Desculpe-me por isto. Falarei com o chef.)

Capítulo 5: Fazendo Refeições em Casa e na Rua

"Waiter, there is a fly in my soup..."
("Garçom, há uma mosca na minha sopa...")

Esse é o começo de uma das piadas mais conhecidas em inglês. Há centenas de versões que começam com a mesma frase. Aqui estão algumas:

Waiter, there is a fly in my soup!

Don't worry, sir. The spider on your bread will soon get him.

(Garçom, há uma mosca em minha sopa!)

(Não se preocupe, senhor. A aranha em seu pão logo a pegará.)

Waiter, there is a fly in my soup!

Don't worry, sir. They don't eat much.

(Garçom, há uma mosca em minha sopa!)

(Não se preocupe, senhor! Moscas não comem muito.)

Waiter, there is a fly in my soup!

There can't be, sir. The cook used them all in the raisin bread.

(Garçom, há uma mosca em minha sopa!)

(É impossível, senhor. O cozinheiro usou todas elas no pão de passas.)

(Essa piada é uma referência cultural comum em muitos países de língua inglesa.)

Pedindo a sobremesa e o café

Quando você termina o prato principal é hora de pedir a sobremesa ou o café. O cardápio de sobremesas geralmente inclui vários tipos de sorvetes (*ice creams* ou *sorbets*, que é um sorvete de frutas feito com água), bolos (*cakes*) e outros doces (*sweets*). Alguns restaurantes oferecem queijo (*cheese*) e biscoitos (*biscuits / crackers*) no cardápio de sobremesas, um costume adotado da França. Muitas pessoas dispensam os doces e vão direto para o café (*coffee*) ou chá (*tea*). O café expresso (*espresso coffee*) é bastante comum, em restaurantes no Reino Unido.

Tendo uma Conversa

Maria e Gina terminaram o prato principal e agora pedem a sobremesa.

Waiter: *Would you like some dessert?* (Vocês gostariam da sobremesa?)

Gina: *Yes, can I see the dessert menu, please?* Sim. (Posso ver o cardápio de sobremesas, por favor?)

Waiter: *Here you are. We also have some dessert specials today, which are on the board on the wall. I especially recommend the apple crumble and the tiramisu.* (Aqui está. Hoje também temos as sobremesas do dia, que estão escritas no quadro na parede. Eu sugiro em especial apple crumble e tiramisu.)

Maria: *I think I'll just have coffee; I'm full. An espresso, please.* Acho que só vou querer o café. Estou satisfeita. (Um expresso, por favor.)

Waiter:	*Certainly, madam – and for you?* (Certo, senhora. E para você?)	
Gina:	*I think I'll try the apple crumble – as long as it's cooked enough!* (Acho que vou provar o apple crumble – contanto que esteja bem-assado!)	
Waiter:	*Would you like that with cream, ice cream or custard?* (Gostaria da sua sobremesa com chantili, sorvete ou custard?)	
Gina:	*Cream, please. And I'll also have an espresso coffee, but with a little bit of milk, please.* (Chantili, por favor. E também vou querer um café expresso, mas com um pouco de leite, por favor.)	

Palavras a Saber

dessert (sobremesa)	*cream* (chantili)	*custard* (creme de pasteleiro)
ice cream (sorvete)	*sorbet* (sorverte de frutas feito com água)	*espresso* (expresso (café))
cake (bolo)	*pastry doces* (assados em geral)	*crumble* (doce com cobertura crocante)

Cuidado com a diferença na pronúncia das palavras *dessert* (sobremesa) e *desert* (deserto, como o Saara). Dessert você pronuncia "de-ZERT", com ênfase na última sílaba. E desert você diz "DEZ-sert", com ênfase na primeira sílaba. Diga alto as duas palavras e veja a diferença.

Pedindo a conta e dando gorjeta

Certos restaurantes já entregam a conta (*bill*) junto com o café, mas em alguns deles você precisa pedi-la. Dar gorgeta (*tipping*) é mais barato no Reino Unido do que em muitos outros países de língua inglesa. Em alguns casos o restaurante adiciona à conta 10% ou 20% do valor pelo serviço (*service charge*). Esse montante vai para as pessoas que trabalham no estabelecimento. Nesse caso, não é necessário deixar a gorjeta (*tip*). Entretanto, caso não haja nada descrito, é uma boa ideia deixar cerca de 10% do total como gorjeta.

Na nota também virá 15% de cobrança de VAT (*value added tax*), um tributo cobrado sobre todas as contas.

A sua conta do restaurante será mais ou menos parecida com a Figura 5-2:

_____Capítulo 5: Fazendo Refeições em Casa e na Rua

14/02/10	22.19
THE LAMB'S TAIL	
Waiter 09	
Tuna salad	£4.50
Scampi	£6.75
Braised lamb	£18.00
Braised lamb	£18.00
House red	£12.50
Sparkling mineral water	£3.00
Subtotal	£62.75
10% Service charge	£6.28
VAT (12.5%)	£7.84
Total	**£76.87**

Figura 5-2: Uma típica conta de restaurante no Reino Unido.

Tendo uma Conversa

Maria e Gina terminaram a refeição no restaurante e pedem a conta:

Maria: *Excuse me, could I have the bill, please?* (Com licença, pode trazer a conta, por favor?)

Waiter: *Yes, of course, madam. Just a moment. Here you are.* (Sim, é claro, senhora. Só um momento. Aqui está.)

[*The waiter goes away.*] ([O garçom sai.])

Gina: *Let me get this.* (Deixe-me pagar.)

Maria: *No, no, this is my treat. I promised I'd take you out for your birthday, so I'm paying!* (Não, não. O convite foi meu. Prometi que levaria você para sair no seu aniversário, então eu pago!)

Gina: *Well, all right. That's really nice of you, Maria.* (Certo. Tudo bem. Muito legal da sua parte, Maria.)

Maria:	*Not at all. Okay, let's see. Hummm... there's a twelve per cent service charge on the bill, so we don't need to leave a tip. I'll pay by credit card.* (Tudo bem. Certo, vamos ver. Hmmm... aqui está escrito 12% pelo serviço, então não precisamos deixar gorjeta. Vou pagar com cartão de crédito.)
[*The waiter comes back.*] ([O garçom retorna.])	
Maria:	[Gives the waiter the credit card.] *Here you go.* ([Maria dá o cartão de crédito ao garçom.] Aqui está.)
Waiter:	*Thank you, madam. I hope you enjoyed the meal.* (Obrigado, senhora. Espero que tenham gostado da refeição.)

Quando alguém lhe dá algo, enquanto ainda segura o objeto em sua direção, geralmente usa uma das expressões a seguir,

- Here you go. (Aqui está.)
- Here you are. (Aqui está.)

Se você quiser pagar a conta de alguém, as seguintes frases são bastante úteis:

- It's on me. (É por minha conta.)
- Let me get this. (Deixe que eu pago.)
- It's my treat. (A meu convite.)
- It's my turn to treat you. (Minha vez de convidá-lo.)

Quando você se oferece para pagar apenas uma rodada de bebidas, mas não comida, pode usar as expressões:

- It's my round. (É a minha rodada / vez.)
- Whose round is it? (De quem é a rodada / vez?)

Para agradecer a refeição ou bebidas que lhe foram pagas, você pode dizer:

- Thanks so much. (Muito obrigado.)
- That's really kind / nice of you. (Isso é muito gentil / legal de sua parte.)
- I'll get the next one. (O próximo é por minha conta.)

No Reino Unido, é comum ouvir as pessoas dizerem "*ta*" em vez de "*thank you*". "*Ta*" é a forma curta e muito informal de dizer "*thank you*". Essa palavra é utilizada principalmente no Reino Unido: você não a ouve nos Estados Unidos. Entretanto, todos os países de língua inglesa usam "*thanks*", que é uma palavra menos formal do que "*thank you*".

_____ **Capítulo 5: Fazendo Refeições em Casa e na Rua** *95*

Diversão e Jogos

1. Observe o cardápio de um pub na Figura 5-3. Coloque as palavras na ordem correta no menu:

cod – carne – lunch – whole wheat – mash – soup – salad – cauliflower – bread – beans

The King's Head Pub
Lunch Menu

Light meals

_____ of the day (see board)	£3.25
BLT club sandwich	£4.75
Cheese and chutney sandwich	£2.95
Ploughman's _____	£5.25
[on your choice of white or _____ bread]	
Jacket potatoes with filling	£3.75
[all served with a side _____]	
Your choice of: tuna mayonnaise / cheese / baked _____ / brie and onion	
BBQ spare ribs	£4.75

Extras:

Garlic _____	£1.75
Chips	£2.00
Baked beans	£1.75

Main meals

Scampi with chips and peas	£7.95
_____ with chips and peas	£7.95
Lasagne with garlic bread	£1.75
Chilli con _____	£6.95
Bangers and _____	£6.95

Vegetarian:

Mushroom risotto	£6.95
Veggie pasta bake	£6.95
_____ cheese	£6.95

15% VAT not included

Figure 5-3: Coloque as palavras no menu, corretamente

Resposta:

soup – lunch – whole wheat – salad – beans – bread – cod – carne – mash – cauliflower

Capítulo 5: Fazendo Refeições em Casa e na Rua

2. Natasha e Vassily pedem uma refeição no pub The King's Head. Coloque os verbos no lugar correto. Alguns verbos serão usados mais de uma vez:

want – like – have – get

Natasha: We'd _____ to order lunch, please.

Bartender: Okay, what I can _____ you?

Natasha: What's in the BLT club sandwich?

Bartender: BLT is bacon, lettuce and tomato.

Natasha: Oh, okay. I'll _____ that please.

Bartender: Do you _____ it on white or whole wheat bread?

Natasha: On white bread, please.

Vassily: I'll _____ a jacket potato with tuna mayonnaise.

Bartender: Sure. Would you _____ anything to drink?

Natasha: We'll _____ two half pints of lager, please.

Resposta:

like – get – have – want – have – like – have

3. Imagine que você foi convidado para jantar na casa de um amigo no Reino Unido. As seguintes frases são verdadeiras (true) ou falsas (false)? Escreva **T** para as verdadeiras e **F** para as falsas:

1. It's important to arrive on time.
2. Your host expects you to bring the dessert.
3. It's nice to take your host a small gift, such as chocolates or flowers.
4. You can take a bottle of wine for your host.
5. You can shake hands with people you meet for the first time.
6. It's normal to smoke at the table.
7. You don't need to ask for permission to smoke.
8. Don't ask people how much money they earn.
9. You can talk about things like your friends and family.
10. You should leave immediately after finish your meal.

Resposta:

1T - 2F - 3T - 4T - 5T - 6F - 7F - 8T - 9T - 10F

Capítulo 6
Saindo da Cidade

Neste capítulo

▶ Convidando alguém para sair

▶ Planejando uma saída à noite

▶ Escolhendo um lugar para ir

▶ Conversar sobre assuntos simples

Se convidar aquela pessoa especial para sair já é um tanto difícil, em sua própria língua, imagine o desafio que é em inglês. Mas vamos lhe dar uma mãozinha neste capítulo. Ajudaremos você a encontrar as palavras certas, preparar o primeiro encontro e escolher um lugar para ir. Também sugerimos alguns assuntos simples de se conversar para fazer com que os primeiros minutos fiquem um pouco mais fáceis. Também veremos outras situações, como por exemplo, ir ao *pub* e visitar amigos em casa.

Convidando Alguém Para Sair

Grande parte das pessoas encontra parceiros em potencial no trabalho, porque lá passam a maior parte do tempo. Pode ser que você esteja de olho em alguém que trabalhe em seu departamento, alguém que passe muito tempo ao seu lado. No Reino Unido é bastante comum sair para um drinque depois do expediente. Essa pode ser a oportunidade ideal para conhecer melhor determinada pessoa. Se não gosta de bebidas alcoólicas nem de *pubs*, pode convidar essa pessoa para um café ou almoço.

Se for convidar alguém para sair é sempre bom estar preparado. Quando vai convidá-la(o)? Aonde vai levá-la(o)? Que tipo de coisas ela(e) gosta? Se você escolher uma hora conveniente e um lugar que a pessoa aprecie, há uma grande possibilidade do convite ser aceito. E, é claro, é bom saber que também pode receber uma resposta negativa. A pessoa do seu interesse pode estar ocupada, mas você deve ser capaz de compreender o que ela(e) disser se não quiser ir.

Talvez seja uma boa estratégia esperar um tempo para conhecer melhor a pessoa antes de convidá-la para sair. Se um grupo do trabalho sair para um drinque depois do expediente, pergunte se pode se juntar a ele e enturme-se antes de dar o próximo passo.

Aqui estão algumas frases úteis para convidar alguém para sair:

- *[Do you] fancy a drink after work?* (Interessa-lhe / Quer tomar um drinque depois do trabalho?)
- *Are you busy later?* (Está ocupada(o) mais tarde?)
- *I was wondering if you are doing anything tonight?* (Gostaria de saber se vai fazer algo à noite.)
- *How about a coffee?* (Que tal um café?)
- *Do you want to get some lunch in a while?* (Gostaria de almoçar mais tarde?)

É possível que você ouça algumas dessas respostas:

- *That would be lovely, thanks.* (Seria ótimo, obrigado.)
- *No, nothing special tonight. Why?* (Não, não vou fazer nada em especial hoje à noite. Por quê?)
- *Sorry, I can't right now. How about later?* (Desculpe, agora não posso. Que tal mais tarde?)
- *Oh sorry, I'm busy tonight. Some other time, maybe?* (Desculpe-me. Estou ocupada hoje à noite. Uma outra hora, talvez?)

Tendo uma Conversa

Goran está no trabalho.

Goran: *Hi, Carla! How is it going today?* (Olá, Carla! Como vai hoje?)

Carla: *Oh, hi, Goran! Not bad – as busy as always, you know...* (Ah, olá, Goran! Nada mal. Atarefada como sempre, você sabe...)

Goran: *Anything I can help with?* (Algo que eu possa ajudar?)

Carla: *Not really, thanks – but thanks for offering; I appreciate it!* (Na verdade não, obrigada. Mas obrigada por perguntar. Gostei.)

Goran: *No problem. If you change your mind, you know where to find me.* Sem problema. (Se mudar de ideia, sabe onde me encontrar.)

Carla: *Thanks, Goran.* (Obrigada, Goran.)

Goran: *So will you be working late again?* (Então, vai trabalhar até tarde de novo?)

Carla: *Oh no, I'll have all this finished by five-thirty.* (Ah, não. Terminarei tudo até cinco e meia.)

Goran: *Great! How about a drink after work then?* (Ótimo! Que tal um drinque depois do trabalho então?)

Carla: *Okay, that sounds good – I'll need one after all this!* (Tudo bem, parece bom – vou precisar de um depois de tudo isto.)

Goran:	*Excellent! I'll come and get you when I'm leaving.* (Excelente! Venho pegá-la quando eu estiver saindo.)
Carla:	*Good. See you later, Goran.* (Ótimo. Vejo você mais tarde, Goran.)

O melhor lugar para convidar a pessoa de seu interesse é o *pub*. Os colegas de trabalho, geralmente, vão juntos ao *pub* depois do expediente, para tomar um drinque antes de voltarem para jantar em casa. Os britânicos têm fama de beberrões, mas um drinque social é normal. Carla aceitou o convite de Goran, mas isso não quer dizer que haverá alguma coisa a mais. É importante observar que, se alguém aceita um convite seu para um drinque, não significa que essa pessoa esteja inclinada a ter um relacionamento com você. Mas é claro que a situação pode mudar depois de um tempo.

Tendo uma Conversa

Pierre e Helen estão no pub na sexta-feira à noite, como sempre, com seus colegas de trabalho.

Pierre:	*I'm so glad it's Friday at last!* (Estou feliz porque finalmente é sexta!)
Helen:	*Me too, what a week!* (Eu também. Que semana!)
Pierre:	*I don't think I have energy to cook. How about some dinner?* (Não estou com disposição para cozinhar. Quer jantar?)
Helen:	*Oh, I'd love to, but I'm going to see a film with my sister.* (Ah, eu adoraria. Mas vou assistir a um filme com minha irmã.)
Pierre:	*No problem. Some other time, maybe?* (Sem problema. Uma outra hora, talvez?)
Helen:	*Absolutely. How about next Friday?* (Claro. Que tal na próxima sexta-feira?)
Pierre:	*I'll look forward to it.* (Vou aguardar ansiosamente.)
Helen:	*Me too! Another drink before we go?* (Eu também. Outro drinque antes de irmos?)

Marcando um Encontro

Quer seja com o homem ou a mulher de seus sonhos quer com amigos ou conhecidos, você certamente terá que marcar encontros ou pequenas reuniões. Isso pode ser complicado: combinar dias, lugares e horários é difícil, em uma língua estrangeira.

Se você for como nós, também acha estressante organizar toda essa situação pelo telefone. Ainda bem que, nos dias de hoje, temos diversas maneiras de nos comunicar e é bastante comum fazer esse tipo de coisa por e-mail, mensagem de texto ou conversas on-line. Mesmo tendo dito isso, sugerimos que você não marque seu primeiro encontro amoroso das formas citadas anteriormente – pode fazer com que pareça um tanto frio e apático.

Aqui estão algumas expressões e perguntas básicas que podem ser usadas para marcar horas e datas:

- *Are you doing anything [on Friday / at the weekend]?* (Você vai fazer algo [na sexta-feira / no fim de semana]?)

- *Are you free [on Saturday morning]?* (Você está livre [no sábado de manhã]?

- *How about [Sunday afternoon] then?* (Que tal [domingo à tarde] então?)

- *Friday's out for me, sorry – I've already made plans.* (Sexta-feira não dá para mim, desculpe. Já tenho planos.)

- *Saturday morning's good for me. How about you?* (Sábado de manhã está bom para mim. E para você?)

Depois de combinar o dia e o horário, você precisa falar do lugar. Comece acertando que tipo de coisa você e a pessoa com quem quer marcar o encontro desejam fazer (tomar um drinque, jantar) e depois escolha o local.

- *Do you fancy [a film / a bite to eat / a quick drink]?* (Agrada-lhe a ideia de [um filme / algo para comer / um drinque rápido?)

- *A drink and a bit of dinner sounds great!* (Um drinque e um jantarzinho seriam ótimos.)

- *I thought we could go to the pub, then maybe have some dinner?* (Eu pensei que poderíamos ir ao *pub* e depois jantar, talvez?)

- *What about skipping the drink and going straight for something to eat?* (O que acha de pular o drinque e irmos direto comer algo?)

- *How about trying that new [Italian / Chinese / Indian] near the station?* (Que tal experimentarmos [o italiano / o chinês / o indiano] perto da estação?)

- *How about a film we'll both enjoy?* (Que tal um filme que ambos gostemos?)

- *Coldplay are playing at the Arena if you fancy that?* (Se quiser ir, o Coldplay vai tocar na Arena.)

- *If you can get the tickets that sounds fantastic!* (Se puder comprar os ingressos será fantástico!)

Assim, só é preciso fazer os ajustes finais:

- *Great, I'll meet you there at seven, okay?* (Ótimo, irei encontrá-lo lá às sete, certo?)

- *Okay, I'll make a reservation at the Italian for eight o'clock then.* (Certo. Farei a reserva no italiano para as 20h, então.)

> - *Shall we meet outside the cinema at six-thirty?* (Podemos nos encontrar do lado de fora do cinema às seis e meia?)
> - *I'll see if I can get some tickets and let you know, okay?* (Verei se posso comprar os convites e lhe digo, certo?)

Tendo uma Conversa

Gina está falando ao telefone com seu amigo Dan.

Dan: *Hello?* (Alô?)

Gina: *Dan? Hi, it's Gina! Are we still going for dinner later?* (Dan? Oi, é a Gina. Ainda vamos jantar mais tarde?)

Dan: *Sure! I'll be finished by about seven.* (Claro! Termino tudo lá pelas sete.)

Gina: *Where are we going?* (Aonde vamos?)

Dan: *Oh...um... I thought you were choosing?* (Ah... hummm... achei que você iria escolher.)

Gina: *Oh... well... how about that new place in Westfield?* (Ah... bem... que tal o novo restaurante em Westfield?)

Dan: *The Italian?* (O italiano?)

Gina: *Yes, they say it's very good.* (Sim, dizem que é muito bom.)

Dan: *Sounds good to me. Shall I book a table?* (Está bom para mim. Devo reservar uma mesa?)

Gina: *Could you? Eight o'clock.* (Você poderia? Oito horas.)

Dan: *Perfect. Do you know where it is?* (Perfeito. Sabe onde fica?)

Gina: *Not really. I don't know that area very well.* (Na verdade, não. Não conheço bem aquela área.)

Dan: *Okay, get the number nineteen bus and get off at the sports ground.* (Certo. Pegue o ônibus número dezenove e desça no estádio.)

Gina: *Right...* (Certo...)

Dan: *I'll meet you there at seven forty-five, okay?* (Encontrarei você lá às sete e quarenta e cinco, certo?)

[*Dan is waiting for Gina when she arrives at eight o'clock.*] ([Dan espera Gina e ela chega às oito.])

Gina: *Sorry, Dan, there was loads of traffic and it took ages on the bus.* (Desculpe, Dan. O trânsito estava intenso e fiquei muito tempo no ônibus.)

Dan: *It's fine – we're just in time, I think.* (Está bem. Estamos no horário, eu acho.)

Antigamente, era aceitável que uma mulher chegasse atrasada, mas não um homem. Isso fazia com que muitos deles ficassem esperando em pé sob a chuva e o frio nas portas dos *pubs* e restaurantes até que a companhia desse o ar da graça. Entretanto, hoje em dia as pessoas têm telefones celulares e internet móvel, por isso é mais fácil comunicar qualquer atraso. Se você for chegar atrasado, é educado avisar. E não se esqueça de pedir desculpas quando finalmente encontrar sua companhia.

Você pode fazer os acertos de um encontro por e-mail ou telefone celular – os celulares são provavelmente a forma mais comum de comunicação no mundo de hoje e discutiremos esse assunto nos Capítulos 8 e 14. Enquanto isso, aqui estão algumas abreviações que podem ser usadas para marcar um encontro por mensagem de texto:

Pub?	*Do you want to go to the pub?* (Quer ir ao *pub*?)
C U @ 8	*See you there at eight o'clock.* (Vejo você às 8.)
R U there yet?	*Are you there yet?* (Já chegou?)
Sorry. Going 2 B L8:-(	*Sorry, but I'm going to be late.* (Desculpe, mas vou chegar atrasado.)
Where R U?	*Where are you?* (Onde está?)

Decidindo para Onde Ir

Dependendo do tamanho da cidade na qual estiver, há diversas opções de lugares para onde ir. Nas maiores, a diversidade é grande: cinemas, teatros, *pubs*, restaurantes, shows... Você acha o que fazer em qualquer noite da semana em uma cidade média ou grande. E até mesmo nas cidadezinhas você consegue encontrar um *pub*, mesmo que não tenham cinema.

Cinema

O cinema é um lugar muito comum para se reunir socialmente, se todos concordarem acerca do filme a ser visto. As pessoas geralmente vão em grupos para ver os lançamentos. Você também pode levar um amigo(a) ou pessoa do seu interesse para assistir a um filme. Além do cinema, lugares mais cotados para convidar aquela pessoa especial no primeiro encontro são os *pubs*, os restaurantes ou os shows que acontecem pela cidade (dos quais falaremos mais adiante). Em geral, os cinemas no Reino Unido ficam abertos durante todo o dia e você normalmente consegue achar um horário que se adéque à sua rotina. Você pode descobrir os filmes em cartaz telefonando para o cinema, dando uma olhada nos jornais ou checando na internet.

Se você estiver planejando um encontro no cinema, precisa descobrir que tipo de filme sua companhia gosta e também deve falar de suas preferências, antes de organizar tudo:

- *So what sort of film do you like?* (Então, de que tipo de filme gosta?)
- *I don't suppose you like action films, do you?* (Não acho que goste de filme de ação, gosta?)

Capítulo 6: Saindo da Cidade

▶ *Do you like [horror films / comedies / foreign films / Brad Pitt / Angelina Jolie]?* (Você gosta de [filmes de terror / comédias / filmes estrangeiros / do Brad Pitt / da Angelina Jolie?])

▶ *I like anything apart from those chick flicks.* [Chick flick são filmes feitos para a audiência feminina, geralmente românticos.] (Gosto de qualquer coisa, menos daqueles filmes de mulher.)

▶ *I prefer films with subtitles, personally.* (Pessoalmente, prefiro filmes com legendas.)

Em grupos grandes, você geralmente combina com pessoas que têm o mesmo gosto, então é mais fácil marcar:

▶ *Anybody fancy catching a film later?* (Alguém quer pegar um cinema mais tarde?)

▶ *I was thinking of seeing the new Bond film tonight – interested?* (Estou pensando em ver o novo filme do James Bond hoje à noite – quer ir?)

Tendo uma Conversa

Franz está almoçando com amigos.

Franz: *Anybody fancy the cinema later?* (Alguém quer ir ao cinema mais tarde?)

David: *It's Friday, isn't it? There must be something new on...* (É sexta-feira, não é? Deve ter algo novo em cartaz...)

[*David opens the local newspaper to see what's on.*] ([David abre o jornal local para ver o que está em cartaz.])

David: *There's a new comedy with Jim Carrey where he plays a pilot.* (Está passando uma nova comédia com Jim Carrey na qual ele é um piloto.)

Karen: *Oh, not Jim Carrey, please! I can't stand him!* (Ah, Jim Carrey não, por favor! Não consigo suportá-lo.)

David: *Fine! How about the thriller with Matt Damon?* (Certo! Que tal o suspense com Matt Damon?)

Franz: *Definitely not – the man can't act at all!* (Definitivamente não – o cara não sabe atuar!)

[*David gives the paper to Franz.*] ([David passa o jornal para Franz.])

David: *Well, it was your idea – you suggest something.* (Bem, a ideia foi sua – sugira alguma coisa.)

Franz: *There's the new Tim Burton film. How about that?* (Está em cartaz o novo do Tim Burton. Que tal?)

Karen: *I love Tim Burton! I'm up for that.* (Adoro Tim Burton! Estou dentro.)

David: *Sounds good to me. How about a drink before we go?* (Está bom para mim. Que tal um drinque antes de irmos?)

Franz: *Great – let's meet in the pub at six.* (Ótimo – vamos nos encontrar no *pub* às seis.)

Em geral, as pessoas ficam bastante quietas nos cinemas do Reino Unido e é muito raro escutar um telefone celular (*mobile phone*) tocar durante a sessão. Por isso, não se esqueça de desligar o seu antes de entrar na sala. Não se pode fumar (*smoke*) nem consumir bebidas alcoólicas (*drink alcohol*) nas dependências. É muito comum comprar pipocas (*popcorn*) e refrigerantes (*soft drinks*) antes de entrar e consumi-los durante a exibição do filme.

Tradicionalmente, as últimas fileiras das salas são ocupadas por adolescentes agitados e casais que querem um espaço "mais íntimo". Então, se você realmente deseja ver o filme, recomendamos não se sentar nesses lugares.

Shows

Shows (*concerts*) e shows de comédia (*comedy evening*) são muito populares no Reino Unido. Em cidades grandes como Londres, você encontra muitos desses eventos, que vão desde pequenos grupos reunidos na parte de cima dos pubs até as maiores bandas tocando em estádios e em casas de show.

Esses eventos são normalmente anunciados em jornais locais, revistas ou em sites na internet. Em geral, os ingressos (*tickets*) para ver as grandes bandas e os comediantes famosos são vendidos muito rápido. Por isso, você precisa se informar a respeito das datas e tentar reservá-los antecipadamente.

Os clubes menores vendem os ingressos "na porta" até ficarem lotados – isso se aplica principalmente aos shows de comédia e às bandas pequenas que se apresentam em pubs e espaços culturais.

Certas pessoas compram mais ingressos do que precisam e vão para os locais de shows tentar vendê-los cobrando um valor maior. Os cambistas (*ticket touts*) geralmente operam de forma ilegal e há a possibilidade de que os ingressos comprados dessa forma não sejam aceitos nas bilheterias, especialmente nos grandes shows. Saiba que o risco é do comprador ("*caveat emptor*" – *buyer beware*), caso você decida comprar os ingressos de um *tout*. Se quiser garantir seu lugar em um evento, pode adquirir as entradas on-line. Em cidades grandes, você encontra pequenas lojas especializadas na venda de ingressos e é possível comprá-los a bons preços nesses lugares.

Pubs

Para algumas pessoas, o *pub* é como se fosse uma segunda casa onde passam muito de seu tempo livre e o lugar no qual sempre encontram os amigos e um sorriso amistoso do dono (*publican ou owner*). Como já falamos no Capítulo 4, os *pubs* do Reino Unido agora podem funcionar 24 horas, mas muitos ainda fecham entre 11 da noite e 1 da manhã, reabrindo no dia seguinte.

A hora de fechar de um *pub* é carinhosamente conhecida como *chucking-out time* pelos frequentadores. Entretanto, muitos deles são convidados para o que chamam de *lock-in*, que é permanecer no local, a convite do dono, depois

A história dos pubs

Os romanos trouxeram os *pubs* para o Reino Unido. Eles costumavam pendurar cachos de uvas no exterior das casas de vinho para atrair os clientes. Quando os romanos chegaram, encontraram um clima muito frio para as videiras, então começaram a pendurar arbustos na parte de fora das tavernas. Um dos mais antigos nomes de *pubs* no Reino Unido é "*The Bush*" (o arbusto) ou "*The Bull and Bush*" (o touro e o arbusto).

Os nomes dos *pubs* geralmente têm importância histórica, embora os mais modernos recebam denominações um tanto surreais. Nomes curiosos incluem: "*The Ship and Shovel*" (o navio e a pá), "*The Pickled Liver*" (o fígado em conserva), "*The Pump and Truncheon*" (a torneira da chopeira e o cassetete) e "*The Burning Plague*" (a praga em chamas).

de fechado ao público. As pessoas que ficam, em geral, são amigos e clientes regulares. Quando o dono do *pub* quer que você saia, ele normalmente grita *"Time, ladies and gentlemen, please"* (É a hora, senhoras e senhores, por favor) ou pergunta *"Can I see your glasses, please?"* (Posso ver seus copos, por favor?). Isso não é um pedido para examinar os copos (como alguns espanhóis amigos nossos certa vez pensaram), mas sim uma maneira educada de dizer que você precisa beber o que resta e retornar os copos vazios ao balcão do bar.

Os *pubs* ficam lotados por volta de 17h30, que é o horário em que as pessoas saem do trabalho e reúnem-se com amigos e colegas para tomar um drinque. Essa é a hora perfeita para conhecer melhor todos ao seu redor e – talvez – convidar aquela companhia especial para jantar ou assistir a um filme. Outro horário muito popular é o final da manhã de domingo, quando você encontra pessoas lendo os jornais dominicais e tomando café ou cerveja. Elas geralmente permanecem no *pub* para almoçar.

O *pub* é um dos locais mais comuns de socialização no Reino Unido e, estando lá, você provavelmente vai começar a conhecer um ou dois muito bem. Muitas pessoas têm um *pub* que chamam de local – o estabelecimento que frequentam com regularidade, geralmente próximo de onde residem. No seu local, você irá conhecer e encontrar amigos, fazer suas refeições e talvez até participar de competições ou jogos organizados pelos donos do *pub*.

Os *pubs* variam e vão desde locais antigos e tradicionais, encontrados em sua maior parte fora dos grandes centros, até espaços modernos, barulhentos e cheios de caça-níqueis (*as fruit machines* – cuidado para não perder todo seu dinheiro nesses jogos!). Além disso, você ainda encontra os "*gastro pubs*", que são especializados tanto em comida quanto em bebida. Os *gastro pubs* são ambientes mais tranquilos, ideais para encontros românticos. A maioria dos pubs vende petiscos, como amendoins e pacotes de salgadinhos, tortas, sanduíches e – às vezes – coisas esquisitas como ovos (coloridos) em conserva (*pickled eggs*).

Fumar (*smoke*) agora está proibido nos *pubs* do Reino Unido. Por isso, você encontra muitos frequentadores do lado de fora, às vezes no frio e na chuva, fumando e conversando. Se você é fumante (*smoker*), essa é uma boa oportunidade de "*smirt*" – fumar e flertar (*smoke + flirt*), que pode ser bastante divertido e faz com que você se esqueça do tempo ruim!

As bebidas (em geral, cervejas) no Reino Unido são servidas em *pints* ou *half pints* (caneca ou tulipa com a capacidade de um *pint* – um pouco mais de meio litro – ou meio *pint*). As bebidas mais fortes (*spirits*), como o uísque, vodca ou rum, são servidas em doses (*measures* ou *shots*). Uma dose de vodca é muito pequena – especialmente se você vem da Europa continental onde as doses são servidas generosamente pelos garçons! Você pode comprar a taça de vinho (*wine by the glass* – o barman normalmente pergunta se quer taças pequenas ou grandes) ou a garrafa. Os preços dos refrigerantes são equivalentes aos das bebidas alcoólicas.

Você também encontra cervejas em garrafa (*bottled beer*), combinações em cores brilhantes de sucos de fruta com álcool (*alcopops*) e uma grande variedade de cervejas estrangeiras: as espanholas e polonesas estão muito populares hoje em dia. Se gosta de aventuras, pode pedir os *shots*, pequenas doses de bebidas exóticas como a tequila.

A maior parte dos drinques é fácil de pedir, mas se for trabalhar atrás do balcão, esteja preparado para pedidos como "*a pint of lager top*" – uma tulipa de cerveja (do tipo lager) com gotas de limonada por cima – e uma variedade de bebidas estranhas. E lembre-se: se um cliente pedir "*sex on the beach*" (sexo na praia), olhe primeiro o cardápio de drinques antes de fazer qualquer outra coisa!

Grupos pequenos de pessoas pedem, em geral, rodadas de bebidas (*rounds*) e cada uma delas paga por uma rodada. Em grupos maiores, cada um compra a sua ou paga para os amigos mais íntimos.

O *pub* é um ambiente complexo e leva certo tempo para aprender a cultura, mas aqui estão algumas expressões para começar. Em grupo é comum dizer:

- *Okay, who's for another drink?* (Certo, quem quer outra bebida?)
- *It's my round, I think – what's everyone having?* (É a minha rodada, eu acho – o que vão querer?)
- *Do you want a top up?* (Quer que complete?) (Usado geralmente para encher a taça de quem está bebendo vinho.)
- *Fancy another?* (Quer mais um?)
- *I'm all right, thanks.* (Estou bem, obrigado.)
- *Oh, go on then – but just a half.* (Pode ser, mas só meia / metade.)

Algumas expressões úteis no balcão do bar:

- *Could I have a [pint of lager / glass of house white (wine) / gin and tonic], please?* (Pode me dar [uma tulipa de lager / uma taça de vinho branco da casa / gim e tônica], por favor?)

Capítulo 6: Saindo da Cidade **109**

> ✔ *Let's see... two pints of [lager / bitter], a [dry white wine / red wine / cola / orange juice], please?* (Vamos ver... duas tulipas de [lager / bitter], um [vinho branco seco / vinho tinto / refrigerante / suco de laranja]?)
>
> ✔ *And one for yourself.* (E um para você.) (Os britânicos geralmente não dão gorjetas em pubs, mas se você estiver muito generoso, pode pagar uma bebida para o atendente.)
>
> ✔ *Do you have snacks?* (Você tem petiscos?)
>
> ✔ *I'd like to order some food as well, please.* (Gostaria de pedir comida também, por favor.)
>
> ✔ *Yes, it's table twelve.* (Sim, mesa doze.) (Quando você pede comida em pubs, geralmente precisa dizer ao atendente em qual mesa está sentado.)

A melhor maneira de parecer íntimo do local é pedir a cerveja pela marca em vez de usar as denominações dos tipos (lager, bitter etc.). Se você gosta de experimentar coisas novas, pode pedir para o atendente, "*a pint of Old Speckled Hen*" ou "*a pint of Theakston's Old Peculiar*", mas não venha nos culpar se não gostar delas!

Tendo uma Conversa

Gina está no *pub* com alguns amigos.

Gina:	*Okay, it's my round. Same again for everybody?* (Tudo bem, é a minha vez. O mesmo para todos de novo?)
Helen:	*Another bottle of red?* (Outra garrafa de vinho tinto?)
Gina:	*Why not? It's the weekend!* (Por que não? É fim de semana!)
Mike:	*I'll stick to the orange juice, thanks – I'm driving. But you go ahead.* (Vou ficar no suco de laranja, obrigado – estou dirigindo. Mas vocês podem ir em frente.)
Gina:	*Goran?* (Goran?)
Goran:	*Another pint of lager, please?* (Outra tulipa de cerveja, por favor.)
Gina:	*What kind?* (Qual delas?)
Goran:	*I don't really mind to be honest – it's all beer!* (Não tenho preferência, para ser honesto. É tudo cerveja!)
Gina:	*Right, so that's another bottle of the house red, an orange juice – do you want ice and lemon, Mike?* (Certo. Então, outra garrafa do tinto da casa, um suco de laranja – você quer gelo e limão, Mike?)
Mike:	*No, thanks.* (Não, obrigado.)
Gina:	*And a pint of lager... crisps or anything else?* (E uma tulipa de cerveja... salgadinhos ou outra coisa?)
Mike:	*Packet of cheese and onion, please.* (Um pacote de salgadinhos de queijo e cebola, por favor.)

Gina:	Anyone else? (Alguém mais?)	

[*Gina takes their empty glasses over the bar.*] ([Gina leva os copos vazios ao balcão.])

Gina:	Hi, another round, please! (Oi, outra rodada, por favor!)
Bartender:	Hmm... let's see – a bottle of the house red, an orange juice and... (Hummm... vamos ver – uma garrafa do tinto da casa, um suco de laranja e...)
Gina:	...a pint of lager, please. ... (uma tulipa da cerveja, por favor.)
Bartender:	Any particular type? (Alguma específica?)
Gina:	Not really – whatever you have. (Não – a que você tiver.)
Bartender:	Ice and lemon in the orange juice? (Gelo e limão no suco de laranja?)
Gina:	No, thanks. Oh, and could I have a packet of cheese and onion crisps, please? (Não, obrigada. Ah, pode me dar um pacote de salgadinhos de queijo e cebola, por favor?)
Bartender:	Sorry, we only have salt and vinegar. (Desculpe, só temos sal e vinagre.)
Gina:	That's fine, I think. (Tudo bem, eu acho.)
Bartender:	Here you go. That'll be twenty-one fifty, please. (Aqui está. São vinte um e cinquenta, por favor.)

Visitando Amigos

Outra situação social muito popular é ir à casa de amigos para beber uns drinques, jantar, ver filmes em DVD ou apenas para tomar uma caneca de chá (*cuppa*). Muitas pessoas oferecem pequenos jantares em suas casas porque isso é, em geral, mais barato do que sair para comer em restaurantes e mais fácil de organizar quando se tem filhos – chamados carinhosamente de *kids* – para cuidar. No Reino Unido, as crianças não frequentam muito restaurantes, por isso jantar em casa é mais fácil do que sair para comer. Esses jantares não são muito formais – mas é sempre bom perguntar antes ao anfitrião.

Se alguém o convidar para ir a sua casa, descubra que tipo de ocasião é – se é um jantar, um drinque... O mais provável é que o evento seja um pequeno jantar entre amigos e é muito fácil se preparar para tal. O jantar pode ser o que os americanos chamam de *potluck dinner*, no qual cada convidado leva um prato, mas isso precisa ser planejado com antecedência. A melhor maneira de se preparar é fazer perguntas simples: "*Can I bring anything?*" (Posso levar algo?) ou "*Do you need anything?*" (Precisa de alguma coisa?).

Ao menos leve uma garrafa de vinho ou cerveja se tiver certeza de que as pessoas irão bebê-la. Para o anfitrião, você pode levar um presentinho, tal como flores ou chocolate, ainda que esse gesto não seja tão comum no Reino Unido como em outros países da Europa continental. Se os anfitriões tiverem filhos é sempre bom levar uma lembrança, particularmente se você não os vê há muito tempo.

Jantares e outras refeições podem não durar tanto tempo quanto em outros países, especialmente se forem no meio da semana. Mas, em geral, as pessoas conversam e relaxam após comerem. Então, reserve um tempo para fazer isso. Ajudar na cozinha, tirar a mesa e até mesmo lavar a louça é considerado educado e você será um convidado benquisto se seguir essas regras simples.

Você precisa ter cuidado ao aceitar ou rejeitar convites para ir às casas de outras pessoas. Observe que "venha jantar" (*come to dinner*) sempre significa ir à casa de alguém, diferentemente de sair para jantar (*go out to dinner*).

Convites podem ser:

- *John and I were wondering if you would like to come to dinner on Saturday?* (John e eu queremos saber se você gostaria de vir jantar no sábado.)
- *We'd love to have both of you round for dinner at the weekend if you're free?* (Gostaríamos que vocês dois viessem jantar no fim de semana se estiverem livres.)
- *How about coming over for lunch on Saturday?* (Que tal vir para o almoço no sábado?)

Dependendo da sua disponibilidade, você pode responder:

- *Oh, I'm sorry, but I already have something on this Saturday. I'd love to come over at some point, though.* (Desculpe-me, mas já tenho um compromisso neste sábado. Entretanto, adoraria ir jantar aí em outra ocasião.)
- *Thanks, that would be lovely! Can I bring anything?* (Obrigada, seria ótimo! Posso levar algo?)

Tendo uma Conversa

Mike está falando com Pierre ao telefone.

Mike:	*Helen and I wondered if you'd like to come to dinner on Friday?* (Helen e eu queremos perguntar se você gostaria de vir jantar aqui na sexta-feira.)
Pierre:	*That would be great, thanks!* (Seria ótimo, obrigado.)
Mike:	*And your wife, of course.* (Sua esposa também, é claro.)
Pierre:	*I'll have to check with her, but I think that'll be okay.* (Vou ter que falar com ela, mas acho que está tudo certo.)
Mike:	*We're having a few friends over for dinner – nothing formal, okay?* (Vamos receber alguns amigos para jantar – nada formal, tudo bem?)
Pierre:	*That's great, Mike, I'll look forward to it. Do we need to bring anything?* (Está ótimo, Mike. Sinto-me lisonjeado. Quer que levemos algo?)
Mike:	*Just yourselves! And a bottle of wine if you like.* (Só vocês mesmos! E uma garrafa de vinho, se quiser.)

Pierre:	*No problem – see you then!* (Sem problema. Até lá!)

[Pierre and Gina arrive at Mike's house on Friday.] ([Pierre e Gina chegam à casa de Mike na sexta-feira.])

Pierre:	*Mike! This is Gina. Gina, this is my boss, Mike.* (Mike! Esta é Gina. Gina, esse é meu chefe, Mike.)
Gina:	*Hi, Mike, what a beautiful house!* (Oi, Mike. Bonita casa!)
Mike:	*Please, come through to the dining room. This is my wife, Helen.* (Por favor, venham até a sala de jantar. Esta é minha esposa, Helen.)
Helen:	*Hello, Pierre… and you must be Gina. I'm Helen. Please, take off your coats and relax and I'll get you both a drink. Is wine okay?* (Olá, Pierre… e você deve ser a Gina. Sou a Helen. Por favor, tirem seus casacos e relaxem. Vou trazer uma bebida. Vinho está bom?)
Pierre:	*Juice for me, please – I'm driving.* (Suco para mim, por favor – estou dirigindo.)
Gina:	*A glass of red would be great, thanks! And these are for you!* (Uma taça de vinho tinto seria ótimo, obrigada. E isso é para você!)
Helen:	*Flowers? How thoughtful. Thanks, Gina.* Flores? (Que delicadeza. Obrigada, Gina.)
Gina:	*You're welcome. Can I help in the kitchen?* (De nada. Posso ajudar na cozinha?)
Helen:	*No, it's fine, thanks. Mike has it all under control.* (Não, está tudo certo. Mike tem tudo sob controle.)

Sobre o Que Falar?

Conversar com novos amigos ou colegas pode ser difícil a princípio, mas se você prestar atenção no que as pessoas falam na maioria das reuniões sociais, perceberá que elas geralmente discutem os mesmos temas: trabalho, família, televisão, o tempo, política, esportes e por aí vai. O segredo é procurar se informar sobre esses assuntos, aprender algumas expressões que se enquadrem em cada tópico e usá-las quando tiver oportunidade. E, é claro, ajuda se você fizer algumas perguntas e se interessar pelo que a pessoa está falando. Veja o Capítulo 3 para saber mais sobre bate-papos, histórias, piadas e casos.

Tente ler um jornal em inglês todos os dias – você consegue exemplares grátis no transporte público, nas estações de trem e terminais de ônibus. Esses jornais contêm notícias populares que são normalmente curtas. Notícias de jornal são uma excelente maneira de adquirir conteúdo para ser usado em conversas sociais. Se você quiser realmente impressionar, tente ler um dos jornais de maior circulação ou assistir ao noticiário televisivo todos os dias. Telejornais também são perfeitos para aumentar seu vocabulário.

Capítulo 6: Saindo da Cidade **113**

Diversão e Jogos

1. Complete as frases usando as palavras abaixo:

| doing | round | book | suppose | this |
| fancy | free / busy | trying | wondering | bout |

1. Do you _____ a drink after work?
2. Are you _____ anything tonight?
3. Are you _____ on Saturday morning?
4. How about _____ that new Italian in the High Street?
5. Shall I _____ a table for eight o'clock?
6. I don't _____ you like horror films, do you?
7. How _____ a drink before we see the film?
8. It's my _____. Same again for everybody?
9. I was _____ whether you'd like to come to dinner on Friday?
10. _____ is John. John let me introduce you to Sarah.

Resposta:

1. fancy
2. doing
3. free / busy
4. trying
5. book
6. suppose
7. about
8. round
9. wondering
10. this

Parte II: Inglês em Ação

2. Carlos está convidando uma colega de trabalho para jantar. Coloque o diálogo em ordem:

Carlos:	Hi, Susan, how's it going?
Susan:	No plans, why?
Carlos:	Fine, thanks. Listen, are you doing anything after work?
Susan:	Not bad, thanks. You?
Carlos:	No problem, me neither! Just a quick beer.
Carlos:	I wondered if you fancied a quick drink?
Susan:	Okay, great – see you then.
Susan:	Sounds good, but I can't stay long.
Carlos:	I'll come and meet you here at five-thirty then, okay?
Susan:	Sure, why not?

Resposta:

Carlos:	Hi, Susan, how's it going?
Susan:	Not bad, thanks. You?
Carlos:	Fine, thanks. Listen, are you doing anything after work?
Susan:	No plans, why?
Carlos:	I wondered if you fancied a quick drink?
Susan:	Sounds good, but I can't stay long.
Carlos:	No problem, me neither! Just a quick beer.
Susan:	Sure, why not?
Carlos:	I'll come and meet you here at five-thirty then, okay?
Susan:	Okay, great – see you then.

Capítulo 7
Hobbies e Tempo Livre

Neste capítulo

▶ Conhecendo os hobbies britânicos mais populares

▶ Lazer em lugares fechados

▶ Divertindo-se em atividades ao ar livre

▶ Assistindo e praticando esportes

A vida não é apenas trabalhar, voltar para casa e passar a noite assistindo à televisão (embora esse seja o divertimento preferido de muitas pessoas). Neste capítulo, nós mostramos o que pode ser feito no tempo livre – desde hobbies até uma seleção de atividades de lazer para dentro e fora de casa. Falaremos também de esportes, que talvez seja um dos assuntos mais populares em diversos países.

Então, que tipo de pessoa você é? É uma coruja (*a night owl*) – alguém que só sai à noite para *pubs* e boates? Ou você é uma pessoa do dia (*an early bird*) – alguém que adora acordar cedo para começar bem a rotina de trabalho, caminhar ou nadar antes de ir para o escritório? Ou será que você é o "rei do sofá" (*couch potato*) – alguém que gosta de ficar o dia inteiro sentado em casa assistindo à televisão ou ouvindo música. Seja lá qual for sua preferência, nós incluímos neste capítulo um pouco de cada coisa para todos os tipos de gostos, desde idas ao cinema e jantares em restaurantes até estadias tranquilas no conforto da sua casa.

Falando de Seus Hobbies

Os passatempos existem em todo mundo e no Reino Unido não é diferente – você encontra crianças colecionando selos e figurinhas (*collecting stamps and stickers*) e adultos jogando golfe (*playing golf*) e caminhando no interior (*rambling*). Mas no Reino Unido você também vê observadores de trens e aviões (*train and plane spotters*), que são pessoas que olham com atenção e registram obsessivamente a forma de movimentação dos diferentes tipos de transporte, observadores de pássaros (*birdwatchers*), ciclistas (*cyclists*), pintores (*painters*)... a lista é infindável.

Na verdade, as pessoas geralmente falam mais dos *hobbies* do que os exercitam. Então, depois de escolher o seu, você vai querer compartilhá-lo com seus amigos e conhecidos.

Hobbies populares

Uma pesquisa feita em 2002 mostrou os dez hobbies mais populares no Reino Unido:

- *Reading* (ler)
- *Watching* TV (assistir à televisão)
- *Fishing* (pescar)
- *Gardening* (trabalhar no jardim)
- *Playing team sports* (praticar esportes coletivos)
- *Going to the cinema* (ir ao cinema)
- *Swimming* (nadar)
- *Golf* (jogar golfe)
- *Socialising with friends / neighbours* (socializar com amigos / vizinhos)

Se você quiser escolher um hobby popular britânico, tente algum desses — mas fique atento para que sua escolha seja algo mais sociável do que ler ou assistir à televisão se desejar conhecer pessoas. A melhor maneira de escolher um *hobby* é optar por um que realmente goste — e que tenha dinheiro para bancar.

Sei do que gosto!

Você pode dizer o que gosta e o que não gosta de fazer de diversas formas em inglês. Sugerimos que não utilize palavras extremas como amar (*love*) e odiar (*hate*) até que saiba exatamente como a pessoa com quem estiver falando se sente em relação ao assunto da conversa.

Aqui estão algumas frases úteis para expressar seus gostos. Os símbolos depois de cada uma indicam a intensidade do sentimento: "+" (gosto) e "–" (não gosto). Apenas um símbolo de + significa que a expressão usada demonstra que a atividade lhe agrada suavemente, ++ significa um agrado moderado e +++ significa que a atividade lhe agrada bastante. Da mesma forma, um símbolo de – indica um desagrado brando; – – indica um desagrado moderado e – – – indica um desagrado extremo. O zero (0) significa que não há preferência (neutralidade).

- *I love going to the cinema.* (+++) (Amo ir ao cinema.)
- *I'm a big fan of [football / reading / travel].* (++) (Sou um grande fã de [futebol / leitura / viagem].)
- *I quite like [watching films / eating out / cooking].* (+) (Eu gosto de [assistir a filmes / comer fora / cozinhar].)
- *I don't mind [knitting / watching sports].* (0) (Não ligo para [tricô / esportes].)
- *I don't really like [going out / taking photos].* (–) (Não gosto muito de [sair / tirar fotos].)
- *I'm not into [sports / the pub] at all.* (– –) (Não gosto mesmo de [esportes / *pubs*].)
- *I can't stand [staying in / going to the gym].* (– – –) (Não suporto [ficar em casa / ir à academia].)

O que já fiz

Quando quiser falar sobre o que já fez, você usa o presente perfeito (*present perfect*). Ele é formado pelo presente do verbo *to have* e o particípio passado do verbo principal:

- ✔ *I've never been skiing – is it dificult?* (Nunca esquiei – é difícil?)
- ✔ *I've been on holiday to Spain twice.* (Estive de férias na Espanha duas vezes.)
- ✔ *Haven't you seen the new Harry Potter film yet?* (Ainda não viu o novo filme do Harry Potter?)
- ✔ *Have you read anything by Peter Carey?* (Leu alguma coisa de Peter Carey?)

Note que você geralmente contrai o verbo:

I have = I've

You have = You've

She has = She's

We have = We've

They have = They've

Nem tanto quanto eu gostaria

Os advérbios de frequência são utilizados para demonstrar a repetição dos acontecimentos. Há muitos deles, mas aqui citamos alguns para você começar:

- ✔ *Every [morning / day / weekend / Easter]* (todo(a) [manhã / dia / fim de semana / Páscoa].)
- ✔ *Most [evenings / weekends]* (maioria [das noites / dos fins de semana].)
- ✔ *Some [weekdays /weeks]* (alguns / algumas [dias de semana / semanas].)
- ✔ *Once / twice / three times… [a day / a week / a month]* (uma vez, duas vezes, três vezes… [por dia / por semana / por mês].)
- ✔ *Always* (sempre)
- ✔ *Often / usually* (frequentemente / comumente)
- ✔ *Sometimes* (algumas vezes)
- ✔ *Hardly ever* (quase nunca)
- ✔ *Never* (nunca)

Bem a tempo...

Você também precisará utilizar as seguintes preposições para indicar tempo:

- *in [the morning / afternoon / evening / my free time]* (pela manhã / à tarde / à noite / em meu tempo livre)
- *on [Saturday / Tuesday evenings / Mondays / holidays]* (aos sábados / na terça-feira à noite / às segundas-feiras / nos feriados]
- *at [four o'clock / the weekends]*. (às quatro horas / nos fins de semana)

Tendo uma Conversa

Bettina está sendo entrevistada para um artigo da revista da empresa chamada *"New in Town"* (Novos na Cidade), que tem como objetivo apresentar os funcionários novos aos antigos.

Sara:	*So, Bettina, welcome to the company. It's my job to introduce you to your colleagues in this magazine feature.* Então, Bettina, bem-vinda à empresa. (É minha função apresentá-la a seus colegas de trabalho por meio deste artigo da revista.)
Bettina:	*Thanks, Sara – I'm really excited about starting work here and I can't wait to meet everyone.* (Obrigada, Sara. Estou muito contente de começar a trabalhar aqui e mal posso esperar até conhecer todos.)
Sara:	*Okay, everyone knows you are starting in the marketing division, but what about the real Bettina – what do you like doing when you're not working?* (Certo. Todos sabem que você começou na divisão de marketing, mas eu gostaria de saber da verdadeira Bettina – o que você gosta de fazer quando não está trabalhando?)
Bettina:	*Well, I have a few hobbies that I hope to keep doing now I've moved to UK.* (Bem, tenho alguns hobbies que espero continuar praticando agora que me mudei para o Reino Unido.)
Sara:	*What sort of things do you like?* (Que tipo de coisa você gosta?)

E quanto ao uso gramatical do verbo *to like* (gostar)? Por que às vezes você ouve uma frase como "*I like skiing*" (eu gosto de esquiar) – com o verbo *to like* + verbo principal acrescido de *–ing* – e outras você ouve uma frase como "*I like to ski*" (eu gosto de esquiar) – com o verbo *to like* + infinitivo do verbo principal? Há uma pequena diferença entre os dois exemplos, embora ambos estejam corretos. Aqui está uma regra geral que vai ajudá-lo: quando as pessoas falam de hobbies e interesses em geral, elas geralmente usam a forma com gerúndio: "*I like skiing, but I hate mountain climbing*" (Gosto de esquiar, mas odeio alpinismo). Quando as pessoas falam de ocasiões em particular ou acontecimentos frequentes, usam a forma com infinitivo: "*I like to walk in the mornings before I start work*" (Gosto de caminhar de manhã antes de começar a trabalhar).

Bettina:	*I love skiing.* (Eu amo esquiar.)
Sara:	*(laughing) Well, there's not much chance of that here. Where do you like to ski?* ((rindo) Bem, não há muita chance de fazer isso aqui. Onde você gosta de esquiar?)
Bettina:	*I've never skied in Europe, but I used to go a lot in Argentina.* (Nunca esquiei na Europa, mas costumava ir muito à Argentina.)
Sara:	*Okay, so, skiing. Anything else?* (Certo. Esquiar, então. Algo mais?)
Bettina:	*I'm a big fan of the cinema, and I usually try to go most weekends when I have the time. I like to go on Saturday morning when it's quiet. Oh, and I love cooking.* (Sou uma grande fã de cinema e geralmente tento ir em todos os fins de semana em que tenho tempo. Gosto de frequentar o cinema aos sábados de manhã quando está tranquilo. Ah, e adoro cozinhar.)
Sara:	*Really? What type of food do you cook?* (Verdade? Que tipo de comida você faz?)
Bettina:	*Lots of different types. I cook for myself every evening and I like to have friends round for lunch or dinner at the weekends.* (Muitos tipos diferentes. Cozinho para mim mesma toda noite e gosto de chamar os amigos para almoçar ou jantar nos fins de semana.)
Sara:	*Great! I look forward to an invitation. Anything else for our readers?* (Ótimo! Espero um convite seu. Algo mais para nossos leitores?)
Bettina:	*Let me see... oh, yes, I'm going to Japanese classes at night school.* (Deixe-me ver... ah, sim! Estou tendo aulas de japonês à noite em uma escola.)
Sara:	*Wow! Is it as difficult as people say it is?* (Uau! É tão difícil quanto dizem?)
Bettina:	*It is quite difficult. I go twice a week, on Tuesdays and Thursdays, for two hours each lesson, but I'm not progressing very quickly!* (É bem difícil. Vou duas vezes por semana, às terças e quintas, e são duas horas de aula cada dia, mas não estou progredindo muito rápido.)
Sara:	*Well, good luck with the Japanese and thanks for talking to us.* (Bom, boa sorte com o japonês e obrigada por falar conosco.)
Bettina:	*Thank you!* (Obrigada!)

Divertindo-se em Lugares Fechados

Você provavelmente conhece a reputação do tempo no Reino Unido. Por isso, muitos britânicos passam grande parte das suas horas de lazer em lugares fechados – visitando museus, galerias de arte, teatros ou cinemas, fazendo cursos noturnos, exercitando-se em academias ou simplesmente assistindo à televisão em casa.

Tendo uma Conversa

Goran está visitando Londres pela primeira vez e passa o dia com um amigo, Dan. Está frio e chovendo e, por isso, eles tentam planejar o que fazer...

Dan: *I think we should visit some galleries or museums, Goran. London is full of them, and because of this rain...* (Acho que deveríamos visitar algumas galerias e museus, Goran. Londres está cheio deles e por causa desta chuva...)

Goran: *I'm not a big fan of museums and galleries, but in this weather I don't really mind visiting a couple of them. Any suggestions?* (Não sou muito fã de museus e galerias, mas com este tempo não me importo de ir a algum deles. Alguma sugestão?)

Dan: *Well, there's the Natural History Museum, which is excellent, and the National Portrait Gallery. And perhaps the Tate Modern, which is an amazing building down by the river.* (Bem, tem o museu de história natural, que é excelente, e a National Portrait Gallery. E talvez a galeria Tate Modern, que fica em um maravilhoso edifício perto do rio.)

Goran: *I hate portraits – all those serious people looking down at you – but the Natural History Museum sounds good. How about going there this morning and the Tate this afternoon?* (Odeio retratos – todas aquelas pessoas sérias olhando de cima para você – mas o museu de história natural parece bom. Que tal irmos lá agora de manhã e na Tate à tarde?)

Dan: *Great! What about food?* (Ótimo! E quanto à comida?)

Em todas as grandes cidades você consegue comer em qualquer horário do dia – sanduíches, *fish and chips* e lanches. No entanto, se quiser sentar para almoçar ou jantar – em um restaurante ou *pub*, talvez – precisa saber dos horários. Muitos lugares têm horários determinados para servir o almoço e alguns restaurantes fecham mais cedo do que a média em outros países. Você pode encontrar mais informações a respeito de comidas e bebidas no Capítulo 5.

Goran: *I'd like to try a pub for lunch – everyone tells me the food is excellent.* (Eu gostaria de experimentar almoçar em um pub – todo mundo diz que a comida é excelente.)

Dan: *Okay, let's go to the Natural History Museum this morning, then have lunch in a pub down by the river and then let's go to the Tate Modern.* (Certo. Vamos ao museu de história natural agora de manhã, depois almoçamos em um pub perto do rio e seguimos para a Tate Modern.)

Goran: *That sounds good. What are you up to this evening?* (Parece ótimo. O que vai fazer à noite?)

"*What are you up to...*" é uma boa maneira de perguntar o que alguém vai fazer, como no exemplo: "*What are you up to this evening?*". Mas saiba que se um policial perguntar "*What are you up to*" o significado é completamente diferente – então certifique-se de que não esteja fazendo nada de errado quando um policial estiver por perto!

Dan: *I usually go to my French class on Tuesday, but I'm not going today so if you want to have dinner or something...?* (Eu normalmente vou a minha aula de francês na terça, mas hoje não vou. Então, se quiser jantar ou algo do gênero....)

Goran: *Great! How about a film first?* (Ótimo! Que tal um filme antes?)

Dan: *Okay, let's see how tired we feel when we've done the museum and gallery.* (Certo. Vamos ver se estaremos muito cansados depois do museu e da galeria.)

Na televisão

No Reino Unido, os programas de televisão são um dos assuntos mais comentados no trabalho e entre amigos. Assistir à televisão é, na verdade, o segundo *hobby* mais popular entre os britânicos. A primeira coisa que precisa saber é sobre os tipos de programa que você gosta. Observe a Tabela 7-1 e veja o que mais lhe interessa:

Tabela 7-1	Tipos de programas de televisão
Soap opera	Obra de ficção transmitida regularmente e que apresenta o mesmo grupo de atores e o enredo de suas vidas (novela).
The news	Programa que apresenta as notícias do dia, a previsão do tempo etc. (telejornal).
Cartoons	Desenhos animados, em geral para crianças.
A music programme	Programa que apresenta as notícias do mundo da música, grupos musicais e sucessos recentes.
A documentary	Programa que desenvolve um assunto com profundidade (documentário).
A comedy	Programa humorístico.
The weather forecast	Previsão do tempo para os próximos dias.
A film	Filmes (drama, comédia, suspense)
A reality show	Programa que exibe a vida das pessoas comuns.
A quiz show	Programa de perguntas e respostas no qual o vencedor geralmente recebe um prêmio

Procure usar os adjetivos apresentados no quadro "Palavras a Saber" para falar dos programas de televisão.

Soap operas

Muitas pessoas dizem que os britânicos chamam as novelas de "*soap operas*" (sabonete + ópera) por causa dos primeiros anúncios veiculados no rádio durante a apresentação dos folhetins. As fábricas de sabonete patrocinavam muitos dos primeiros comerciais e quando as novelas começaram a ser transmitidas pela televisão, o nome foi mantido (e os anúncios de sabonete também!).

Palavras a Saber

Adjetivos positivos
fantastic (fantástico)
amazing (surpreendente)
interesting (interessante)
hilarious (very funny)
hilário (muito engraçado)
brilliant (brilhante)
outstanding (extraordinário)

Adjetivos negativos
terrible (terrível)
awful (horrível)
boring (chato)
rubbish (lixo / porcaria)
pathetic (patético)
dull (estúpido)

Muitos programas de televisão transmitidos no Reino Unido são dos mesmos tipos que você assiste em todas as partes do mundo. Na TV britânica há uma enorme variedade de novelas (*soap operas*), tal como *EastEnders* e *Coronation Street*, *reality shows* com pessoas querendo ficar famosas ou virar estrelas da dança, programas sobre jardinagem ou decoração de casas e shows de perguntas e respostas como o popular *Who Wants to Be a Millionaire?* (Quem quer ser um milionário?).

Tendo uma Conversa

Carla e Goran encontram-se na máquina de café do trabalho pela manhã.

Carla: *Did you see EastEnders last night?* (Você viu EastEnders ontem à noite?)

Goran: *Yes, wasn't it amazing? I had no idea John was Susan's dad.* (Vi, não foi surpreendente? Não fazia ideia de que o John era o pai da Susan.)

Carla: *Oh really, Goran! It was so obvious.* (Sério, Goran? Era tão óbvio.)

Goran: *Well, I haven't watched it for very long, so I still get confused with all the character's names. I don't know who's who yet.* (Bom, não assisto há muito tempo, então ainda fico confuso com os nomes dos personagens. Ainda não sei quem é quem.(

Carla: *Oh, I've watched it for years – I love it! What about Pop Star, did you see that too?* (Ah, eu assisto há anos – e adoro! E Pop Star, você viu também?)

Goran: *Pop Star?* (Pop Star?)

Carla: *The reality show where they try to find the next singing star.* (O reality show em que tentam achar a nova estrela da música.)

Goran:	*Oh no, I can't stand reality shows. How can you watch them?* (Ah não, não suporto reality shows. Como consegue assistir?)
Carla:	*They are really funny, especially the auditions.* (São muito engraçados, especialmente os testes.)
Goran:	*No, I watched News Time – I like to keep up with current affairs.* (Não, eu assisti ao News Time – gosto de me manter atualizado com as notícias.)
Carla:	*Oh! Anyway, fancy a coffee then?* (Ah. De qualquer forma, quer um café então?)

Leia sobre isso

Clubes de leitura (*book clubs*) são muito populares no Reino Unido. Em um clube de leitura, as pessoas se reúnem para discutir a respeito de um livro que todas leram nos dias anteriores. Eles geralmente acontecem na casa de alguém e, às vezes, são servidas comidas e bebidas. Esses clubes são ideais para se conhecer pessoas novas.

Aqui estão algumas expressões úteis para falar de livros que você leu:

- *I really enjoyed it. I thought...* (Gostei muito. Eu achei...)
- *I liked the part where...* (Gostei da parte na qual...)
- *I liked the character of...* (Gostei do personagem...)
- *I thought it was very well-written.* (Achei que foi muito bem escrito.)

Tente utilizar as seguintes frases para fazer comparações:

- *It's not as good as...* (Não é tão bom quanto...)
- *I didn't enjoy as much as...* (Não gostei tanto quanto...)
- *I preferred...* (Eu preferi...)
- *This was much better than...* (Esse foi bem melhor do que...)

Se você não gostou do livro, use uma das expressões:

- *I found it difficult to get into.* (Achei difícil de compreender.)
- *I didn't like the character of...* (Não gostei do personagem de...)
- *I didn't enjoy it as much as...* (Não gostei tanto quanto...)
- *I didn't enjoy it at all.* (Não gostei mesmo.)

Ao ar Livre

Algumas vezes o sol brilha no Reino Unido e essa é a hora de sair e participar de atividades de lazer ao ar livre. Com tantos bosques lindíssimos, o Reino Unido é o lugar ideal para caminhadas (*hiking*), trilhas (*trekking*) e acampamentos (*camping*) no meio do nada. Acampar é uma maneira bastante popular de passar as férias de verão.

Outro tipo comum de atividade ao ar livre são os piqueniques (*picnics*): você encontra famílias inteiras fazendo piqueniques em parques nos fins de semana do verão. Se você sair para um passeio nos bosques durante a primavera ou no verão, certamente verá pessoas andando de bicicleta (*riding bicycles*). Mesmo que o Reino Unido seja famoso pelo tempo ruim e os dias cinzentos, os britânicos sabem perfeitamente como aproveitar os dias bonitos para se divertirem ao ar livre!

As pessoas geralmente vão à praia (*go to the beach*) – mesmo que não esteja quente o suficiente – ou vão esquiar (*skiing*) na Escócia – mesmo que não esteja frio o suficiente – ou vão fazer uma caminhada (*go for a walk*) ao longo da praia, dos rios ou dos lagos. Entretanto, é preciso ter certos equipamentos (*equipment*) antes de fazer algumas dessas atividades...

Palavras a Saber

camping (acampar)	trekking (trilha)	the beach (a praia)
a tent (uma barraca)	walking boots (botas apropriadas para trilhas)	a swimming costume (uma roupa de banho)
a sleeping beg (um saco de dormir)	a waterproof coat (uma capa impermeável)	sunscreen (protetor solar)
a gas stove (um fogão à gás)	maps (mapas)	sunglasses (óculos de sol)
a first-aid kit (um kit de primeiros socorros)	a compass (uma bússola)	flip-flops (chinelos)
a torch (uma lanterna)	a mask and snorkel (uma máscara de mergulho e snorkel)	food and water (comida e água)

Esportes

Há uma piada popular que diz que os britânicos inventaram muitos dos esportes amados mundialmente, mas não são bons em nenhum deles. Entretanto, o Reino Unido ainda é uma nação de amantes dos esportes, seja apenas falando, assistindo ou – algumas vezes – praticando.

Invenções britânicas

A história popular diz que o futebol foi inventado no século XIX (1863) no Reino Unido. Os britânicos também inventaram os seguintes esportes: críquete (*cricket* — 1787), rúgbi (*rugby* — 1871), golfe (*golf* — 1502), hóquei (*hockey* — 1860), badminton (1887), tênis (*tennis* — 1859) e o bilhar (*snooker* — 1875).

Praticando esportes

Encontrar o lugar ideal para a prática de esportes é importante. Aqui está uma lista dos diferentes lugares onde os esportes são praticados:

- *On a court: tennis, basketball, badminton, squash, hockey* (Na quadra: tênis, basquetebol, *badminton*, *squash*, hóquei)
- *On a pitch: football, rugby, golf* (No campo: futebol, rúgbi, golfe)
- *On a course: golf, horse racing* (Na pista: corridas de cavalo)
- *In a pool: swimming, diving, water polo* Na piscina: natação, salto ornamental, polo aquático
- *In a stadium: athletics, cycling* No estádio: atletismo, ciclismo
- *In a ring: boxing, wrestling* No ringue: boxe, luta livre
- *In a rink: ice skating* No rinque de patinação: patinação no gelo

"*Do you play boxing?*" (algo como, "Você joga boxe?") A resposta é simples: não. Ninguém joga (*play*) boxe. As pessoas praticam boxe (*do boxing*). Você precisa usar os verbos certos para falar dos esportes:

- *Play: football, rugby, cricket, tennis, squash* (futebol, rúgbi, críquete, tênis, *squash*)
- *Do: judo, karate, jogging* (judô, caratê, corrida)
- *Go: swimming, sailing, jogging* (natação, iatismo, corrida)

Uma regra simples quase sempre funciona: você usa o verbo *play* para jogos com bola ou quando há uma competição entre dois times ou duas partes (mesmo se uma parte for você e a outra o computador!). Você geralmente usa o verbo *go* para esportes e atividades que terminam em *–ing*. Você usa o *do* para atividades recreativas, esportes individuais e jogos e atividades que não usam bola.

Tendo uma Conversa

Maria recebe um telefonema de Helen.

Helen: *Hi, Maria, it's Helen.* (Oi, Maria. É a Helen.)

Maria: *Hi, Helen, how's it going?* (Oi, Helen. Como vai?)

Helen: *Fine, thanks. Listen, I had a game of tennis organized for tomorrow but my partner has cancelled. Do you play?* (Bem, obrigada. Escute, eu marquei um jogo de tênis para amanhã, mas meu parceiro cancelou. Você joga?)

Maria: *I haven't played for years, but I used to.* (Não jogo há anos, mas costumava jogar.)

Helen: *Well, it's not a serious match – just fun and exercise. Do you want to join me?* (Bem, não é uma partida importante – só diversão e exercício. Você quer jogar comigo?)

Maria: *Sure, that sounds great! What time?* (Claro, parece ótimo! Que horas?)

Helen: *I booked the court for seven.* (Agendei a quadra para as sete.)

Maria: *In the morning?* (Da manhã?)

Helen: *No, after work!* (Não, depois do trabalho.)

Maria: *Perfect. Perhaps we can grab a bite to eat afterwards?* (Perfeito. Talvez a gente possa comer alguma coisinha depois.)

Helen: *Absolutely. Have you got all the gear you need?* (Claro. Você tem todo equipamento de que precisa?)

Maria: *I think so – but if you can bring me a tennis racket that would be good.* (Acho que sim – mas se pudesse levar uma raquete para mim seria ótimo.)

Helen: *Okay, I'll pick you up from work at six then.* (Certo, pegarei você no trabalho às seis então.)

Maria: *Fine – see you tomorrow.* (Ótimo – vejo você amanhã.)

Matriculando-se em um clube ou academia

Se você quiser praticar uma atividade física regularmente pode se matricular em um clube ou academia (*joining a gym or a health club*). Mas alguns desses lugares são muito caros e você precisa despender uma quantia razoável de dinheiro, todo mês, para se tornar sócio. Outros são baratos e só é preciso pagar uma pequena quantia por mês e mais uma taxa adicional pelo que você usar.

Você pode aproveitar plenamente as atividades oferecidas por clubes e academias, tais como as apresentadas no quadro "Palavras a Saber":

Palavras a Saber

do yoga
(fazer ioga)

lift weights
(fazer musculação)

play squash
(jogar squash)

use a running / rowing machine
(usar a esteira / o aparelho de remo)

have a sauna
(fazer sauna)

do aerobics
(praticar [exercícios] aeróbicos)

have a massage
(receber uma massagem)

go dancing
(dançar)

have a swim
(nadar)

have a spa treatment
(receber tratamento de spa)

Assistindo a jogos

Assistir a jogos é outra atividade de lazer muito popular no Reino Unido, quer seja sentado em casa gritando com o juiz do jogo na televisão ou sentado ao sol no verão assistindo ao vagaroso jogo de críquete. Os ingressos para os jogos de futebol são bastante caros, mas você sempre encontra oportunidades de ver partidas locais de times menores – pesquise essas informações nos jornais.

Tendo uma Conversa

Jim e Georges estão no *pub*.

Jim:	*Did you see the match last night?* (Você viu o jogo ontem à noite?)
Georges:	*Yes, what a disaster!* (Vi. Que desastre!)
Jim:	*Well, we played all right in the first half.* (Bom, nós jogamos bem no primeiro tempo.)
Georges:	*And the second – but that ref [referee] was rubbish.* (E no segundo – mas aquele juiz era uma porcaria.)
Jim:	*Agreed! That was never a penalty!* (Concordo! Aquilo não foi pênalti.)
Georges:	*Anyway, the United player was offside.* (De qualquer forma, o jogador do United estava impedido.)
Jim:	*If we don't win next week then we're finished.* (Se não ganharmos na semana que vem, estamos perdidos.)
Georges:	*Are you going?* (Você vai?)

Jim:	*To the match? (Ao jogo?)*
Georges:	*Yes – we're playing home next week.* (Sim – vamos jogar em casa na próxima semana.)
Jim:	*I don't know – the tickets are expensive, and what if we don't win?* (Não sei – os ingressos são caros. E se não ganharmos?)
Georges:	*Well, with fans like you, I'm not surprised we win anything.* (Bem, com torcedores como você, não ficaria surpreso se não ganharmos nada.)
Jim:	*Oh go on then. Will you get the tickets?* (Tá bom, então. Você compra os ingressos?)

Como na maioria dos países, os torcedores de futebol britânicos são muito fiéis aos times e não ficam contentes quando perdem o jogo ou quando alguém critica seus times. Tome cuidado nas partidas de futebol para evitar fãs mais atiçados e não se envolva em discussões sobre qual time ou quem é o melhor.

Esportes curiosos

É claro que os britânicos não inventaram só os esportes sensatos! Se planeja viajar pelo Reino Unido, por que não tenta assistir ao *British World Marbles Championships* (campeonato britânico de bolas de gude) em Sussex, ao *bog snokelling* (nado no lamaçal) no País de Gales, ao *cheese rolling race* (corrida do queijo) em Gloucester ou ao *World Toe Wrestling Championship* (campeonato mundial de luta de dedo do pé) em Fenny Bentley? Você acha mais informações em www.visit.britain.co.uk.

Capítulo 7: Hobbies e Tempo Livre

Diversão e Jogos

1. Relacione os esportes aos verbos:

GO　　　　　　　PLAY　　　　　　　DO

football – skiing – judo – rugby – horse racing – tennis – boxing – hockey – skating – swimming – gymnastics – squash – cycling – cricket

Resposta:

GO: skiing – horse racing – skating – swimming – cycling

PLAY: football – rugby – tennis – hockey – squash – cricket

DO: judo – boxing – gymnastics

2. Basia está conversando com uma colega. Complete as lacunas usando as palavras abaixo:

lunch – nothing – like – museum – see – doing – love – meet – great

Basia:	What are you _____ at the weekend?
Sam:	_____ special, why?
Basia:	I'm going to the Modern Art _____. Would you like to come?
Sam:	That sounds _____. When are you going?
Basia:	In the afternoon, after _____.
Sam:	Okay, what time shall we _____?
Basia:	Well, we could have lunch together and then go. Do you _____ Japanese?
Sam:	I _____ it!
Basia:	Okay, _____ you at the station at twelve!

Resposta:

Basia:	What are you doing at the weekend?
Sam:	Nothing special, why?
Basia:	I'm going to the Modern Art Museum. Would you like to come?
Sam:	That sounds great. When are you going?
Basia:	In the afternoon, after lunch.
Sam:	Okay, what time shall we meet?
Basia:	Well, we could have lunch together and then go. Do you like Japanese?
Sam:	I love it!
Basia:	Okay, see you at the station at twelve!

Capítulo 8
Falando ao Telefone

Neste capítulo

▶ Fazendo chamadas informais, de trabalho e de informações

▶ Iniciando uma conversa ao telefone

▶ Deixando e recebendo mensagens

▶ Diagnosticando os erros mais comuns

Quando não se domina completamente uma língua, falar ao telefone pode ser um desafio. Ao telefone, você não consegue ver seu interlocutor, por isso, as pistas da linguagem corporal e as expressões faciais não podem ajudá-lo. Saber algumas expressões úteis usadas em conversas telefônicas e prever o que a pessoa do outro lado da linha vai dizer podem auxiliá-lo a se sentir mais seguro para conversar ao telefone em inglês.

Neste capítulo, dividimos as chamadas em diferentes tipos.

Diferentes Tipos de Chamada

As chamadas telefônicas são feitas por diversos motivos. Você faz uma chamada informal para um amigo quando quer conversar, marcar um jantar ou uma ida ao cinema (veja o Capítulo 6 para mais informações sobre sair com amigos). Você faz uma chamada para informações quando deseja saber a respeito de coisas como horário de trens, e também quando quer agendar serviços (chamar um táxi, por exemplo) ou comprar produtos (tal como ingressos para o teatro). E, por fim, você faz uma chamada de trabalho quando tiver que falar sobre assuntos profissionais ou realizar uma teleconferência com colegas de trabalho, no Reino Unido ou em outros países.

Dependendo do tipo de chamada telefônica que fizer, a linguagem usada poderá ser mais ou menos formal.

Entendendo a linguagem em uma chamada telefônica

Talvez você tenha certa dificuldade para entender conversas ao telefone. Em especial, se não estiver familiarizado com o sotaque ou se a pessoa falar muito rápido. Mas há alguns recursos para desacelerar o ritmo e entender a conversa quando estiver muito rápida. Prepare antecipadamente as frases e expressões que precisará usar. Você pode solicitar esclarecimento e pedir que a pessoa repita o que disse (veja as expressões úteis para isso na seção "Lidando com problemas de comunicação", neste capítulo).

Para desacelerar o ritmo, use interjeições como *"hmmm..."* (hum), *"well..."* (bem...), *"er..."* (som emitido para indicar que está pensando) e *"you know..."* (você sabe) seguido de uma breve pausa. Todas essas interjeições lhe dão tempo para pensar e preparar o que dizer depois! Lembre-se também de que na linguagem falada as palavras se conectam e às vezes é difícil escutar quando uma termina e a outra começa. Além disso, você sempre tem a opção de pedir que a pessoa fale mais devagar.

Você faz uma ligação (*make a call*) quando é aquele que telefona. Você recebe a ligação (*take a call*) quando atende a chamada. Então, se estiver sentado em um café e precisar telefonar para alguém, pode dizer: *"Excuse me, I need to make a quick phone call"* (Com licença, preciso fazer uma ligação rápida). Se o seu telefone tocar quando estiver entre amigos e colegas, pode dizer: *"Excuse me for a moment while I take this call"* (Com licença um minuto enquanto atendo esta chamada). Em vez de usar o verbo *to telephone* (telefonar) é mais comum usar *to phone, to call* ou *to ring*, como em *"I'm going to ring / phone / call Miguel"*. Você pode empregar qualquer um desses verbos; eles significam exatamente a mesma coisa. Os britânicos geralmente usam o termo *mobile phone* ou *mobile* para telefones celulares enquanto pessoas de outros países de língua inglesa, como os EUA, costumam utilizar *cell phones* ou *cells*.

Palavras a Saber

to phone, call or ring
(telefonar / ligar)

to make a phone call
(fazer uma ligação)

to take a phone call
(atender uma ligação)

mobile phone / cell phone
(telefone celular)

land line
(telefone fixo)

answering machine
(secretária eletrônica)

answering service
(serviço de atendimento)

voicemail
(correio de voz)

dial tone
(sinal de linha)

receiver
(fone)

engaged (busy) signal
(sinal de ocupado)

telephone directory / phone book
(catálogo telefônico)

Chamadas informais

Quando você liga para um amigo (*call a friend*), normalmente usa a linguagem informal. A primeira coisa que faz é checar quem atendeu o telefone (*check who's answering the phone*) ou perguntar pelo seu amigo (*ask for your friend*). Você também se identifica (*say your name*) se seu amigo não reconhece imediatamente sua voz. Depois, inicia a conversa com comentários gerais (*general comments*), pergunta como a pessoa está (*how your friend is*) e em seguida entra no assunto principal da ligação (*reason for calling*). Por fim, você se despede (*say goodbye*).

Aqui estão algumas expressões que você pode usar em cada um desses estágios da ligação informal:

Identificar-se (*say who's calling / say your name*):

- *Hello, this is Mark.* (Alô, sou o Mark.)
- *Hi, it's Mark here.* (Oi, aqui é o Mark.)
- *Hi, this is Mark calling.* (Oi, é o Mark quem está falando.)

Perguntar pelo seu amigo (*ask for your friend*):

- *Is that Maria?* (É a Maria?)
- *Is Maria there?* (A Maria está?)
- *Is Maria around?* (A Maria está por aí?)
- *Can I speak to Maria, please?* (Posso falar com a Maria, por favor?)

Perguntar como está seu amigo (*ask your friend how she is*):

- *Hi, Maria, how's it going?* (Oi, Maria. como vai?)
- *Hi, Maria, how are things?* (Oi, Maria, como vão as coisas?)
- *Hi, Maria, how are you?* (Oi, Maria, como está?)

Iniciar o assunto principal (*get to the point*):

- *Listen, I'm calling about...* (Escute, estou ligando para...)
- *I'm ringing to ask...* (Estou telefonando para perguntar...)
- *I was wondering whether...* (Estava pensando se...)

Dar um número de contato (*give a contact number*):

- *My mobile number is...* (Meu telefone celular é...)
- *I'm on...* (Estou no [número]...)

Despedir-se (*say goodbye*):

✔ *Okay, I've got to go.* (Certo, preciso ir.)

✔ *Okay, see you soon then. Bye.* (Certo, até logo então. Tchau.)

✔ *Take care. Bye.* (Cuide-se. Tchau.)

✔ *Catch you later. Bye.* (Vejo você mais tarde. Tchau.)

Quando você recebe uma ligação, atende dizendo "*Hello*" e não "*Good day*" (Bom-dia). Se a pessoa que estiver ligando perguntar "*Is Maria there?*" e você for Maria, responda dizendo "*Speaking*" (Falando) ou "*Yes, speaking*" (Sim, falando), mas nunca "*I'm Maria*" (Sou a Maria) ou "*Here is Maria*" (Aqui é a Maria).

Quando você liga para alguém, precisa dizer quem é no início da conversa. Pode dizer: "*This is Maria*" (Aqui é a Maria – mais formal), "*It´s Maria* (é a Maria – menos formal) ou "*Maria here*" (Maria [falando] aqui – informal), mas você nunca diz "*I'm Maria*" (Sou a Maria).

Tendo uma Conversa

Carla telefona para Maria. O telefone toca e Maria atende.

Maria: *Hello?* (Alô?)

Carla: *Hello, is Maria there, please?* (Alô. A Maria está, por favor?)

Maria: *Speaking.* (É ela.)

Carla: *Hi, Maria, it's Carla. How's it going?* (Oi, Maria. É a Carla. Como vai?)

Maria: *Oh, hi, Carla. Fine, thanks – and you?* (Ah! Oi, Carla. Bem, obrigada – e você?)

Carla: *Not too bad, thanks. I'm ringing to see if you'd like to come to the cinema on Saturday. There is a new Spanish movie on at the Plaza, and I thought you might like to see it with me.* (Nada mal, obrigada. Estou ligando para saber se você gostaria de ir ao cinema no sábado. Há um novo filme espanhol em cartaz no Plaza e pensei que talvez você queira vê-lo comigo.)

Maria: *Yes, I'd love to. What time on Saturday?* (Claro, adoraria. A que horas no sábado?)

Carla: *It starts at seven, so how about if we meet there at six-thirty?* (Ele começa às sete, então que tal se nos encontrássemos às seis e meia?)

Maria: *Yes, that sounds great. Why don't you give me your mobile number in case I'm late.* (Sim, está ótimo. Por que não me dá seu número de celular caso eu chegue atrasada?)

Carla: *Okay, sure, it's seven double-oh nine three three six five nine nine [7009 336 599].* Certo, claro. É sete duas vezes zero nove três três seis cinco nove nove [7009 336 599].)

Maria:	*Okay, thanks – see you there! Bye.* (Certo, obrigada. Vejo você lá! Tchau.)
Carla:	*See you on Saturday then. Bye.* (Vejo você no sábado, então. Tchau.)

As cabines telefônicas vermelhas são uma das imagens mais conhecidas do Reino Unido. Os britânicos originalmente as projetaram na década de 1920 e pintaram-nas de vermelho para que fosse mais fácil avistá-las. Hoje em dia são poucas as que ainda podem ser encontradas, embora você ainda consiga vê-las na Grã-Bretanha e em algumas ex-colônias britânicas, tais como Malta, Ilhas Bermudas e Gibraltar.

Telefonando para pedir informações

Você pode precisar telefonar para uma pessoa ou um lugar para pedir informações. Se preparar antecipadamente o que precisará falar e pesquisar o que a pessoa do outro lado da linha possivelmente irá perguntar, pode ajudá-lo bastante. Se conhecer o assunto ou o produto pelo qual está buscando, conseguirá elaborar de antemão as perguntas necessárias e antever o que o atendente dirá como resposta. Estar preparado o ajuda a entender uma conversa de telefone de forma mais fácil.

Se for ao Reino Unido apenas para uma visita curta, provavelmente vai precisar ligar para alguma central de informações para saber sobre horários de trens ou de ônibus, reservar hotéis, comprar ingressos de teatro ou shows. Se sua estadia for longa, será preciso fazer essas chamadas para alugar um quarto ou um apartamento, para se candidatar a empregos ou para se matricular em algum curso. Em um telefonema desse tipo, você usa uma linguagem mais formal do que a que utiliza em uma ligação social. Será preciso usar as palavras interrogativas "*Who*" (quem), "*When*" (quando), "*What*" (o que), "*How long*" (quanto tempo) e "*How much*" (quanto). Se não entender as respostas de primeira, peça para o atendente repetir (*repeat*) ou explicar (*explain*) o que quer dizer. Na lista de expressões a seguir, verá que quando pede explicações quase sempre começa a frase com "*Sorry...*" (desculpe-me) ou "*I'm sorry*" (perdoe-me). Você também precisará usar bastante as palavras "*please*" (por favor) ou "*thank you*" (obrigado).

Ligações baratas (para casa)

As ligações telefônicas feitas do Reino Unido para outros países não costumam ser caras. Custam, em geral, alguns *pence* o minuto. Além dos telefones de casa e do trabalho, você pode usar uma cabine telefônica (*telephone box*) ou os cybercafés para fazer a ligação. Nos cybercafés você usa a internet para telefonar, o que é bem mais barato. Esses ambientes costumam ser mais tranquilos do que as cabines telefônicas das ruas. Outra desvantagem das cabines é que você perderá dinheiro se inserir uma moeda de valor alto — uma moeda de 1 *pound*, por exemplo — e gastar apenas 20 *pence* na ligação. Muitas cabines aceitam cartões de crédito ou cartões telefônicos especiais. Dessa forma, você paga pelo tempo que gasta em uma ligação.

Explique o motivo da sua ligação (*give the reason for your call*):

- *Hello, I'm ringing to enquire about...* (Alô, estou telefonando para perguntar...)
- *Hello, I'd like some information about...* (Alô, gostaria de informações sobre...)
- *Good morning, could you tell me about...* (Bom dia, poderia me dizer se...)

Faça perguntas específicas (*ask specific questions*):

- *Could you tell me...* (Poderia me dizer...)
- *...what time trains to Glasgow leave on Sunday morning?* (...que horas saem os trens para Glasgow no domingo de manhã?)
- *...how much the pay is?* (...quanto é o valor?)
- *...how much the room is per month?* (...quanto custa o quarto por mês?)

Peça esclarecimentos (*ask for clarification*):

- *I'm sorry, what was that?* (Desculpe-me, o que foi?)
- *I'm sorry, could you repeat that, please?* (Desculpe-me, poderia repetir, por favor?)
- *Sorry, what time was that again?* (Desculpe, qual é o horário de novo?)
- *Sorry, I didn't get that – could you repeat it, please?* (Desculpe, não entendi – poderia repetir, por favor?)
- *I'm sorry, could you say that a little more slowly, please?* (Desculpe, poderia repetir um pouco mais devagar, por favor?)
- *Could you spell that for me, please?* (Poderia soletrar para mim, por favor?)

Sinalize o final da conversa (*sign that you've finished the conversation*):

- *Okay, thanks, I think that's everything I need.* (Certo, obrigado. Acho que é tudo do que precisava.)
- *Okay, I think I've got all the details now.* (Certo, acho que consegui todos os detalhes agora.)

Agradeça ao atendente e despeça-se (*thank the speaker and say goodbye*):

- *Thank you for your help. Goodbye.* (Obrigado por sua ajuda. Adeus.)
- *Thank you, you've been very helpful. Goodbye.* (Obrigado, você foi muito útil. Adeus.)
- *Thanks, that's very helpful. Bye.* (Obrigado, foi muito útil. Tchau.)

Algumas dessas ligações podem ser bastante informais, como a seguinte:

Capítulo 8: Falando ao Telefone 137

Tendo uma Conversa

Goran quer alugar um quarto em um apartamento e viu este anúncio no jornal (veja o Capítulo 10 para mais informações sobre anúncios de jornais e revistas):

> Bayswater W2. Single room in shared flat. Near tube. Non-smoking. £450 per month + bills. 02089784 pms only.

Goran telefona para o número no anúncio.

Dan: *Hello?* (Alô?)

Goran: *Hello? I'm ringing about the room in a shared flat. I saw the ad in the newspaper.* (Alô. Estou telefonando para saber do quarto no apartamento compartilhado. Eu vi o anúncio no jornal.)

Dan: *Yes. Dan here. Okay, what would you like to know?* (Claro. Aqui é o Dan. Certo, o que gostaria de saber?)

Goran: *It says that the room is four hundred and fifty pounds per month plus bills. What are the bills?* (O anúncio diz que o quarto é quatrocentos e cinquenta libras por mês mais despesas. O que são as despesas?)

Dan: *You need to pay part of the electricity and water bills for the house. It's not that much a month, maybe another fifty quid tops.* (Você vai ter que pagar parte das contas de energia e água da casa. Não é muito por mês, talvez cinquenta libras no máximo.)

Goran: *Oh, okay. And it's near the Underground, right? Which tube station?* (Ah, certo. E é perto do metrô, correto? Qual estação?)

Dan: *It's just around the corner from Queensway Tube. That's the central line.* (É bem na esquina da estação Queensway. Essa é a linha central.)

Goran: *The ad also says "Bayswater W2" – what is this W2?* (O anúncio também diz "Bayswater W2" – o que significa W2?)

Dan: *Ah! That's just the postcode for this part of London.* (Ah! Isso é apenas o CEP desta parte de Londres.)

Goran: *Oh, okay. How many rooms are there? How many people are living in the house?* (Ah, certo. Quantos quartos são? Quantas pessoas moram na casa?)

Dan: *There are three of us living here now, so four with the room for rent. Four rooms. Two of us study, and the third person, Anne, works. Where are you from?* (Moram aqui três pessoas agora, quatro com o quarto para alugar. Quatro quartos. Dois estudam e, a terceira pessoa, Anne, trabalha. De onde você é?)

Goran: *I'm Croatian.* (Sou croata.)

Dan: *Well, Sergey is Russian and Anne's Scottish. Why don't you come over and see the place for yourself? Then you can decide if you want the room.* (Bem, Sergey é russo e Anne é escocesa. Por que não passa aqui e vê o local por si mesmo? Então pode decidir se quer o quarto.)

Goran: *Okay, I could come over tomorrow evening around six o'clock?* (Certo, posso passar aí amanhã por volta de seis horas?)

Dan: *Yeah, that's fine, I'll be here. See you then.* (Ótimo, está bem. Estarei aqui. Até lá.)

Parte II: Inglês em Ação

Nem todas essas chamadas são tão informais quanto a conversa entre Goran e Dan. Se você telefonar para algum órgão público, como uma central de atendimento de trens, um teatro ou um setor administrativo do governo, precisará ser muito mais formal. Aqui está um exemplo de chamada formal:

Tendo uma Conversa

Goran telefona para a central de atendimento de trens para saber se há algum atraso previsto, no funcionamento das linhas.

Enquiry desk: *South-eastern Rail Service Enquires. How may I help you?* (Central de atendimento *South-eastern Rail*. Como posso ajudá-lo?)

Goran: *Hello. I need to get a train from London to Tunbridge Wells this Sunday. Are there any possible delays?* Alô. (Eu preciso pegar o trem de Londres para *Tunbridge Wells* nesse domingo. Há algum atraso previsto?)

Enquiry desk: *Yes, sir. We often carry out engineering work on the tracks on Sundays. The Sunday trains run as far as Tonbridge. From there you need to get a replacement bus service through to Tunbridge Wells.* (Sim, senhor. Nós normalmente fazemos as obras de manutenção nos trilhos aos domingos. Os trens de domingo vão até *Tonbridge*. De lá, o senhor precisará usar o serviço de substituição feito por ônibus até *Tunbridge Wells*.)

Goran: *Sorry, the trains run only as far as where?* (Desculpe, os trens vão até onde?)

Enquiry desk: *Tonbridge.* (Tonbridge.)

Goran: *And how long does the bus take from there?* (Quanto tempo leva de ônibus saindo de lá?)

Enquiry desk: *About another twenty minutes.* (Cerca de vinte minutos.)

Goran: *How regular are these buses?* (Qual a regularidade desses ônibus?)

Enquiry desk: *They run to coincide with the train times. When you arrive at Tonbridge there will be a bus waiting to take you on to Tunbridge Wells.* (A saída deles coincide com os horários dos trens. Quando chegar a Tonbridge haverá um ônibus aguardando para levá-lo a Tunbridge Wells.)

Goran: *Okay, thank you for your help.* (Certo, obrigado pela sua ajuda.)

Enquiry desk: *You're welcome.* (De nada.)

Capítulo 8: Falando ao Telefone **139**

Serviço de atendimento automático

Algumas vezes, quando você telefona para um órgão público, o serviço de atendimento é automático, ou seja, uma gravação pede para que você pressione certas teclas até que seja direcionado ao setor que melhor atenda a suas dúvidas. Alguns desses números são completamente automatizados, como a central de atendimento dos aeroportos para horários de voos. Assim, você não precisa falar pessoalmente com ninguém. A gravação pede que pressione ou digite certos números e símbolos, por exemplo, o asterisco (*star / asterisk* – *) ou o jogo da velha (*hash sign* – #).

Tendo uma Conversa

Sergey liga para o aeroporto de Heathrow para saber o horário de chegada do voo de Natasha. Ele ouve a seguinte mensagem:

Message: *Welcome to BAA Heathrow Airport automated answering service. For the latest security measures please press nine. Please select one of the five options. You may press star at anytime to hear the options again. For fight information, press one. For car parking and transport, press two. For lost property and baggage, press three. For hotels and reservations, press four. To confirm a flight, press five. Press zero for the operator.* (Bem-vindo ao serviço de atendimento automático BAA Heathrow Airport. Para as recentes medidas de segurança, por favor, pressione nove. Pressione asterisco a qualquer hora para ouvir novamente as opções. Para informações de voos, pressione um. Para estacionamento de carros e transporte, pressione dois. Para objetos perdidos e bagagens, pressione três. Para hotéis e reservas, pressione quatro. Para confirmar um voo, pressione cinco. Pressione zero para falar com o operador.)

[*Sergey presses 1.*] ([Sergey pressiona 1.])

Welcome to Heathrow Airport automated flight information system. You'll need your flight number or arrival time to use this service. For flight arrivals, press one. For flights departures, press two. To hear the options again, press star. (Bem-vindo ao atendimento automático para informações de voos do Heathrow Airport. Você precisará do número do voo ou do horário de chegada para usar este serviço. Para chegadas de voos, pressione um. Para saídas de voos, pressione dois. Para ouvir as opções novamente, pressione asterisco.)

[*Sergey presses 1.*] ([Sergey pressiona 1.])

If you know the flight number, press one. If you know the flight arrival time, press two. To hear the options again, press star. (Se você sabe o número do voo, pressione um. Se você sabe o horário de chegada do voo, pressione dois. Para ouvir as opções novamente, pressione asterisco.)

[*Sergey presses 1.*] ([Sergey pressiona 1.])

Enter the flight number. Please omit any letters... (Digite o número do voo. Por favor, não digite letras...)

[*And so on...*] ([E assim vai...])

O Reino Unido e os Estados Unidos estão, cada vez mais, terceirizando em outros países o atendimento das chamadas para informações. Isso acontece principalmente na indústria da computação, mas também em grandes empresas, tais como as companhias ferroviárias, e até mesmo em centrais de atendimento de passaportes! Hoje em dia, se você precisar de ajuda técnica por causa de um problema em seu computador e telefonar para a linha de atendimento da companhia, é bem provável que fale com alguém na Índia. A Índia tem call centers enormes, particularmente na região de Bangalore, no sul, com uma enorme quantidade de gente atendendo a chamadas do Reino Unido e dos Estados Unidos.

Chamadas de trabalho

Você certamente usará uma linguagem mais formal quando fizer ligações de trabalho. Entretanto, a estrutura desse tipo de chamada é similar à de uma ligação informal, da qual falamos anteriormente neste capítulo.

1. **Pergunte pela pessoa com quem precisa falar.**
2. **Diga seu nome e o nome da empresa.**
3. **Informe o ouvinte sobre o motivo da ligação.**
4. **Sinalize o final da conversa resumindo o que discutiram e resolveram, por exemplo.**
5. **Agradeça à pessoa e despeça-se.**

Você pode ver todos esses elementos na chamada telefônica que segue:

Tendo uma Conversa

Carla Stevens telefona para Mike Saunders sobre uma ordem de serviço.

Secretary:	*Good morning, Saunders and Levy Suppliers. Can I help you?* (Bom dia, Saunders and Levy Suppliers. Posso ajudá-lo?)
Carla Stevens:	*Hello, can I speak to Mike Saunders, please?* Alô. (Poderia falar com Mike Saunders, por favor?)
Secretary:	*Who's calling, please?* (Quem gostaria, por favor?)
Carla Stevens:	*This is Carla Stevens of the Consultants-E.* (É Carla Stevens, da Consultants-E.)
Secretary:	*Hold on a minute, please. [Pause] I'm putting you through now.* (Aguarde um minuto, por favor. [Pausa] Estou passando sua ligação agora.)
Mike Saunders:	*Hello, Carla, thanks for calling.* (Olá, Carla. Obrigado por ligar.)

Carla Stevens:	*Hello, Mike. I'm ringing to see if we can arrange a conference call with Lisbon for Friday at ten a.m. We need to discuss the order with them, I think.* (Olá, Mike. Estou telefonando para verificar se podemos marcar a teleconferência com Lisboa para sexta-feira às dez da manhã. Acredito que precisamos discutir o pedido com eles.)
Mike Saunders:	*Hang on a minute, let me check my appointments for Friday. Yes, that's fine. Ten a.m. I'll note it down.* (Espere um minuto, deixe-me checar meus compromissos para sexta-feira. Sim, está bem. Vou anotar aqui, dez da manhã.)
Carla Stevens:	*Okay, thanks. I'll set up de call and let you have the details before then. I've got another call coming in, so need to go. Good to talk to you.* (Certo, obrigada. Vou preparar a chamada e aviso dos detalhes antes. Tenho outra chamada entrando, então preciso desligar. Bom falar com você.)
Mike Saunders:	*Yes, we'll speak again on Friday. Thanks for organizing that. Bye.* (Sim, falamo-nos novamente na sexta-feira. Obrigado por organizar tudo. Até logo.)
Carla Stevens:	*Bye.* (Até.)

Teleconferências

Teleconferências (*conference calls*) são reuniões feitas ao telefone. Em geral, há três ou mais pessoas envolvidas em diferentes localidades. Normalmente, um dos envolvidos organiza e comanda a conferência telefônica marcada para um horário determinado. Os participantes seguem uma pauta (agenda) – uma lista de itens a ser discutidos. A pessoa que comanda a reunião facilita e administra a discussão. Em um encontro desse tipo, você precisa saber como pedir esclarecimentos ou repetições caso não entenda alguma colocação. Também é importante saber como interromper de forma educada, para que possa dar sua opinião. Você encontra muitas expressões úteis para pedir esclarecimentos na seção "Lidando com problemas de comunicação", mais adiante neste capítulo. Aqui estão algumas frases para interromper de forma educada:

- ✔ *I'm sorry, can I just say that...* (Desculpe-me, posso apenas dizer que...)
- ✔ *Sorry to interrupt, but what about...* (Desculpe interromper, mas e quanto a...)
- ✔ *That's a good point. Can I just add that...* (É uma boa observação. Posso apenas acrescentar que...)
- ✔ *Talking of which, can I just add that...* (Falando disso, posso apenas acrescentar que...)

Os falantes nativos normalmente usam a palavra "just" (no sentido de apenas) para soarem menos incisivos e mais educados quando pedem algo ou interrompem uma conversa. A palavra *just* não é enfatizada na frase, é apenas dita normalmente. Aqui estão alguns exemplos do termo aplicado a conversas telefônicas:

- *Could you just tell her that I called?* (Você poderia apenas dizer a ela que eu liguei?)
- *Sorry, could you just repeat that number for me?* (Desculpe, poderia apenas repetir esse número para mim?)
- *I'll just have a look at the documents and get back to you.* (Eu vou apenas dar uma olhada nos documentos e devolvê-los a você.)
- *I just wanted to ask whether Susan will be at the meeting.* (Eu quero apenas perguntar se Susan estará na reunião.)

Tendo uma Conversa

Mike Saunders, Carla Stevens e Maria Aapo estão fazendo uma conferência telefônica. Mike está em Londres, Reino Unido, Carla em Brighton, Reino Unido, e Maria em Lisboa, Portugal.

Carla: *Thanks for making time for this conference call. You received the agenda I sent by e-mail yesterday, I hope? Okay, let's get started then. Maria, can you tell us the situation in Lisbon?* (Obrigada por agendarem um horário para essa conferência telefônica. Vocês receberam a pauta que enviei por e-mail, eu espero. Certo, vamos começar. Maria, pode nos dizer qual a situação em Lisboa?)

Maria: *Morning, Mike. Morning, Carla. Yes, we've had some problems with the distributor here, but they say the order will be ready by early next week.* (Bom dia, Mike. Bom-dia, Carla. Sim, tivemos alguns problemas com o distribuidor aqui, mas eles disseram que o pedido ficará pronto no começo da semana que vem.)

Carla: *That's good to know...* (É bom saber...)

Mike: *[Interrupts] Sorry, can I just ask if he's going to offer us a discount on the late delivery of this order? This is the second time this month, and my costumers aren't happy about it.* ([Interrompe] Desculpe, posso apenas perguntar se ele irá nos oferecer um desconto pela entrega atrasada do pedido? Esta é a segunda vez no mês e meus clientes não estão satisfeitos com isso.)

Maria: *I'll ask him about that, Mike. It sounds fair to me.* (Eu vou perguntar a ele a respeito disso, Mike. Acho bastante justo.)

Mensagens

Quando você faz uma chamada telefônica (*phone call*), algumas vezes precisa deixar uma mensagem (*message*) na secretária eletrônica (*answering machine*) ou pelo correio de voz (*voicemail*), ou um recado com uma terceira pessoa (*another person*). Outras, tem que receber a mensagem para alguém que está ausente. Nesta seção, falamos da linguagem que deve ser usada em cada uma dessas situações.

Correio de voz

Quase todos os telefones têm serviço de correio de voz com uma mensagem gravada (*recorded message*) após a qual você deixa o seu recado. Algumas pessoas gravam sua própria mensagem (*own voicemail message*) e outras preferem usar a mensagem que a companhia telefônica disponibiliza (*default voicemail recording*). A seguir damos um exemplo de cada uma:

Hi, you've reached Sergey and Olga on oh seven nine six three four two eight. We can't take your call right now, so please leave your name and number after the tone, and we'll get back to you as soon as we can. [Beep]

(Oi, você ligou para Sergey e Olga no número zero sete nove seis três quatro dois oito. Não podemos atender sua ligação agora, então deixe seu nome e telefone depois do sinal e retornaremos o mais rápido possível. [Bip])

Welcome to BT Answer One five seven one. The person you are calling is not available. Please leave a message after the tone. [Beep].

(Bem-vindo à BT Answer um cinco sete um. A pessoa para qual está ligando não está disponível. Por favor, deixe uma mensagem após o sinal. [Bip].)

Para deixar uma mensagem informal ou correio de voz para um amigo, pode dizer algo como:

Hi Sergey, Misha here. I just wanted to see if you're coming with us to the cinema this Saturday. Give me a call when you can. I'm on seven six nine eight four two seven eight. Thanks. Catch you later.

(Oi, Sergey. É o Misha. Eu só queria saber se você irá ao cinema conosco neste sábado. Ligue-me quando puder. Estou no sete seis nove oito quatro dois sete oito. Obrigada. Até mais.)

Deixar uma mensagem para um contato comercial ou um colega de trabalho requer uma linguagem um pouco mais formal. Observe o exemplo:

Hello, Mike, this is Carla Stevens calling from the Consultants-E. I'd like to check the new order for next week with you – could you give me a call back sometime today? My mobile number is seven nine eight three seven six nine eight, or you find me in the London office this afternoon on oh two oh seven six double nine nine five. Thanks, and I hope to speak to you later.

Alô, Mike. Aqui é Carla Stevens da Consultants-E. Gostaria de checar com você o novo pedido para semana que vem – poderia me retornar ainda hoje? Meu número de celular é sete nove oito três sete seis nove oito ou você me encontra no escritório de Londres esta tarde no zero dois zero sete seis duas vezes nove nove cinco. Obrigada e espero falar com você mais tarde.

Quando deixar um correio de voz para um contato comercial, inclua as seguintes informações:

- *Your full name and phone number.* (Seu nome, sobrenome e número de telefone.)

- *Why you called.* (O motivo da ligação – tente ser breve.)

- *When and how the listener can contact you.* (Quando e como a pessoa pode encontrá-lo.)

Deixando e recebendo mensagens

Você precisará deixar um recado com alguém se a pessoa para a qual estiver telefonando não puder falar. Se ligar para um escritório e a secretária atender, ela provavelmente irá perguntar seu nome (*"Who's calling please?"*) e pedirá para esperar (*"Please hold"*) enquanto verifica se a pessoa está disponível. Se estiver, a secretária passa a ligação (*"I'll put you through"*). Se não estiver, a funcionária possivelmente dirá algo como *"I'm afraid he's / she's not availabe right now"* (Ele / ela não pode atender no momento) e pedirá para que deixe um recado com seu nome e telefone. Esteja preparado para deixar uma mensagem quando não conseguir falar com aquele para quem ligou. Você pode praticar o que falar antes de telefonar!

Além disso, quando atender um telefonema que não for para você, precisará anotar o recado para alguém. Algumas expressões podem ajudá-lo:

- *Who's calling please?* (Quem está ligando, por favor?)

- *Please hold.* (Espere, por favor.)

- *I'll put you through.* (Vou passá-lo.)

- *I'm sorry, he's in a meeting.* (Sinto muito, ele está em uma reunião.)

- *I'm afraid he's not in the office today.* (Ele não está no escritório hoje.)

- *I'm afraid he's not available right now.* (Ele não pode atender no momento.)

- *Shall I tell him you called?* (Digo a ele que você ligou?)

- *Can I take a message for you?* (Posso anotar um recado para você?)

- *Would you like to leave a message?* (Gostaria de deixar uma mensagem?)

- *I'd like to leave a message, please.* (Eu gostaria de deixar uma mensagem, por favor.)

- *No, I'll call back later, thanks.* (Não, retornarei mais tarde. Obrigado.)

- *This is [Carla Stevens] here.* (Aqui é [Carla Stevens].)

- *Please ask [Mike] to…* (Por favor, peça ao [Mike] que…)

- *Please tell [Mike] I called.* (Por favor, diga ao [Mike] que eu liguei.)

- *Please ask him to call me back.* (Por favor, peça a ele que me retorne.)

Tendo uma Conversa

Sergey telefona para Misha e deixa um recado com seu colega de apartamento, Paul.

Paul: *Hello?* (Alô?)

Sergey: *Hi, is Misha there? This is Sergey.* (Oi, Misha está? Aqui é o Sergey.)

Paul: *Oh, hi, Sergey, Paul here. How's it going? Misha's out at the moment. (Can I take a message?* Ah, oi, Sergey. É o Paul. Como vai? Misha está fora no momento. Posso anotar o recado?)

Sergey: *Yes, please. Can you ask him to call me back on my mobile when he gets in? It's seven zero nine eight three four two seven.* (Sim, por favor. Pode pedir para que ele me retorne no celular quando chegar? É sete zero nove oito três quatro dois sete.)

Paul: *Okay, hold on one second, let me get a pen to note this down. Sorry, what as that number again?* Certo, espere um minuto, deixe-me pegar uma caneta para anotar isso. Desculpe, qual é o número de novo?

Sergey: *Seven zero nine eight three four two seven.* sete zero nove oito três quatro dois sete.

Paul: *Okay, no problem. I'll tell him when he gets home, and I'm sure he'll get back to you as soon as he can.* (Certo, sem problema. Eu direi a ele quando chegar em casa e tenho certeza de que ele retornará o mais rápido que puder.)

Sergey: *Thanks. Bye.* (Obrigado. Até.)

Aqui está o recado que Paul anotou para Misha:

> 7pm Sergey ph - pls call mob no 709 83427 whn u r back

Em anotações é comum usar abreviações e deixar palavras de fora. A seguir veremos a mensagem de Paul escrita de forma completa:

> 7pm Sergey phoned - please call him on mobile number 709 83427 when you're back.

Tendo uma Conversa

Carla Stevens telefona para Mike Saunders a respeito de um assunto profissional e deixa um recado com a secretária de Mike.

Secretary: *Good morning, Saunders and Levy Suppliers. Can I help you?* (Bom dia, Saunders and Levy Suppliers. Posso ajudá-lo?)

Parte II: Inglês em Ação

Carla:	Hello, can I speak to Mike Saunders, please? (Alô, posso falar com Mike Saunders, por favor?)
Secretary:	Hold on one minute, please. [Pause] I'm sorry, he's not available right now. Can I take a message? (Aguarde um minuto, por favor. [Pausa] Sinto muito, ele não está disponível no momento. Posso anotar o recado?)
Carla:	Yes, please. This is Carla Stevens... (Sim, por favor. Aqui é Carla Stevens...)
Secretary:	[Interrupts] I'm sorry, just a moment, let me get a pen to note this down. Okay, go ahead. ([Interrompe]. Desculpe-me, só um momento, deixe-me pegar uma caneta para anotar isso. Certo, continue.)
Carla:	Right. This is Carla Stevens from the Consultants-E. We have a meeting arranged for tomorrow at nine, and I wondered whether we could move the time forward a little to ten. (Certo. Aqui é Carla Stevens da Consultans-E. Nós temos uma reunião marcada para amanhã às nove e eu gostaria de saber se podemos adiar um pouco o horário, para às dez.)
Secretary:	Certainly, I'll pass on the message. Is that Stevens with a "v" or with a "ph"? (Certo, eu transmitirei a mensagem. O Stevens é com "v" ou "ph"?)
Carla:	Stevens with a "v". (Stevens com "v".)
Secretary:	Right, could I have a contact number, please? (Certo. Poderia me dar um telefone de contato?)
Carla:	Yes, best if he calls me back on my mobile. It's seven nine eight three seven six nine eight. But is my mobile is off, he can get me on the office number in Brighton – oh one two seven three five nine eight three two. (Sim, é melhor que ele me ligue no celular. É sete nove oito três sete seis nove oito. Mas se estiver desligado, pode falar comigo no telefone da empresa em Brighton – zero um dois sete três cinco nove oito três dois.
Secretary:	Thank you. I'll make sure he gets the message as soon as possible. Obrigada. Vou transmitir o recado o mais rápido possível.)
Carla:	Thanks. Bye. (Obrigada. Até.)

A secretária anota este recado para Mike Saunders:

```
From: Carla Stevens
Company: Consultants-E
To: Mike S
Phone: m 7983 7698 / 01273 598 32
Message: Move tmrw's 9am meeting fwd to 10? Pls call & confirm.
```

A mensagem da secretária escrita de forma completa ficaria:

```
Move tomorrow's 9 a.m. meeting forward to 10 a.m.? Please call and confirm.
```

Capítulo 8: Falando ao Telefone 147

Você ouvirá pessoas usando diversos tipos de *phrasal verbs* (verbos com uma preposição ou advérbio) em conversas ao telefone. Isso inclui: *hold on* (espere um momento), *note down* (anotar em um pedaço de papel), *go ahead* (continue) e *get back to* (retornar). O complicado a respeito desses verbos é saber onde colocar o pronome, se o verbo pedir um. Observe as conversas anteriores (entre Sergey e Paul / Carla e a secretária) e verá todos esses verbos sendo usados. Note que é dito "*Ask Mike to call me back*" e não "*call back me*". Use "*Go ahead*" e "*Hang on*" como expressões exclusivas, não sendo necessária, assim, a utilização de pronomes.

Palavras a Saber

- hold on (aguardar)
- hang up (desligar)
- note down (anotar)
- call back (retornar)
- pick up (atender)
- go ahead (continuar)
- get back to (retornar / entrar em contato)

Números de telefone e soletração

Quando você deixa uma mensagem (*leave a message*), geralmente diz seu número de telefone (*phone number*) para a pessoa poder retornar a ligação. Ao repassar o número, diga um após o outro. Então, 257839088 é "*two-five-seven-eight-three-nine-oh-double eight*". "*Zero*" ou "*oh*" podem ser usados para o número 0. Se houver dois números iguais e consecutivos – como em 257839088 –, diga "*double eight*" ou "*eight eight*".

Quando você diz um número de telefone, normalmente faz pausas depois de dois ou três números para dar tempo da pessoa anotá-lo. Então, 257839088 fica "two-five-seven [pausa] eight-three-nine [pausa] oh-double eight". Se houver o código da área ou do país antes do número, dizemos todos os números juntos. Por exemplo, o código de Brighton, Reino Unido, é 01273. Por isso, dizemos 01273 784 933 assim: "*oh-one-two-seven-three* [pausa] *seven-eight-four* [pausa] *nine-double three*".

Para dizer códigos internacionais, diga "*plus*" antes do número, porque é assim que se escreve, com um sinal de "mais / *plus*" (+). Nesse caso, você diz o código do país, faz uma pausa, o código da cidade e mais uma pausa. Por exemplo, o número +44 89 39582 da Alemanha é falado: "*plus four four* [pausa] *eight-nine* [pausa] *three-nine-five-eight-two*".

Em algumas línguas você diz todos os números de telefone juntos, em grupos de decimais (*twenty-five, seventy-eighty...*), mas isso soa muito estranho em inglês. Em inglês, os números sempre são ditos um por um: *two-five-seven-eight...*

Dicas para falar ao telefone

Falar ao telefone em uma língua estrangeira pode ser bastante complicado. Por isso, aqui estão algumas dicas para facilitar sua vida:

- ✔ Se não entender a pessoa com quem está falando, peça esclarecimentos ou que ela fale mais devagar! É melhor fazer isso do que ficar sem entender. Tente realizar a ligação de um local quieto para que barulhos externos não o atrapalhem.

- ✔ Prepare antecipadamente e pratique o que irá falar. Você pode prever de 60% a 90% do conteúdo de uma conversa e ter pronto aquilo que precisa. Muitas chamadas, em especial as de trabalho e de informações, usam frases feitas.

- ✔ Certifique-se de que tenha em mãos expressões para pedir esclarecimentos.

- ✔ Seja educado nas ligações. Use sempre *"please"*, *"thank you"* e comece perguntas com *"May I..."* ou *"Could you..."*. Os falantes estrangeiros mostram-se, muitas vezes, bastante diretos quando falam com nativos. Isso faz com que as pessoas achem que estão sendo grosseiros.

- ✔ Pratique datas, números de telefone e soletração. Você pode precisar usar essas informações em uma chamada. Essa dica é especialmente útil para ligações de trabalho e informativas.

Quando precisar deixar um recado ou fazer uma chamada para pedir informações, muitas vezes terá que soletrar seu nome. Por isso, certifique-se de que sabe pronunciar as letras do alfabeto! A pessoa do outro lado da linha também pode solicitar que esclareça alguma parte de seu nome, se ela já souber mais ou menos como escrevê-lo. Por exemplo: "*Is that Stevens with a 'v' ou Stevens with a 'ph'?*" (Stevens é escrito com "v" ou "ph"?).

Mensagens de texto

Enviar mensagens de texto (*texting or sending a text message*) é bastante popular em muitos países e no Reino Unido não é exceção. Na verdade, as pessoas mandam mais mensagens de seus telefones do que fazem ligações! A maioria das línguas usa convenções na escrita dos textos, como abreviações e símbolos. Você pode ler mais a respeito das mensagens de texto no Capítulo 10, mas aqui fizemos uma pequena lista das abreviações mais comuns em inglês:

- ✔ **C u l8r:** *See you later* (Vejo você mais tarde)
- ✔ **Gr8:** *Great* (Ótimo)
- ✔ **Thx:** *Thanks* (Obrigado)
- ✔ **Lol:** *Lots of love ou laugh out loud* (Com muito amor ou gargalhadas)

Lidando com Problemas de Comunicação

Você pode se preparar para falar ao telefone tendo na manga uma boa compilação de expressões e estratégias para usar quando a comunicação não progride ou quando não consegue entender alguma coisa. Aqui estão algumas frases que podem ser usadas para pedir esclarecimentos, da mais formal para a menos formal:

- *I'm sorry, could you repeat that, please?* (Desculpe-me, poderia repetir, por favor?)
- *Sorry, what was that again?* (Desculpe, o que foi mesmo?)
- *Sorry, what did you say?* (Desculpe, o que disse?)
- *Sorry, what was that?* (Desculpe, o que foi?)
- *Pardon?* (Como disse?)
- *Say again?* (Repita.)
- *Eh?* (Hã?)

As últimas duas frases são muito informais. Use-as somente com pessoas que conhece muito bem.

Algumas vezes você consegue entender a maior parte do que diz uma pessoa, mas precisa que ela repita algumas partes do discurso. Uma forma de fazer isso é repetir a frase dita e acrescentar no final uma *question word*, enfatizando-a para mostrar qual é a informação da qual precisa:

- *She'll be away until when?* (Ela ficará fora até quando?)
- *She's in a meeting with whom?* (Ela está em uma reunião com quem?)
- *The new communications manager is who?* (O novo gerente de comunicações é quem?)
- *She's the new buyer for which company?* (Ela é a nova compradora para qual empresa?)
- *She's arriving on which flight?* (Ela chegará em qual voo?)
- *She's arriving at what time?* (Ela chegará a que horas?)

Tendo uma Conversa

Goran telefona para Sergey, mas a ligação está ruim.

Sergey:	*[answers phone] Hello?* ([Atende o telefone] Alô?)
Goran:	*Hi, it's Goran. I'm just ringing to find out what time Olga's flight from Zagreb is arriving.* (Alô. É o Goran. Só estou ligando para saber a que horas o voo da Olga de Zagreb vai chegar.)
Sergey:	*Sorry, the line is terrible! What did you say?* (Desculpe, a ligação está horrível. O que disse?)
Goran:	*Olga's flight is arriving what time?* (O voo da Olga vai chegar a que horas?)

Sergey:	*Oh, right. I rang Heathrow to check, and it's been delayed for six hours because of the snow.* (Ah, certo. Eu telefonei para Heathrow para checar e o voo está atrasado seis horas por causa da neve.)
Goran:	*Sorry? Delayed because of what?* (Desculpe? Atrasado por quê?)
Sergey:	*Snow!* (Neve!)
Goran:	*Ah, okay. I was thinking of coming with you to the airport to fetch her.* (Ah, certo. Estou pensando em ir ao aeroporto com você para buscá-la.)
Sergey:	*Okay, we can meet at Queensway Tube at eleven then?* (Certo, podemos nos encontrar na estação Queensway às onze então?)
Goran:	*Say again?* (Repita?)
Sergey:	*Eleven o'clock! Queensway Tube!* (Onze horas! Estação Queensway!)
Goran:	*Okay, see you there then. Bye!* (Certo. Encontro você lá, então. Até mais.)
Sergey:	*Bye!* (Até.)

_____ **Capítulo 8: Falando ao Telefone** *151*

Diversão e Jogos

1. Stravos liga para a National Express [empresa de ônibus] para perguntar a respeito dos ônibus que passam no aeroporto de Heathrow. Coloque a conversa na ordem correta. A primeira linha já está na ordem.

Employee: *Goog morning, National Express enquiries. May I help you?*

Employee: Eleven-fifteen in the morning.

Employee: You're welcome.

Employee: Then the morning bus would be best for you. It leaves Canterbury bus station at eleven-fifteen, and arrives at Heathrow at about one o'clock depending on the traffic.

Employee: Certainly, sir. What time would you like to leave Canterbury?

Stravos: Right. Thank for your help.

Stravos: I need to be at Heathrow by one-thirty.

Stravos: Hello. Yes, I'd like to know about the bus times from Canterbury to Heathrow Airport on a Sunday.

Stravos: Sorry, it leaves Canterbury at what time?

Resposta:

Employee: Goog morning, National Express enquiries. May I help you?

Stravos: Hello. Yes, I'd like to know about the bus times from Canterbury to Heathrow Airport on a Sunday.

Employee: Certainly, sir. What time would you like to leave Canterbury?

Stravos: I need to be at Heathrow by one-thirty.

Employee: Then the morning bus would be best for you. It leaves Canterbury bus station at eleven-fifteen, and arrives at Heathrow at about one o'clock depending on the traffic.

Stravos: Sorry, it leaves Canterbury at what time?

Employee: Eleven-fifteen in the morning.

Stravos: Right. Thank for your help.

Employee: You're welcome.

2. O que acontece quando você faz uma ligação? Complete o texto com os phrasal verbs da lista a seguir:

noted down	hung up	go ahead	picked up
call her back	hang on		

Yesterday Carla rang the London office to speak to Mike Saunders. His secretary _____ the phone and told her to _____ while she called through Mike. Mike was not available, so the secretary told Carla to _____ and leave Mike a message. Carla asked Mike to _____ later that day, and the secretary _____ Carla's name and number on a piece of paper. Carla thanked the secretary and _____.

Resposta:

Yesterday Carla rang the London office to speak to Mike Saunders. His secretary picked up the phone and told her to hang on while she called through Mike. Mike was not available, so the secretary told Carla to go ahead and leave Mike a message. Carla asked Mike to call her back later that day, and the secretary noted down Carla´s name and number on a piece of paper. Carla thanked the secretary and hung up.

3. Como esses números são ditos:

1. Preços: £14.99 / £4,000 / £16.50 / 20p / 59p

2. Números de telefone: 020 894382 / 01273 66988 / +34 93 424 200

3. Datas: 22 November 1952 / 1 March 2010 / 3 June 2002

4. Números entre 13 e 19 e decimais: 15 – 50 / 18 – 80 / 17 – 70 / 13 – 30

Resposta:

1. fourteen pounds ninety-nine / four thousand pounds / sixteen pounds fifty / twenty pee ou twenty pence / fifty-nine pee ou fifty nine pence

2. oh-two-oh [pausa] eight-nine-four [pausa] three eight two / oh-one-two-seven-three [pausa] double six-nine [pausa] double eight plus thirty-four [pausa] nine-three [pausa] four-two-four [pausa] two-double oh

3. twenty second of November nineteen fifty-two / first of March two thousand and ten / third of June two thousand and two

4. fifteen – fifty / eighteen - eighty / seventeen - seventy / thirteen - thirty

Capítulo 9
No Trabalho e em Casa

Neste capítulo

▶ Conhecendo a vida profissional dos britânicos

▶ Encontrar empregos no Reino Unido

▶ Examinar as moradias britânicas

▶ Buscando um lugar para morar

azer turismo não é a única razão para se visitar um país de língua inglesa. Em uma época de crescente globalização, é possível que você tenha que viajar para outro país a negócios ou morar fora para trabalhar ou estudar. Em alguns casos, há estágios nos quais você precisa morar e trabalhar em uma empresa britânica por certo período de tempo, o que pode durar de algumas semanas ou meses até anos. Em outros, você pode chegar ao Reino Unido na condição de cidadão europeu para fazer trabalhos temporários, retornando depois ao seu país de origem. De qualquer forma, você deve ter o visto certo para trabalhar ou estudar, embora para alguns visitantes da União Europeia isso não seja sempre necessário. Cheque no consulado ou na embaixada britânica de seu país o que é preciso.

Trabalhando no Reino Unido

O comércio e os serviços no Reino Unido normalmente funcionam entre 9 e 17 horas. Isso pode parecer estranho para visitantes de países nos quais o horário comercial costuma se estender até mais tarde. Os trabalhadores britânicos têm, em geral, uma hora de almoço, de meio-dia às 13 horas ou de 13 às 14 horas. Muitas pessoas levam o almoço de casa ou compram um sanduíche ou uma refeição leve em algum café ou restaurante perto do trabalho. Poucos trabalhadores nas grandes cidades têm tempo de ir almoçar em casa. Quando o clima está bom, especialmente no verão, você pode ver muitos trabalhadores sentados em parques fazendo suas refeições na hora no almoço.

Encontrando um emprego

Muitos europeus e outros cidadãos trabalham em empresas britânicas, onde suas línguas nativas são uma vantagem. Isso se aplica principalmente a grandes empresas multinacionais e companhias do Reino Unido que têm negócios em outros países.

Você encontra muito tipos de cargos em uma empresa, desde secretárias (*secretaries*) e vendedores (*sales staff*) até gerentes (*managers*). Dependendo do ramo de atuação, a empresa pode ter os seguintes departamentos: de vendas (*sales*), marketing, tradução (*translation*), pesquisa e desenvolvimento (*R&D – reseach and development*), logística e operações (logistics and operations).

Palavras a Saber

office staff (quadro de funcionários)	*secretary* (secretária)	*sales representative* (ou "*rep*") (representante de vendas)
designer (designer / projetista)	*project director* (diretor de projetos)	*CEO* (*chief executive officer*) (Executivo-chefe)
marketing (director diretor de marketing)	*director* (diretor)	*manager* (gerente)

Se quiser encontrar um emprego, há várias maneiras de procurar. Você encontra anúncios (*job advertised*) nos classificados (veja o Capítulo 10) dos jornais ou recorre às agências de emprego (*employment agencies*). Essas agências normalmente oferecem trabalhos temporários (*temporary* ou *short-term* ou *casual works*). Há alguns em que não é exigida experiência, como ajudantes de cozinha (*kitchen work*) em bares e restaurantes ou trabalhadores da construção civil (*building sites*), e outros em que certa experiência é necessária, como cargos de secretária (*secretarial*) e posições gerenciais (*managerial positions*). É claro que você precisa ter os vistos e as permissões legais antes de começar a desempenhar qualquer cargo no Reino Unido. Em geral, você também deve ter alguma experiência se quiser escolher o setor no qual deseja atuar.

Tendo uma Conversa

Costas está na agência de empregos procurando por um trabalho temporário de meio período.

Agent: *Morning. Can I help you?* (Bom dia. Posso ajudá-lo?)

Costas: *Yes, please. I saw the ad in your window for a part-time job kitchen porter at the Heights Hotel. Is that position still available?* Sim, por favor. (Eu vi o anúncio na vitrine de um trabalho temporário de ajudante de cozinha no hotel Heights. Esse cargo ainda está disponível?)

Agent: *Yes, it is. The hotel needs someone to help in the kitchen, with washing up and general cleaning duties.* (Sim, está. O hotel precisa de alguém que ajude na cozinha lavando a louça e fazendo limpeza em geral.)

Costas: *Okay, can you tell me more about it? What about the hours?* (Certo, pode me falar mais a respeito? E quanto às horas?)

Agent: *Well, it's a part-time job, so sixteen hours a week, but only on Saturdays and Sundays.* (Bem, é um trabalho de meio período, então são 16 horas por semana, mas apenas aos sábados e domingos.)

Costas: *Yes, that's perfect. I'm here doing a degree in computer science, so I'm busy with classes during the week. What about the pay?* (Sim, é perfeito. Estou aqui cursando ciência da computação e fico ocupado com as aulas durante a semana. E o pagamento?)

Agent: *Well, the pay is seven pounds an hour, because it's weekend work. There are two eight-hour shifts: one on Saturday and one on Sunday.* (Bem, são sete libras a hora, porque é um trabalho de fim de semana. Há dois turnos de oito horas: um no sábado e outro no domingo.)

Costas: *Is the pay net or gross?* (Esse valor é líquido ou bruto?)

Agent: *It's gross, so you need to pay tax and national insurance out of that. What nationality you are? Are you EU national?* (É bruto, então você precisa pagar impostos e previdência desse valor. Qual é a sua nacionalidade? É cidadão europeu?)

Costas: *Yes, I am.* (Sim. Eu sou.)

Agent: *Okay, well, that's no problem then. You'll also get your meals on Saturday and on Sunday at the hotel, during your shift.* (Certo. Bem, não há problema então. Você fará suas refeições no sábado e no domingo no hotel, durante seu turno.)

Costas: *Okay, well, I need the work, so when can I start?* (Certo. Bem, preciso do trabalho. Então, quando posso começar?)

Agent: *This weekend if you are ready. We can do the paperwork now if you like.* (Este fim de semana, se você puder. Nós podemos dar entrada na documentação agora, se quiser.)

Palavras a Saber

go for a job interview
(ir para uma entrevista de emprego)

get a job
(conseguir um emprego)

get fired
(ser demitido)

look for a job
(procurar um emprego)

write a CV (curriculum vitae)
(escrever um currículo)

earn a good salary / wage
(ganhar um bom salário)

a gross or net salary
(salário bruto ou líquido)

go on a training course
(participar de um treinamento)

get made redundant
(ficar desempregado porque seu cargo foi extinto)

get promoted
(ser promovido)

lose your job
(perder seu emprego)

fill in an application form
(preencher um formulário)

shift work
(turno de trabalho)

Em alguns casos, se você ficar desempregado no Reino Unido, pode requerer o seguro-desemprego (*unemployment benefit*). O termo coloquial é "*the dole*". Então, é possível escutar as pessoas falando que estão "*on the dole*" ou "*going on the dole*".

Chegando ao trabalho

A hora do *rush* no Reino Unido acontece entre 8 e 9 horas da manhã, quando as escolas e empresas começam a funcionar, e 17 e 18 horas, quando as empresas fecham e as pessoas retornam para casa. Nesses horários, o transporte público (*public transport*) fica lotado e o tráfego (*traffic*) muito lento.

Algumas pessoas enfrentam longas distâncias para chegar ao trabalho, especialmente em cidades grandes como Londres. Falar de quanto tempo levam até o trabalho e da distância percorrida é um assunto do qual, em geral, as pessoas conversam quando conhecem alguém pela primeira vez. Aqui estão algumas frases úteis para falar sobre isso:

- *How do you get to work?* (Como vai para o trabalho?)
- *I go by [bus / train / Underground / bike]*. (Eu vou de [ônibus / trem / metrô / bicicleta].)
- *How long does it take you to get to work?* (Quanto tempo leva para chegar ao trabalho?)
- *It takes about [an hour / 40 minutes]*. (Eu levo aproximadamente 1 hora / 40 minutos.)

- *How far is it?* (É muito longe?)
- *It's about 20 kilometres.* (São aproximadamente 20 km.)
- *It's on the other side of Glasgow.* (É do outro lado de Glasgow.)
- *How much does it cost?* (Quanto custa?)
- *It costs about 30 pounds a week.* (Custa aproximadamente 30 libras por semana.)
- *Which [bus / Underground line] do you take?* (Qual [linha de ônibus / metrô] você pega?)
- *I take [the number 24 bus / the Central line Tube].* (Eu pego [o ônibus número 24 / a linha Central do metrô].)

Chegando a uma recepção

Se você estiver no Reino Unido para uma reunião de negócios (*business meeting*) ou se for seu primeiro dia de trabalho (*first day of a new job*), primeiro precisará se dirigir à recepção para que sua chegada seja anunciada.

Tendo uma Conversa

Maria Sanchez veio da Espanha e está em uma empresa britânica. Ela tem uma reunião às 10 horas com dois colegas do Reino Unido.

Receptionist:	*Good morning. Can I help you?* (Bom dia. Posso ajudá-la?)
Maria Sanchez:	*Yes, please. I have a meeting at ten o'clock with Mike Saunders. My name is Maria Sanchez.* (Sim, por favor. Tenho uma reunião às 10 horas com Mike Saunders. Meu nome é Maria Sanchez.)
Receptionist:	*That's right. If you'd like to take a seat. I'll call through to Mr Saunders and let him know you are here.* (Certo. Se quiser sentar... Vou ligar para o Sr. Saunders e dizer que você está aqui.)
Maria Sanchez:	*Thank you.* (Obrigada.)

Chegar no horário para uma reunião no Reino Unido é extremamente importante. Chegar atrasado é considerado descortês e gera um efeito negativo em qualquer negócio que se queira fechar com parceiros britânicos. Cinco minutos de atraso são tolerados, entretanto, mais do que isso, não é uma boa ideia. O melhor é já estar no local alguns minutos antes do encontro e esperar na recepção até que o encarregado o conduza à reunião. A pontualidade é vista como um indicativo de seriedade e confiabilidade no Reino Unido. Certifique-se de que sairá de casa ou do hotel com uma margem segura de tempo para chegar ao encontro de negócios no horário. Se perceber que irá se atrasar, ligue e explique a situação na empresa.

158 Parte II: Inglês em Ação

CUIDADO

Em alguns grandes complexos comerciais, você precisa passar pela segurança no térreo antes de entrar no edifício. Em geral, é necessário que assine um livro de visitantes, deixando seu nome e endereço. A segurança lhe fornece um crachá especial com seu nome ou um crachá de visitante para que coloque ao redor do pescoço ou prenda na roupa. Também é preciso que passe a pasta ou a bolsa por um aparelho detector. Os níveis de segurança variam dependendo do tipo de empresa visitada. Certifique-se de que terá tempo suficiente para passar por todo esse processo antes da reunião, mesmo que isso não demore mais do que alguns minutos.

Falando de seu trabalho

Falar de sua vida pessoal e sobre o que você faz são dois assuntos convenientes em situações sociais (veja o Capítulo 3). As pessoas certamente perguntarão a respeito de sua vida profissional no Reino Unido ou talvez você conheça outras pessoas na mesma situação e queira perguntar-lhes sobre seus trabalhos. Fazer e responder perguntas gerais sobre o trabalho é muito útil em encontros sociais. Aqui estão algumas frases que irão ajudá-lo. Nós começamos com as perguntas:

- *What do you do?* (O que você faz?)
- *What do you do for a living?* (O que você faz para viver?)
- *What's your job?* (Qual a sua profissão?)
- *What's your job like?* (Como é seu trabalho?)
- *Are you looking for work / a job?* (Está procurando emprego?)
- *Is this a business trip or are you on holiday?* (É uma viagem de trabalho ou está aqui de férias?)
- *Are you here for work or pleasure?* (Está aqui a trabalho ou lazer?)
- *Is this your first trip to the UK?* (É a primeira vez que vem ao Reino Unido?)
- *Have you been here before?* (Já esteve aqui?)
- *Is this the first time you've [worked here / been to London]?* (É a primeira vez que [trabalha aqui / está em Londres]?)
- *Do you do a lot of travelling for work?* (Viaja muito a trabalho?)
- *How long are you planning to stay?* (Quanto tempo planeja ficar?)

Para descrever o que faz e falar em termos gerais da sua vida profissional, as seguintes frases são bastante úteis:

- *I'm [retired / unemployed / looking for a job / freelance].* (Eu sou / estou [aposentado / desempregado / procurando emprego / trabalhador autônomo].)
- *I have a temporary job.* (Tenho um trabalho temporário.)
- *I work [full time / part time / in shifts].* (Trabalho [tempo integral / meio período / em turnos].)

- *I'm training to be a [nurse / translator / lawyer / electrician]*. (Estou estudando para ser [enfermeira / tradutor / advogado / eletricista].)

- *I work for a multinational company.* (Trabalho em uma empresa multinacional.)

- *I work in the [computer / building / catering / hotel] industry.* (Trabalho na área [de computação / de construção / alimentícia / hoteleira].)

- *I run my own business.* (Tenho meu próprio negócio.)

- *I earn my living by working [in construction / with computers]*. (Ganho a vida trabalhando [na construção / com computadores].)

Em qualquer conversa, é importante demonstrar atenção e interesse no que a outra pessoa tem a dizer. Ao fazer isso, você pode utilizar expressões como: "*Really? How interesting!*" (Mesmo? Que interessante!), "*That sounds really interesting*" (Isso é bastante interessante!) ou "*How fascinating*" (Fascinante!). É claro que se o trabalho não for assim tão interessante, use frases como: "*Right*" (Claro), "*Uh-huh*" (Aham) ou "*Okay*" (Certo), para não soar falso!

Tome cuidado com a diferença entre as palavras *career* (carreira) e *degree* (graduação). Você estuda para se graduar na universidade (*for a degree at university*). Sua carreira (*career*) é sua vida profissional em uma determinada área. Por exemplo: se quiser seguir a carreira de vendas (*a careear in sales*), você provavelmente vai precisar se graduar na universidade (*degree at university*) em administração. Sua carreira (*career*) só começa quando sua vida profissional se inicia.

Encontro de negócios

Algumas medidas podem ser tomadas para tornar o encontro de negócios mais fácil. As primeiras impressões são muito importantes. Aqui estão algumas dicas para quando for se encontrar com colegas de trabalho pela primeira vez:

- Fique de pé (*stand up*), sorria (*smile*) e olhe nos olhos (*make eye contact*).

- Apresente-se (*introduce yourself*) imediatamente e diga quem (*who you are*) é ou qual a sua função (*what your job is*), se necessário.

- Aperte as mãos (*shake hands*).

- Preste atenção aos nomes (*pay attention to names*) quando conhecer alguém. Se eles se apresentarem usando apenas o primeiro nome ("*Hi, I'm Mike.*"), refira-se a eles fazendo o mesmo ("*Nice to meet you, Mike*").

É comum em um encontro de negócios uma terceira pessoa apresentar você àquele que está conhecendo falando o nome e o sobrenome. Imagine que você é Maria Sanchez e está encontrando Mike Saunders (a quem conhece) e Daniel Wilson (a quem não conhece). Mike Saunders pode apresentá-la dizendo "*Maria Sanchez, may I introduce you Daniel Wilson*" (Maria Sanchez, deixe-me apresentá-la a Daniel Wilson). Normalmente, não se usam pronomes de tratamento, tais como *Mr* (Sr.) ou *Mrs* (Sra.) em apresentações no Reino

Unido, por isso você não ouve "*Ms Maria Sanchez, may I introduce you Mr Daniel Wilson*". Entretanto, títulos são usados, como por exemplo, *Dr* (Doutor). Assim, você sabe que a pessoa com quem está lidando é um médico. Falar os nomes completos nas apresentações dá a oportunidade das pessoas usarem os primeiros nomes para se dirigirem umas às outras mais informalmente se quiserem. Usar os primeiros nomes em ambientes de negócios é uma prática comum nos países de língua inglesa como os EUA, Canadá, Reino Unido etc. Entretanto, se você não estiver tão seguro se deve ou não utilizá-los, observe e faça como seus colegas de trabalho fazem.

Tendo uma Conversa

Maria Sanchez veio de Portugal está em uma empresa britânica. Ela encontra Mike Saunders e Daniel Wilson para uma reunião. Ela já conhece Mike Saunders de um encontro anterior, mas está se encontrando com Daniel Wilson pela primeira vez.

Mike Saunders:	*Good morning, Maria. (Nice to see you again.* Bom dia, Maria. Prazer em revê-la.)
Maria Sanchez:	*Morning, Mike. Good to see you too.* (Bom dia, Mike. Prazer em vê-lo também.)
Mike Saunders:	*May I introduce Daniel Wilson. Daniel, this is Maria Sanchez. Daniel is the new marketing director of the Western Europe division.* (Deixe-me apresentá-la a Daniel Wilson. Daniel, esta é Maria. Daniel é o novo diretor de marketing da divisão Europa ocidental.)
Daniel Wilson:	*Pleased to meet you, Maria.* (Prazer em conhecê-la, Maria.)
Maria Sanchez:	*Pleased to meet you too, Daniel.* (Igualmente, Daniel.)
Mike Saunders:	*Right, I've reserved a room for our meeting. Shall we go through?* (Certo, eu reservei uma sala para nossa reunião. Podemos ir?)
Daniel Wilson:	*After you, Maria.* (Depois de você, Maria.)
Maria Sanchez:	*Thank you.* (Obrigada.)

Quando você conhece alguém pela primeira vez, é importante cumprimentá-lo. As seguintes expressões de cumprimento estão dispostas da ordem menos formal para a mais formal:

- *Hi, how are you?* (Olá, como está?)
- *Nice to meet you.* (Prazer em conhecê-lo.)
- *Glad to meet you.* (Prazer em conhecê-lo.)
- *Pleased to meet you.* (Prazer em conhecê-lo.)
- *How do you do?* (Como vai?)

Sons Nativos: Algumas vezes é difícil entender o nome de uma pessoa, especialmente se este é originário de um país ou de uma cultura que você não conhece. Para pedir que alguém repita o próprio nome, você pode dizer "*Sorry, I didn't quite catch your name*". A pessoa então repetirá o nome, com sorte, de forma clara.

Observando as moradias do Reino Unido

Talvez você more em uma casa ou apartamento em seu país, mas alguns tipos de moradia são peculiares ao Reino Unido e têm palavras específicas para descrevê-las.

Subúrbio

O subúrbio (*suburbs*) é uma área nos arredores de uma cidade grande onde as casas são maiores do que as do centro. As pessoas às vezes usam a palavra *suburbia* para se referirem a essa área. Em alguns países, os subúrbios são locais pobres e afastados, mas isso não se aplica ao Reino Unido. As pessoas que moram nos subúrbios britânicos acham que a qualidade de vida é melhor do que no centro da cidade, com menos poluição, mais parques, mais bosques e menos tráfego. É claro que há um lado negativo. Alguns usam o termo *suburbia* para fazer referência ao tédio e à monotonia de uma área com casas idênticas e que não tem a agitação de um grande centro ou a interessante mistura das culturas. Certas partes do subúrbio são chamadas de *commuter belt* (cidades-dormitório), onde os trabalhadores moram, mas viajam diariamente de casa para o trabalho.

No Reino Unido, há casas (*houses*) que são *semi-detached* (ou *semi*) ou *detached*. As semi-detached houses são aquelas "grudadas" umas às outras e, em geral, idênticas. Você vê muitas construções desse tipo nos subúrbios das cidades. Elas normalmente têm um pequeno jardim na parte da frente e uma área estreita atrás. Esse quintal é dividido da casa ao lado por uma cerca. O jardim fronteiro algumas vezes tem uma entrada para carros na calçada com concreto, onde o morador estaciona seu carro, e grandes latas de lixo. Os britânicos construíram muitas dessas nas décadas de 1920 e 1930. Uma *detached house* não é colada à casa do lado.

Em alguns lugares, especialmente em cidades grandes como Londres, Birmingham e Edimburgo, você pode observar fileiras de casas idênticas grudadas umas às outras. Elas são chamadas de *terraced houses* e foram construídas antes das *semis* do subúrbio. As *terraced houses* foram edificadas primeiro na Europa e apareceram no Reino Unido, no começo do século XVIII. Muitas dessas casas que você vê hoje nas cidades britânicas são vitorianas – do século XIX.

No centro das grandes cidades as pessoas normalmente moram em apartamentos (*flats*). Isso porque os apartamentos pequenos têm o aluguel mais barato do que as casas *detached* ou *terraced*. Os britânicos usam mais a palavra *flat* do que *apartment*. Além disso, quando querem se referir a

Conjuntos habitacionais

Algumas cidades, na Grã-Bretanha, possuem conjuntos habitacionais (*housing estates*) que foram construídos de 1950 em diante. Essas moradias são edifícios altos (*high-rise*) e de baixo custo (*low cost*). Alguns desses conjuntos têm má reputação por abrigarem desempregados, drogados e criminosos. Se você for visitar alguém em um *housing estate*, procure saber qual o melhor horário (provavelmente não tarde da noite) e quais áreas deve evitar. Mas lembre-se de que a taxa de criminalidade no Reino Unido é baixa, comparada a muitos outros países, em desenvolvimento.

um condomínio, eles falam "*block of flats*" e não "*apartment block*", como se ouve em outros países. Além dos apartamentos nos prédios modernos, você também acha as antigas *terraced houses*, com dois ou três pavimentos (*storeys*), divididas em apartamentos individuais.

Quando for dizer onde mora, pode mencionar as áreas públicas ou edifícios próximos. Então, você pode morar do outro lado da rua de um *pub* (*across the road from a pub*), ao lado de um estacionamento (*next to a car park*), perto de um parque (*near a park*) ou na rua lateral a *high street* (*just off the high street*). Sua casa pode estar localizada em uma área nobre da cidade (*nice*) ou em uma mais pobre (*run down*). Em um edifício, o andar da rua é chamado de *ground floor* (térreo) e o pavimento acima é o *first floor* (primeiro andar) – diferente dos EUA, onde o térreo é chamado de primeiro andar!

Palavras a Saber

flat
(apartamento)

semi-detached house or semi
(típica casa britânica que é colada a outra idêntica)

detached house
(típica casa britânica que não tem nenhuma outra colada à sua parede)

(terraced house
casa unida a outras idênticas que formam uma fileira)

garden
(jardim)

fence
cerca

driveway
(entrada para carros)

rubbish bins
(latas de lixo)

housing estate
(conjunto habitacional)

suburbs
(subúrbio)

suburbia
(subúrbio / vida suburbana)

the commuter belt (cidade-dormitório / região metropolitana)

As palavras *house* (a casa, a construção) e *home* (o lar, o lugar onde mora) significam mais ou menos a mesma coisa. Entretanto, são empregadas de forma diferente. Os americanos usam o termo *home* muito mais do que os britânicos, que utilizam mais a palavra *house*. Isso significa que você pode dizer "*my house*" – e não "*my home*" – para se referir ao lugar onde mora, mesmo que seja um apartamento. É mais comum ouvir as pessoas empregarem o termo "*home*" em certas frases e expressões idiomáticas, tais como: "*Welcome home*" (Bem-vindo ao lar) ou "*Home is where the heart is*" (O lar é onde o coração está).

Os falantes nativos também se referem ao lugar onde moram usando a palavra *place*. Assim, um amigo britânico pode convidá-lo para conhecer sua casa dizendo: "*Why don't you come round to my place*" (Por que não passa na minha casa?) ou "*Let's meet at my place*" (Vamos nos encontrar na minha casa). Uma expressão muito conhecida para se dar a entender que uma pessoa está querendo ficar sozinha (no sentido íntimo) com outra é "*My place or yours?*" (Na minha casa ou na sua?). Não use essa expressão, a não ser ironicamente ou como uma piada.

Endereços

Seja lá onde for morar, você terá um endereço (*address*). Aqui listamos as abreviaturas mais comuns para os diferentes endereços:

- *Road:* Rd
- *Street:* St.
- *Avenue:* Ave
- *Circle:* Circ.
- *Court:* Ct.
- *Gardens:* Gdns.
- *Junction:* Jct.
- *Place:* Pl.
- *Square:* Sq.
- *Station:* Sta.

O A-Z

Um dos mais conhecidos guias de ruas do Reino Unido é o *London A-Z*. Quase todas as casas em Londres têm um na estante e praticamente todos os taxistas tem um dentro do carro! O guia *A-Z* (pronunciado "*ay to zed*") é um catálogo detalhado no qual você consegue encontrar qualquer rua. O índice utiliza abreviaturas dos endereços, assim "*Oxford Street*" aparece no *A-Z* como "*Oxford St.*". Esse guia também mostra as estações do metrô. Qualquer um que precise ficar em Londres por certo tempo normalmente compra o *A-Z*. Ele é vendido em vários tamanhos, de formatos de bolso a edições enormes. É encontrado em livrarias e em bancas de jornais.

Em inglês, dizemos o número da casa ou do prédio antes do nome da rua, por exemplo, "*53 Eastern Road*" e não "*Eastern Road 53*". Todas as áreas no Reino Unido têm um CEP (*postcode*) que é escrito em correspondências. Você pode precisar preencher formulários com seu endereço, então é bom memorizá-lo se for ficar no Reino Unido por algum tempo. O CEP é composto por um grupo de dois ou três números ou letras seguidos por mais um grupo de dois ou três números ou letras. Por exemplo, um CEP de Londres pode ser W2 3FL, um de Manchester, M1 9SN e um de Exeter, EX2 7NA.

E-mail e endereços de internet

Hoje em dia, quase todas as pessoas têm endereços virtuais – e-mail ou websites. É importante saber como pronunciar esses endereços para que possa repassá-los a amigos ou dizê-los quando precisar. O sinal @ é dito "*at*" e o ponto (.), "*dot*". Assim, o endereço *johnsmith@yahoo.co.uk* é dito: "*John Smith at yahoo dot co dot uk*". É possível que precise soletrar algumas partes de seu endereço de e-mail, então se certifique de que sabe pronunciar as letras do alfabeto.

Quando disser seu endereço de e-mail ou site, ou quando for anotar um, precisará saber o seguinte:

Palavras a Saber

@	(at)
.	(dot)
/	(forward slash ou slash)
\	(back slash)
-	(hyphen)
_	(underscore)
all one word	(todas as palavras juntas)
all lower case	(todas as letras minúsculas)
all caps or all capital letters	(todas as letras maiúsculas)

Tendo uma Conversa

Pierre liga para a revista UK Sports para assiná-la.

Magazine employee: Hello, UK Sports magazine. Can I help you? (Alô? Revista UK Sports, posso ajudá-lo?)

Pierre: Hello, yes, I'd like to take out a subscription to your maganize, for six months. (Alô. Sim, eu gostaria de fazer a assinatura da revista por seis meses.)

Magazine employee: Certainly, sir, I'll need to take your personal details for that first. Your full name, please? (Certo, senhor. Vou precisar de seus dados pessoais primeiro. Seu nome completo?)

Pierre:	*It's Pierre Delacroix. That's D-E-L-A-C-R-O-I-X.* É (Pierre Delacroix. Escreve-se D-E-L-A-C-R-O-I-X.)
Magazine employee:	*Thanks. And what's your postal address, please?* (Obrigado. E qual seu endereço, por favor?)
Pierre:	*Seventy-three B, Parkway Terrace, Inverness.* (73 B, Parkway Terrace, Inverness.)
Magazine employee:	*Right, do you have the postcode for that?* (Certo. O senhor sabe o CEP?)
Pierre:	*Yes, it's IV1 4PL.* (Sim, é IV1 4PL.)
Magazine employee:	*Thanks. And can we have your email address please, sir? That way we can contact you more easily.* (Obrigado. O senhor pode nos dizer qual é seu endereço de e-mail? Dessa forma podemos entrar em contato mais facilmente.)
Pierre:	*Sure. It's pierre underscore delacroix – all lower case – at yahoo dot co dot uk.* (Claro. É pierre underscore delacroix – em minúsculas – arroba yahoo ponto co ponto uk.)
Magazine employee:	*Okay, that's great. You may want to take a look at our website; we have some great offers this month on sporting equipment. If you'd just like to write it down...* (Certo, está ótimo. Você pode dar uma olhada em nosso website. Temos grandes ofertas esse mês para os equipamentos esportivos. Se quiser anotá-lo...)
Pierre:	*Okay, go ahead.* (Claro, pode dizer.)
Magazine employee:	*The web address is www dot uksports – all one word, all lower case – dot co dot uk.* (O endereço é www ponto uksports – tudo junto, em minúsculas – ponto co ponto uk.)

Neighbourhood Watch

Nas cidades grandes do Reino Unido, as pessoas não têm muito contato com seus vizinhos. Nos edifícios, por exemplo, quase ninguém sabe sequer o nome de quem mora ao lado. Os britânicos têm menos contato com os vizinhos, mesmo os que moram em cidades pequenas, do que pessoas de outras culturas. Na verdade, a sociedade britânica é muito criticada por ser individualista.

Entretanto, em algumas áreas você pode ver uma placa em que está escrito: "*Neighbourhood Watch*" (algo como vigilância feita pela vizinhança). A *Neighbourhood Watch* é uma associação de vizinhos, da polícia e de grupos comunitários para prevenção dos crimes em uma determinada área. Isso faz com que o lugar fique mais seguro. O Reino Unido importou essa ideia dos EUA no início dos anos 1980 depois do sucesso de associações similares organizadas por lá. Cerca de 10 milhões de pessoas contribuem frequentemente para a vigilância no Reino Unido.

Típicas casas britânicas

Uma casa pode ter um ou mais pavimentos (*storeys*). Então, você se refere a uma casa de dois andares como "*two-storey house*". Uma casa de um quarto é chamada de "*one-bedroom*", de dois, "*two-bedroom*" e de três, "*three-bedroom*". Os cômodos principais são o quarto (*bedroom*), o banheiro (*bathroom*), a cozinha (*kitchen*), a sala de estar (*living room*) e a sala de jantar (*dining room*). Os britânicos passam muito de seu tempo na cozinha, se o cômodo for grande o suficiente e tiver uma mesa central. Quando não estão na cozinha, ficam na sala de estar assistindo a televisão. Muitas famílias fazem todas as refeições e recebem seus convidados na cozinha, que é, de muitas formas, considerada o coração da casa.

Por causa do tempo frio, a maioria das casas e dos apartamentos tem aquecimento central (*central heating*) hoje em dia, com calefatores (*radiators*) para esquentar a casa. Os calefatores conduzem o ar quente gerado por uma caldeira (*boiler*) a gás ou a óleo. Algumas pessoas ainda usam lareiras ou aquecedores elétricos. O gás (*gas*) é utilizado basicamente para aquecimento e na cozinha. Casas e apartamentos mais antigos ainda têm lareiras convencionais, mas na maioria das cidades do Reino Unido há restrições quanto ao acendimento das lareiras (*lighting fires*), pois devem ser usados apenas certos combustíveis que não produzem fumaça, e não madeira, para reduzir a poluição que sai pelas chaminés (*chimneys*).

Aparelhos de ar-condicionado (*air conditioning*) não são comuns nas casas do Reino Unido. Por causa do clima, os britânicos protegem suas casas do frio e não do calor. Entretanto, as empresas costumam ter aparelhos de ar-condicionado por causa dos meses quentes de verão. O metrô de Londres não tem sistema de ar-condicionado e é famoso por ser extremamente quente nessa época do ano.

Palavras a Saber

a two-storey house (uma casa de dois andares)

one-bedroom flat (apartamento de um quarto)

bedroom (quarto)

bathroom (banheiro)

living room (sala de estar)

dining room (sala de jantar)

kitchen (cozinha)

central heating (aquecimento central)

radiators (calefatores)

fireplace (lareira)

chimney (chaminé)

air conditioning (aparelho de ar-condicionado)

Encontrando um Lugar Para Morar

Se quiser alugar um apartamento durante sua estadia no Reino Unido, pode procurar em vários lugares. Os jornais locais têm a seção de classificados (*small ads* – veja o Capítulo 10) – onde há anúncios de imóveis para locação. Outra opção é olhar as vitrines das lojas que vendem jornais e revistas – as pessoas costumam deixar pequenos cartazes escritos à mão anunciando apartamentos para alugar na área próxima. Você também pode tentar as imobiliárias (*rental agencies* ou *estate agents*), que têm muitos imóveis disponíveis. Essas empresas normalmente cobram comissão (*comission*) pelos seus serviços. Lá, você vê os anúncios de imóveis na vitrine (*listed in the window*) e há imóveis para alugar (*for rent*) e para comprar (*to buy*).

Aqui está um anúncio retirado de um jornal local:

> FOR RENT. 3-bedroom flat Sharpe St. Spacious kitchen, living & dining room. No garden. Non-smoker pref. £950 p.month excl bills. Call Richard 01482 779 385.

Escrito de forma completa, o anúncio diz: *For rent, a three-bedroom flat in Sharpe Street, with a spacious kitchen, living room and a dining room. There is no garden. Non-smokers are preferred. £950 rent per month, excluding bills. Call Richard on phone number 01482 779 385.*

Apartamento de três quartos para alugar na Rua Sharpe com uma ampla cozinha, sala de estar e jantar. Não tem jardim. É preferível pessoa não fumante. £950 de aluguel por mês, não incluindo contas. Ligar para Richard no número 01482 779 385.

Quando você vai alugar um apartamento ou dividi-lo com alguém, precisa saber a respeito dos outros custos, como as contas ou o depósito. Além disso, também deve estar ciente de algumas regras especiais da casa (se é para não fumantes, por exemplo) ou dos deveres (tais como cuidar do jardim ou das plantas). Outra coisa importante a saber é o período do contrato de aluguel (*rental period*) e a oferta de transporte no local (*local transport*). Você pode perguntar se o apartamento tem facilidades, como televisão (*TV*), máquina de lavar roupas (*washing machine*) e aquecimento central (*central heating*), se é mobiliado (*furniture*) ou se pode deixar sua bicicleta segura em algum lugar. Por fim, se todas as condições estiverem adequadas, você provavelmente vai querer conhecer o imóvel (*to go and see it*) antes de tomar sua decisão final.

Tendo uma Conversa

Akira liga para Richard para falar sobre o apartamento que ele tem para alugar.

Richard: *Hello?* (Alô?)

Akira: *Oh, hello, I'm ringing about the flat advertisement I saw in the newspaper last week. Is that Richard?* (Ah, alô. Estou ligando por causa do anúncio do apartamento que vi no jornal na semana passada. É o Richard?)

Richard:	Yes, speaking. Hi. Right, it's £950 per month, but the bills for gas and electricity are extra. (Sim, é ele. Oi. Certo, o aluguel é £950 por mês, mas as contas de gás e energia elétrica são por fora.)
Akira:	Yes. I saw in the add that you also prefer non-smokers. That's fine, I'm a non-smoker, and I'm glad there's no garden as I'm not very good with plants! But I'm only here in Hull for six months. How long is the rental for? (Sim. Eu vi no anúncio que você também prefere não fumantes. É ótimo, porque não fumo. E fico feliz que não tenha jardim porque não sou muito bom com plantas! Mas só fico aqui em Hull por seis meses. De quanto tempo é o contrato de aluguel?)
Richard:	Well, I'd prefer to rent it for at least a year, but you're the only person who's rung so far, so I'd be happy to rent it just for six months at the moment. (Bem, eu preferiria alugar por pelo menos um ano, mas você é a única pessoa que ligou até agora. Então, ficaria contente de alugar por apenas seis meses nesse momento.)
Akira:	Okay. What about public transportation? Are there any bus stops nearby? (Certo. E quanto ao transporte público? Há pontos de ônibus por perto?)
Richard:	Yes, there are two buses that go into the centre of town from the end of the road. (Sim, há dois ônibus que vão até o centro da cidade no final da rua.)
Akira:	Okay, and what about facilities like a washing machine... Certo. (E quanto às facilidades, como máquina de lavar...)
Richard:	The flat is fully equipped. There's a washing machine, fridge and cooker, all the furniture, a TV and a DVD player. And the central heating, of course. It's gas. (O apartamento é todo equipado. Tem máquina de lavar, geladeira e fogão, todos os móveis, uma televisão e um DVD player. E aquecimento central, é claro. É a gás.)
Akira:	Sounds great. One last question – is there somewhere I can leave my bicycle? (Parece ótimo. Uma última pergunta – há algum lugar onde eu possa deixar minha bicicleta?)
Richard:	Yes, there is a large entrance hall; it's a two-storey semi. The downstairs neighbor leaves his bike in there already. No problem to put two bikes there. (Sim, há um amplo hall de entrada. É uma casa com dois andares. O vizinho de baixo já deixa a bicicleta dele lá. Não há problema em colocar duas.)
Akira:	I'd love to come and see the flat, if that's all right? (Eu adoraria passar aí e conhecer o apartamento, se estiver tudo bem.)
Richard:	Yes, of course... (Sim, claro...)

Dividindo um apartamento

Se vier ao Reino Unido para estudar em uma universidade, é provável que fique no alojamento dos alunos (*student housing*) no campus. Se estiver estudando em uma instituição menor ou em alguma escola de línguas, pode ficar hospedado com uma família (*host family*) ou dividir um apartamento com outros alunos (*share a flat*). Trabalhadores estrangeiros que precisam ficar longos períodos de tempo no Reino Unido também costumam dividir apartamentos, porque é mais barato do que alugar um sozinho.

Dividir apartamento com outras pessoas nem sempre é fácil, especialmente se seus colegas (*flatmates*) são pessoas desconhecidas ou se vêm de culturas completamente diferentes. Entretanto, as pessoas costumam dizer que é bem mais difícil dividir um apartamento com os próprios amigos!

Os colegas de apartamento normalmente dividem o serviço da casa – as tarefas domésticas (*the housework ou household chores*). Muitas das ações desempenhadas para a organização da casa usam os verbos *do* ou *make* (fazer, em geral). Como regra geral, quando se fala em serviço doméstico (*housework*), usa-se *do* para todas as atividades e tarefas e *make* para o que é criado, construído ou preparado.

Palavras a Saber

make the bed
(fazer a cama)

make a cup of tea / coffee
(fazer chá / café)

make a mess
(fazer bagunça)

do housework
(fazer o serviço doméstico)

do the washing up (for dishes and cutlery)
(lavar (louças))

do the dishes
(lavar louças)

do the cleaning
(fazer a limpeza)

make breakfast / lunch / dinner
(fazer o café da manhã / almoço / jantar)

make a cake
(fazer um bolo)

make an overseas phone call
(fazer uma ligação para um lugar distante / internacional)

do the washing (for clothes)
(lavar (roupas))

do the
(ironing passar (roupas))

CUIDADO

As palavras *housework* e *homework* têm sentidos completamente diferentes. *Housework* são as tarefas domésticas, tais como fazer a cama ou lavar a louça. *Homework* são as tarefas que as crianças trazem da escola para casa.

Você provavelmente precisará fazer outras coisas na casa, então separamos uma lista de expressões úteis:

Palavras a Saber

invite a friend over
(convidar um amigo)

move a furniture
(mover um móvel)

turn off the heating / TV / lights
(desligar o aquecimento / TV / as lâmpadas)

pay the rent / bills
(pagar o aluguel / as contas)

hang a picture
(pendurar um quadro)

turn on the heating / TV / lights
(ligar o aquecimento / TV / as lâmpadas)

watch TV / a DVD
(assistir televisão / DVD)

get the paper / milk delivered
(pegar o jornal / o leite)

Pedindo ajuda aos seus colegas de apartamento (Can you...?)

Você pode precisar que seus colegas de apartamento o ajudem com as tarefas domésticas. Aqui estão frases úteis:

- *Can / Could you give me a hand?* (Você pode / poderia me dar uma mão?)
- *Could you do me a favour?* (Poderia me fazer um favor?)
- *Could you help me with this?* (Poderia me ajudar com isto?)
- *Would you mind helping me for a minute?* (Você se importaria de me ajudar um minuto?)

Os falantes nativos usam frases abreviadas para pedirem ajuda a uma pessoa que conhecem bem. É possível ouvi-los falando: "*Do me a favour?*", "*Give me a hand?*" ou mesmo "*Do something for me?*". Lembre-se de que essas formas são extremamente diretas e informais e, se for usá-las, precisa conhecer muito bem a pessoa com quem estiver falando! Tais formas normalmente não se aplicam a ambientes profissionais, por exemplo.

Pedindo permissão (Can I...?)

Para perguntar se você pode fazer alguma coisa, use essas expressões:

- *Can I [borrow your newspaper]?* (Posso pegar seu jornal emprestado?)
- *Could I [borrow your newspaper]?* (Poderia pegar seu jornal emprestado?)
- *Do you mind if I [use the phone]?* (Você se importa se eu usar o telefone?)
- *Would you mind if I [use your computer for a minute]?* (Você se importaria se eu [usasse seu computador um minuto]?)
- *Do you think I could [use your computer for a minute]?* (Você se incomoda se eu [usar seu computador por um minuto]?)

Pedindo para alguém não fazer algo (Could you not...?)

Quando se divide um apartamento, podem acontecer certas situações conflituosas entre os moradores. Algumas vezes, você precisará pedir aos seus colegas para não fazer algo! Aqui estão algumas frases educadas para se expressar:

- Can you please not [*smoke in the house*]? (Você pode, por favor, não [fumar dentro de casa]?)
- Could you please not [*smoke in the house*]? (Você poderia, por favor, não [fumar dentro de casa]?)
- Do you mind not [*eating my food in the fridge without asking*]? (Você se importa de não [comer minha comida da geladeira sem permissão]?)
- Would you mind not [*using my computer without asking*]? (Você se importaria de não [usar meu computador sem permissão]?)
- Do you think you could not [*use my mobile phone without asking*]? (Você acha que poderia não [usar meu telefone celular sem permissão]?)

Nas frases para pedir permissão e para pedir que alguém não faça algo, "*could*" é mais educado do que "*can*" e "*would you*" mais do que "*do you*". O mais cortês de todos é "*Do you think I / you could...*". Em inglês, quanto mais indireta for a pergunta, mais educada ela é. Você só usa as formas diretas com pessoas íntimas em situações informais. Assim, é possível falar para um amigo: "*Lend me your phone?*". Você pode fazer uma pergunta direta de forma mais educada quando adiciona uma *question tag* – "*Lend me your phone, could you?*".

Tendo uma Conversa

Helena e Miriam dividem um apartamento. Miriam não tem ajudado muito nas tarefas domésticas.

Helena: *Miriam, could we have a chat? There are few things about the flat we need to talk about. Is now a good time?* (Miriam, poderíamos ter uma conversa? Há algumas coisas sobre o apartamento que precisamos conversar. Agora é uma boa hora?)

Miriam: *Sure.* (Claro.)

Helena: *Okay, the first thing is the housework. In the last flat I shared, my flatmate and I did the cooking and washing up on alternate days. How about if we do that here?* (Certo. A primeira coisa é o serviço da casa. No último apartamento que dividi, eu e minha colega cozinhávamos e lavávamos a louça em dias alternados. Que tal se fizéssemos isso aqui?)

Miriam: *That sounds fine. Sorry if I haven't been doing so much washing up lately. I promise to do my share from now on.* (Parece bom. Desculpe se não tenho lavado a louça ultimamente. Prometo fazer a minha parte de agora em diante.)

Helena:	*That would be great. Do your mind if I cook on Mondays, Wednesdays and Fridays then? I have my yoga class on Tuesdays and Thrusdays evenings, so those days would be difficult for me to cook.* (Seria ótimo. Você se importa se eu cozinhar às segundas, quartas e sextas, então? Tenho aula de ioga às terças e quintas à noite. Nesses dias seria difícil para eu cozinhar.)
Miriam:	*I can do Tuesdays and Thursdays and Sundays, and on Saturdays we can do our own thing, because we usually go out.* (Eu posso às terças, quintas e domingos. E aos sábados podemos cada uma lavar a sua, porque normalmente saímos.)
Helena:	*That's great, thanks. There's just one more thing.* (Está ótimo, obrigada. Tem mais uma coisa.)
Miriam:	*Yes?* (Sim?)
Helena:	*Do you think you could not smoke in the house?* (Você acha que poderia não fumar na casa?)
Miriam:	*Hmmm. Well, how about if I don't smoke in the living room and in the kitchen, but I smoke in my own bedroom?* (Hummm. Bem, que tal se eu não fumasse na sala e na cozinha, mas só no meu quarto?)
Helena:	*Well, okay. Thanks. We also need to pay the bills on time. I'm worried that the phone is going to be cut off.* (Bem, certo. Obrigada. Nós também precisamos pagar as contas em dia. Estou preocupada de o telefone ser cortado.)
Miriam:	*Yes, you're right. I'll take the phone bill and get it paid on Monday, okay? I made a lot of overseas calls to my family last month.* Sim, você está certa. (Vou pegar a conta de telefone e pagá-la na segunda-feira, está bom? Eu fiz muitas ligações internacionais para minha família no mês passado.)
Helena:	*Thanks.* (Obrigada.)

Convidando pessoas e hospedando-se

Você certamente convidará pessoas ao seu apartamento, como por exemplo, para um jantar. Essas visitas são seus convidados (*guests*) e você é o anfitrião (*host*). Se convidá-las para ficarem mais de um dia e passarem a noite, então os convidados são seus hóspedes (*house guests*). Se seu apartamento for muito grande, talvez tenha um quarto extra ou um quarto de hóspedes (*spare bedroom* e *guest bedroom*) onde seus amigos possam ficar.

Entretanto, você também pode ser um hóspede durante sua estadia no Reino Unido. Muitos visitantes vão, todos os anos, ao Reino Unido para estudar inglês e ficam na casa de uma família (*host family*). Se esse for seu caso, é uma boa ideia pesquisar o máximo possível sobre a família com quem irá se hospedar antes de viajar. Precisa saber se eles têm filhos ou animais de estimação ou se há regras incomuns na casa. É importante se informar também se já tiveram estudantes de outros países hospedados em casa. Há agências que organizam esse tipo de estadia dentro e fora do Reino Unido.

Tendo uma Conversa

Gina vai para o Reino Unido e ficará na casa de uma família. Ela liga para a agência para pedir mais informações.

Agency: *Host Families UK, can I help you?* (Host Families UK, posso ajudá-lo?)

Gina: *Hello, yes, this is Gina Li. I received your email confirming my host family in Cardiff for next month. I'd like some more information, please.* (Alô, sim, aqui é Gina Li. Recebi o e-mail de vocês confirmando minha estadia com uma família em Cardiff mês que vem. Gostaria de mais informações, por favor.)

Agency: *One second Ms Li, I'll call up your file. [Pause] Yes, that's right, we've placed you with the Redcliff family in Cardiff, Wales, as you requested.* (Um segundo, senhorita Li. Vou checar seu arquivo. [Pausa] Sim, está correto. Nós a colocamos com a família Redcliff em Cardiff, País de Gales, como você pediu.)

Gina: *Thanks. I've some extra questions about the family, if that's okay? The first is: do they have any children? I prefer to stay in a family with no young children, as I said in my application form.* (Obrigada. Tenho algumas perguntas extras sobre a família, se não se incomodar. A primeira é: eles têm filhos pequenos? Eu prefiro ficar com uma família que não tenha filhos pequenos, como disse no formulário que preenchi.)

Agency: *No, no children living in the house. They have a son at university, but he'll be in a student housing while you're there.* (Não, não há crianças morando na casa. Eles têm um filho na universidade, mas ele ficará na república enquanto você estiver lá.)

Au pairs

Outra maneira muito comum de se hospedar em uma casa de família é trabalhar como uma *au pair* (termo francês) ou babá (*live-in nanny*). A maioria das *au pairs* não é de países de língua inglesa, mas desejam morar no Reino Unido e aprender ou praticar o inglês. Trabalhar como uma *au pair* é uma maneira de melhorar a proficiência no idioma sem um alto custo e é especialmente atrativo para jovens mulheres. O serviço de uma *au pair* normalmente consiste em tomar conta das crianças de uma casa, ajudar nas tarefas domésticas e cozinhar em troca de alimentação, acomodação (*board* e *lodging*) e, possivelmente, um salário pequeno. Há normas muito claras acerca do que uma au pair no Reino Unido deve fazer e quantas horas por semana ela deve trabalhar. Uma *au pair* precisa ter pelo um dia de folga. Se você quiser trabalhar como uma *au pair*, pesquise sobre todas as condições antes de aceitar o trabalho. O Reino Unido tem muitas agências de babás (*au pair* ou *nanny agencies*) e você consegue encontrá-las buscando na internet.

Gina:	Okay, thanks. Could I also just check that there are no dogs or cats? I'm allergic to cats. (Certo, obrigada. Eu poderia só confirmar se não há cachorros ou gatos? Sou alérgica a gatos.)
Agency:	Not to worry, Ms Li, we were very careful to make sure there are no pets in this family. We realize that an allergy can be a serious thing. (Não precisa se preocupar, senhorita Li. Tomamos muito cuidado para garantir que não houvesse animais de estimação na família. Sabemos que uma alergia pode ser uma coisa séria.)
Gina:	Good. And of course I wanted a non-smoking house. (Bom. E é claro que quero uma casa de não fumantes.)
Agency:	There's no smoking allowed in the house. (Não é permitido fumar na casa.)
Gina:	Okay, just a last question. Have the Redcliffs had people from other countries staying with them before? Or am I the first overseas visitor for them? (Certo, só a última pergunta. Os Redcliffs já tiveram gente de outros países hospedada com eles? Ou serei sua primeira hóspede internacional?)
Agency:	We've had the Redcliffs on our books for five years now, Ms Li, so they're very experienced with overseas visitors. I'm sure you'll be very happy with your stay. (Os Redcliffs já estão cadastrados conosco há cinco anos, senhorita Li. Então, eles têm muita experiência com visitantes de outros países. Estou certa de que vai ficar muito contente com sua estadia.)
Gina:	Well, thank you for your help. Bem, obrigada por sua ajuda.
Agency:	You're welcome. Please ring again if you have any other questions, and we'll send you your travel details in a week or so. Goodbye. (De nada. Por favor, telefone novamente se tiver outras perguntas. Nós mandaremos os detalhes da sua viagem em aproximadamente uma semana. Até mais.)
Gina:	Bye. (Até mais.)

Palavras a Saber

guest (convidado)	*house guest* (hóspede)	*host* (anfitrião)
host family (família que recebe estudantes de outros países)	*spare bedroom / room* (quarto extra)	
guest bedroom / room (quarto de hóspedes)	*au pair / live-in nanny* (babá que mora com a família)	
board and loading (alimentação e acomodação)		

Capítulo 9: No Trabalho e em Casa

Se ficar na casa de uma família no Reino Unido, é provável que esteja sempre com ela no café da manhã e à noite, na hora do jantar (veja o Capítulo 5 para mais informações sobre refeições britânicas). Uma das coisas mais importantes de que precisa se lembrar quando conversar com os membros da família é que você deve ser sempre muito educado e usar frequentemente as palavras "please" e "*thank you*" (ou "*thanks*").

Tendo uma Conversa

Gina está na casa dos Redcliffs em Cardiff. Hoje é seu primeiro dia lá.

Ms Redcliff:	*Good morning, Gina. Did you sleep well? Would you like some breakfast?* (Bom dia, Gina. Dormiu bem? Gostaria de tomar café da manhã?)
Gina:	*Good morning. Yes, please, that would be lovely.* (Bom dia. Sim, por favor, seria ótimo.)
Ms Redcliff:	*What would you like? A full English breakfast with bacon and eggs, or a continental breakfast?* (O que gostaria? Um café da manhã inglês completo, com bacon e ovos, ou um café da manhã continental?)
Gina:	*The full English breakfast will be too much for me, I think. What's the continental breakfast?* (O café da manhã inglês completo será muito para mim, eu acho. Qual é o café da manhã continental?)
Ms Redcliff:	*I've got some croissants from the baker's for you, or there's a toast with jam, marmalade or honey. And fresh orange juice, and of course tea or coffee.* (Eu comprei alguns croissants da padaria para você ou há torrada com geleia, marmelada ou mel. E suco fresco de laranja e, é claro, chá ou café.)
Gina:	*The continental breakfast sounds perfect. I'll have some toast with jam, please. And some coffee. Thanks, I can see that I'm going to enjoy Wales!* (O café da manhã continental está perfeito. Vou comer torradas com geleia, por favor. E café. Obrigada. Vejo que vou adorar o País de Gales!)

Parte II: Inglês em Ação

Diversão e Jogos

1. Escreva o nome dos cômodos na Figura 9-1.

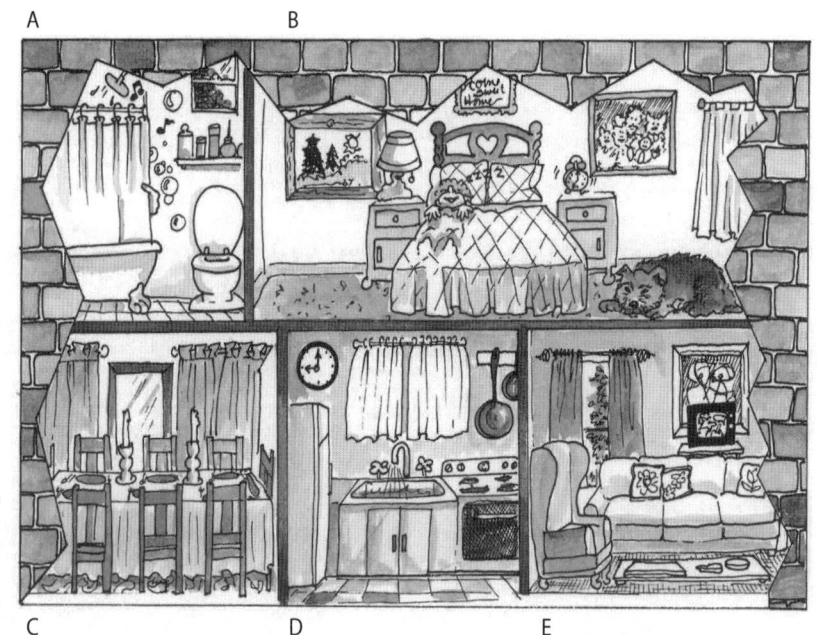

Figure 9-1: Os cômodos de uma casa.

Resposta:

A. bathroom   B. bedroom   C. dining room   D. kitchen   E. living room

2. As palavras a seguir formam nomes de móveis e objetos mostrados na Figura 9.1. Desembaralhe as letras em cada palavra e diga a qual cômodo pertence cada móvel ou objeto.

erwsho	plam	bleat	crkooe	gru
thab	teprac	carih	gedfir	carihram
oitelt	ebd	aplet	nsik	soaf

Resposta:

a) bathroom: toilet, bath, shower

b) bedroom: bed, carpet, lamp

c) dining room: plate, chair, table

d) kitchen: sink, fridge, cooker

e) living room: sofa, armchair, rug

3. Diga esses e-mails e endereços da internet.

a) marta.sanchez@spainexports.com

b) costas_nikiforou@yahoo.co.uk

c) paulwilson@marketing.ukexports.com

d) www.uksports.co.uk

e) www.flats-rental.com

f) www.nanniesuk.com/conditions

Resposta:

a) marta dot Sanchez at spainexports (all one word) dot com

b) costas underscore nikiforou at yahoo dot co dot uk

c) paulwilson (all one word, all lower case) at marketing dot ukexports dot com

d) www dot uksports (all one word) dot co dot uk

e) www dot flats dash rental dot com

f) www dot nanniesuk (all one word) dot com forward slash conditions

Capítulo 10
Inglês Escrito

Neste capítulo

▶ Lendo jornais e revistas escritos em inglês

▶ Decifrando placas

▶ Preenchendo formulários

▶ Compondo cartas

▶ Escrevendo e-mails em inglês

▶ Observando a diferença entre o inglês escrito e falado

Para muitas pessoas em diversas situações, o mais importante no aprendizado de uma língua é saber como se comunicar oralmente e o menos importante é saber como escrevê-la. Falar e compreender um idioma são normalmente os itens primordiais de aperfeiçoamento quando se quer estabelecer uma interação com outras pessoas – a leitura geralmente vem depois desse estágio e a escrita, muito depois.

Se você for morar ou trabalhar no Reino Unido, também deve ser capaz de ler e escrever em inglês. Entretanto, o objetivo principal da maioria das pessoas é conseguir se comunicar com os outros. Neste capítulo abordamos o inglês escrito – tanto como algo que você precisa estar apto para escrever quanto como algo que você necessita ter condições de produzir, seja preenchendo um formulário ou escrevendo para um jornal para reclamar de alguma coisa.

Lendo Jornais e Revistas

Jornais (*newspapers*) e revistas (*magazines*) fazem parte da vida da maioria das pessoas. No Reino Unido, você vê muitas pessoas lendo jornais a caminho do trabalho ou tomando um longo café da manhã aos domingos, em pubs ou cafés, com uma enorme pilha de jornais. Os jornais de domingo (*Sunday papers*) são constituídos de diferentes cadernos, tais como noticiário, cultura, estilo, jardinagem, automóveis, finanças e uma revista de atualidades. Pode-se levar o dia inteiro lendo todos os cadernos.

Além dos jornais tradicionais (dos quais falaremos mais adiante), você encontra dezenas de revistas diferentes em uma típica loja de jornais e revistas britânica – desde revistas de música popular a computação, jardinagem, fotografia, tricô, política e sociedade. Na verdade, é provável que você possa achar revistas especializadas em qualquer área de interesse. Algumas pessoas assinam as que mais gostam (*subscribe*). As assinaturas (*subscriptions*) geralmente são mais baratas do que comprar cada edição separadamente e as revistas são entregues em casa. Outras preferem ler suas publicações favoritas na internet – embora recomendemos não fazer isso no banho!

Palavras a Saber

tabloid (tabloide (formato))

broadsheet (formato standard (usado pelos maiores jornais brasileiros))

freesheet (jornal distribuído gratuitamente)

home (UK) news (notícias do país)

international (internacional)

world (mundo)

business (negócios)

technology (tecnologia)

science (ciência)

health (saúde)

sports (esportes)

weather (tempo)

obituaries (obituários)

puzzles (quebra-cabeças)

cartoons (charges)

horoscopes (horóscopo)

personals (anúncios pessoais)

TV guide (programação da televisão)

Tendo uma Conversa

Klaus lê o jornal a caminho do trabalho e conversa com sua colega Karen.

Klaus: *Don't you ever read the newspaper on the way to work, Karen?* (Você nunca lê o jornal a caminho do trabalho, Karen?)

Karen: *Not really. I watch the news on telly before I leave for work, and then I usually just listen to music on the train. Do you always read the paper?* (Na verdade, não. Eu vejo o noticiário na TV antes de ir para o trabalho e depois normalmente ouço música no trem. Você sempre lê o jornal?)

Klaus: *Not all of it. I read the news, you know national, international – those sections. And then I have a quick look through the other parts.* (Não todo ele. Leio o noticiário, você sabe, do país e internacional – essas seções. E depois olho rápido as outras partes.)

Karen: *I think they are pretty boring – all those political features and loads of pages of sport and business.* (Acho que são muito chatas – todos aqueles artigos de política e as montanhas de páginas de esportes e negócios.)

Klaus: *Well, you don't need to read those parts. I like the football section and I often read the obituaries and TV guide, to see if there is anything on tonight.* (Bem, você não precisa ler essas partes. Eu gosto da seção de futebol e normalmente leio os obituários e a programação da TV para ver se irá passar alguma coisa à noite.)

Karen: *Obituaries? Usually, I have no idea who they're writing about.* (Obituários? Eu normalmente não tenho ideia sobre quem estão escrevendo.)

Klaus: *No, but it's interesting to read about other people's lives.* (Não, mas é interessante ler sobre a vida de outras pessoas.)

Karen: *If you say so!* (Se você diz!)

[*They arrive. Klaus gets up and leaves his newspaper on the seat.*]
([Eles chegam. Klaus levanta e deixa seu jornal no banco.])

Karen: *Are you leaving the paper here?* (Vai deixar o jornal aqui?)

Klaus: *Yes, I'm just taking the second section to read on the way home.* (Sim, só vou levar o segundo caderno para ler a caminho de casa.)

Karen: *Do you mind if I take the main part?* (Você se importa se eu levar a parte principal?)

Klaus: *But I thought you didn't like papers!* (Mas eu achei que você não gostasse de jornais!)

Karen: *Well, there's the horoscopes. Oh, and the cartoons. And I usually read through the personals. And...* (Bem, tem o horóscopo. Ah, e as charges. E eu geralmente dou uma olhada na seção pessoal. E...)

Jornais britânicos

Em geral, os jornais britânicos são divididos em dois tipos diferentes: os de formato standard (*broadsheet*) e os tabloides (*tabloids*). Os jornais de formato *standard* são tradicionalmente maiores do que os tabloides e as manchetes escritas, em sua maioria, com chamativas letras vermelhas (como o *Sun*). Normalmente, as pessoas consideram os jornais *standard* de melhor qualidade (eles contêm cadernos de noticiário nacional e internacional, negócios, entre outros) e os tabloides são famosos por causa de seus artigos sobre celebridades, jogadores de futebol, televisão e sexo!

A diferença hoje não é tão clara como costumava ser, em especial porque os *standards* mudaram de tamanho e adotaram formatos de tabloide (provavelmente porque são mais fáceis de ler em ônibus e metrôs). Hoje, você encontra o *The Times* do mesmo tamanho que o *Daily Mirror*, o que pode gerar confusão na hora de comprá-los. Para confundir ainda mais, há um terceiro formato, chamado "berlinense" (*berliner*), que é o que o *Guardian* usa. A maioria dos jornais, nacionais ou regionais, adota tradicionalmente um ponto de vista político, embora algumas vezes não seja tão óbvio reconhecê-lo — muitos leitores esperam que o *Daily Telegraph* seja mais simpático ao Partido Conservador e o *Guardian* mais conveniente aos eleitores do Partido Trabalhista.

Hoje em dia, quase todas as cidades distribuem jornais gratuitos no transporte público, em lojas e nas ruas. Eles são chamados de "*freesheets*" — *Metro* e *The London Paper* são alguns exemplos. Entretanto, a maior parte desses jornais retira as notícias da internet. Por isso, você não encontra histórias completas ou análises políticas profundas — são jornais para serem lidos a caminho do trabalho. A vantagem é que você pode fazer o jogo de Sudoku.

Entendendo as manchetes de jornais

Jornais e revistas possuem estruturas e linguagens próprias e falantes de outras línguas normalmente têm dificuldades para entender as manchetes (*headlines*) dos artigos. Isso acontece porque os jornais não incluem nos títulos muitas palavras. Aqui estão alguns exemplos engraçados de manchetes – veja se consegue perceber a graça em cada uma delas:

- *Drunk Gets Nine Month in Violin Case* [um bêbado (*drunk*) pega nove meses de cadeia (*gets nine month*) após sua condenação por um crime envolvendo um violino (*in violin case*, ao pé da letra, no caso do violino).] A graça está no duplo sentido da expressão *violin case*. Em inglês, *violin case* também pode ser estojo do violino. Então, qualquer desatento poderia entender que o bêbado pegou nove meses de cadeia dentro de um estojo de violino.

- *Eye Drops off Shelf* [os colírios (*eye drops*) foram removidos (*off*) das prateleiras (*shelf*) das farmácias por algum motivo.] Aqui, as palavras *eye drops* significam colírio. Entretanto, *drop* também é um verbo e acrescido de *off* (que vem logo depois – *drops off*), significa cair. Assim, a graça está em visualizar um olho (*eye*) que cai (*drops off*) de uma prateleira (*shelf*) e rola para algum lugar!

- *Eastern Head Seeks Arms* [o líder de um país do Oriente (*Eastern Head*) busca (*seeks*) armamento (*arms*).] Entretanto, *Eastern Head*, ao pé da letra, significa "cabeça do Oriente" e *arms* também pode significar "braços". Então, o trocadilho ficaria: "Cabeça do Oriente busca braços"!

- *Squad Helps Dog Bite Victim* [um grupo de pessoas (*squad*) ajuda (*helps*) uma vítima de mordida de cachorro (*dog bite victim*). Se não for lida atentamente, pode parecer que o grupo de pessoas (*squad*) ajuda (*helps*) o cachorro (*dog*) a morder (*bite*) a vítima (*victim*).

- *Stolen Painting Found by Tree* [pintura roubada (*stolen painting*) achada (*found*) perto de uma árvore (*by tree*).] Mas *by* também pode ser "pelo / pela". Entretanto, a pintura não foi achada pela árvore.

- *Miners Refuse to Work after Death* [mineradores (*miners*) recusam-se (*refuse*) a trabalhar (*to work*) depois da morte (*death*)]. A morte provavelmente foi de algum outro minerador. Eles não estão se recusando a trabalhar depois de mortos!

Anúncios pessoais

Algumas partes do jornal são mais pessoais do que outras. Nessas seções estão os obituários (*obituaries* – anúncios de pessoas que morreram recentemente), os comunicados (*announcements* – anúncios de casamentos, de políticos ou da realeza) e os pessoais (*personals* – pequenos classificados anunciados por pessoas procurando parceiros). Cada um desses tem seu próprio vocabulário, mas talvez você mesmo queira dar uma olhadinha neles.

Tendo uma Conversa

Pascale está lendo a seção pessoal do jornal local durante um intervalo do trabalho.

Pascale: *I don't understand half of these messages; it's like some kind of secret code.* (Não entendo a metade dessas mensagens. É como se tivessem algum tipo de código secreto.)

Melaine: *What do you mean? The paper?* (O que quer dizer? O jornal?)

Pascale: *The personal ads – I thought it might be fun to meet some new people.* (Os anúncios pessoais – pensei que seria legal conhecer pessoas novas.)

Melaine: *So what's the problem?* (Então, qual é o problema?)

Pascale: *Well, what does GSOH mean?* (Bem, o que quer dizer GSOH?)

Melaine: *Easy: good sense of humour.* (Fácil: bom senso de humor (good sense of humour).)

Pascale: *Oh! So all English men have good sense of humour, do they?* (Ah! Então todos os ingleses têm bom senso de humor, não têm?)

Melaine: *They do in personals.* (Eles têm nos anúncios.)

Pascale: *What about WLTM?* (E quanto a WLTM?)

Melaine: *Would like to meet.* (Gostaria de conhecer (would like to meet).)

Pascale: *Why does it have to be so complicated?* (Por que precisa ser tão complicado?)

Melaine: *Because you pay per word in the personal adverts. Any others?* (Porque você paga por palavra nos anúncios pessoais. Outra?)

Pascale: *Loads! N/S, LTR, ISO...* (Várias! N/S, LTR, ISO...)

Melaine: *Let's see: non-smoker, long-term relationship, in search of!* (Vejamos: não fumante, relacionamento sério, à procura!)

Pascale: *You seem you know a lot of about this...* (Parece que você entende bastante disso...)

Melaine: *Oh, I read them all the time – you never know!* (Ah! Eu sempre leio esses anúncios – nunca se sabe!)

Pascale: *It's all too complicated for me. I think I'll join a gym or something.* (É tudo muito complicado para mim. Acho que vou me matricular em uma academia ou outra coisa...)

Lendo seu horóscopo

E quanto à outra parte famosa do jornal – o horóscopo? Aqui você encontra vários adjetivos para descrever pessoas. Veja alguns comuns:

Palavras a Saber

Adjetivos com sentido positivo	Adjetivos com sentido negativo
generous (generoso)	*stingy* (mesquinho)
placid (calmo)	*fiery* (impetuoso)
selfless (abnegado)	*selfish* (egoísta)
optimistic (otimista)	*pessimistic* (pessimista)
funny (engraçado)	*serious* (sério)
sceptical (cético)	*gullible* (crédulo)
sociable (sociável)	*unsociable* (retraído)
reliable (de confiança)	*unreliable* (indigno de confiança)
modest (modesto)	*boastful* (orgulhoso)

Os horóscopos normalmente são escritos no futuro, usam muitas frases feitas (porque tudo é harmonizado pela conjunção dos astros e dos planetas!) e diversas possibilidades para ações alternativas (porque somos todos um pouco diferentes). Você encontra exemplos da linguagem a seguir em horóscopos.

Verbos modais

Muitas estruturas verbais como *will*, *may*, *might* e *could* remetem à probabilidade e possibilidade.

- *You will meet a tall, dark stranger.* (algo certo) (Você encontrará um desconhecido alto e misterioso.)

- *You may / might meet a tall, dark stranger.* (algo possível) (Você poderá encontrar um desconhecido alto e misterioso.)

- *You could meet a tall, dark stranger.* (algo não muito provável) (Você poderia encontrar um desconhecido alto e misterioso.)

- *You won't meet a tall, dark stranger.* (algo impossível) (Você não encontrará um desconhecido alto e misterioso.)

Signos

Os doze signos do zodíaco são:

Aries (Áries)	O Carneiro	*Libra* (Libra)	A Balança
Taurus (Touro)	O Touro	*Scorpio* (Escorpião)	O Escorpião
Gemini (Gêmeos)	Os Gêmeos	*Sagittarius* (Sagitário)	O Arqueiro
Cancer (Câncer)	O Caranguejo	*Capricorn* (Capricórnio)	Cabra
Leo (Leão)	O Leão	*Aquarius* (Aquário)	O Portador da Água
Virgo (Virgem)	A Virgem	*Pisces* (Peixes)	Os Peixes

Você geralmente diz: *"I'm Aries"* ou *"I'm an Aries"*.

Condicionais

Nos horóscopos, os condicionais são usados para falar de coisas que podem acontecer caso uma anterior também aconteça:

- *If you work hard, you will surely be promoted today.* (Se trabalhar duro, certamente será promovido hoje.)

- *If you continue to be generous, true love will find you.* (Se continuar a ser generoso, o amor verdadeiro o encontrará.)

Imperativo

Nos horóscopos, o imperativo (verbo no infinitivo) é usado para dar conselhos:

- *Don't try to do too much today.* (Não tente fazer muito hoje.)

- *Stay away from temptation at the pub.* (Fique longe das tentações no pub.)

Tendo uma Conversa

Juan e Peter estão sentados no pub depois do trabalho. Peter parece um pouco deprimido.

Peter: *I knew it was going to be a bad day when I read my horoscope!* (Eu soube que hoje seria um dia ruim quando li meu horóscopo!)

Juan: *Your what?* (Seu o quê?)

Peter: *Horoscope.* (Horóscopo.)

Juan: *You don't believe them, do you?* (Você não acredita neles, acredita?)

Peter:	*It was exactly right today. Listen: "Your fiery nature will get you into trouble today at work with a sceptical superior who will think you are unreliable. Keep your mouth closed, don't boast your achievements and you may survive the day!".* (A previsão estava completamente certa hoje. Ouça: "Sua natureza impetuosa trará problemas com um chefe cético hoje no trabalho. Ele pensará que você é indigno de confiança. Mantenha a boca fechada, não se vanglorie de suas realizações e poderá sobreviver ao dia!".)
Juan:	*What does "fiery" mean?* (O que quer dizer "impetuoso"?)
Peter:	*Umm... unpredictable, maybe a little bad-tempered.* (Hum... imprevisível, talvez com o gênio um pouco ruim.)
Juan:	*Right! What about "sceptical"?* (Certo! E quanto a "cético"?)
Peter:	*That's like when someone doesn't believe everything you tell them.* (É quando alguém não acredita em nada do que você lhe diz.)
Juan:	*Well, that makes sense – you're certainly fiery!* (Bem, isso faz sentido – você é, de fato, impetuoso!)
Peter:	*I'm not! But you know what Mike's like – he never believes a word I tell him.* (Não sou! Mas você sabe como o Mike é – ele nunca acredita em uma palavra que eu digo.)
Juan:	*Well, I hope you kept your mouth shut for the day?* (Bem, espero que você tenha mantido a boca fechada hoje.)
Peter:	*I wish! Anyway, let's have a look at yours!* (Quem me dera! De qualquer forma, vamos dar uma olhada no seu!)
Juan:	*You really believe in these things?* (Você realmente acredita nessas coisas?)
Peter:	*Of course! Let's see. "Your generous and sociable nature will shine today."* (Claro! Vejamos. "Sua natureza generosa e sociável brilhará hoje!")
Juan:	*Oh yes, that sounds exactly like me.* (Ah, sim! É exatamente como sou.)

Decifrando placas

As placas são, muitas vezes, uma fonte de informação problemática. Especialmente quando têm símbolos e imagens desconhecidas ou contêm instruções complicadas ou expressões difíceis de compreender. Nesta parte veremos algumas das sinalizações mais comuns em uma cidade.

Um dos tipos de placas mais importante para se conhecer é a sinalização de trânsito (*road signs*). Vejamos as características mais comuns:

✔ Placas com um triângulo vermelho, como mostra a Figura 10-1a, normalmente avisam sobre perigos.

✔ Placas com o círculo vermelho, como mostra a Figura 10.1b, normalmente dão instruções.

Capítulo 10: Inglês Escrito **187**

✔ Uma placa com o fundo azul ou verde (Figura 10-1c) indica as direções. Verde para estradas principais e azul para vias expressas.

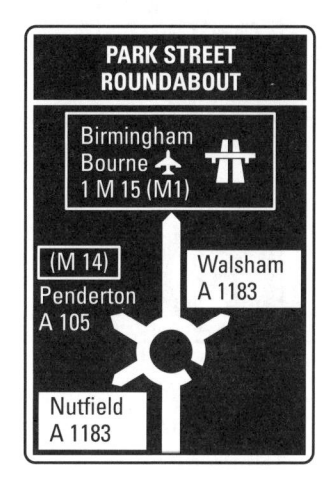

Figura 10-1
Diferentes sinalizações de trânsito no Reino Unido.

a. *Hazard ahead*
(Perigo à frente)

b. *No right turn*
(Proibitdo virar à direita)

c. Vias expressas são indicadas pelo fundo azul e estradas principais, pelo verde.

Para mais informações sobre sinalização de trânsito, acesse o site `www.driving-test-succes.com/uk-road-signs.htm`.

As placas (*signs*) normalmente usam o imperativo – observe-as atentamente porque informam o que você pode ou não fazer. Certas placas oficiais também dizem o que acontece quando você as ignora. Algumas vezes pode ser uma multa (*fine*) ou prisão (*prosecution* – quando a polícia prende o indivíduo e depois ele tem que responder a um processo). Aqui estão algumas placas britânicas muito comuns e os lugares onde são encontradas:

✔ ***No Smoking (não fume):*** em diversos lugares – pubs, restaurantes, transportes e locais públicos, como bibliotecas e afins.

- **No Trespassing (não ultrapasse):** em propriedades privadas, essa placa informa que você não pode entrar na propriedade.

- **No Parking (proibido estacionar):** muito comum – tome cuidado com as multas!

- **No Waiting (proibido parar):** em *high streets* e em ruas movimentadas, significa que você não pode parar seu carro nesses lugares.

- **No Swimming (não nade):** em lagos, rios e praias considerados perigosos, essas placas não são encontradas em piscinas, mas há muitas outras sinalizando sobre mergulhos, comida etc.

- **No Commercial / Junk Mail (não coloque correspondências desnecessárias):** em caixas de correio, para aqueles que entregam correspondências comerciais, tais como panfletos, brochuras e similares, essa placa pede que a pessoa seja gentil e respeite a vontade do dono.

> **No Fly Posting**

> ✔ *No Fly Posting (não cole cartazes):* em paredes, vitrines de lojas e afins, significa que você não pode colar cartazes nesses lugares.

Como você pôde observar, as placas são, em geral, muito claras. Se ler a palavra "*no*" em um aviso, significa que não pode fazer algo. Caso não reconheça as palavras de uma placa, olhe bem o desenho – normalmente ajuda. E se vir uma placa dizendo "*Beware of the Dog*", não é uma boa ideia abrir o portão ou a porta!

Preenchendo Formulários

A qualquer momento de sua estada no Reino Unido, você poderá ter que preencher um formulário (*fill in some forms*). Como em muitos países, os britânicos têm formulário para tudo: para requerer um novo passaporte ou visto, abrir uma conta bancária, pedir uma conexão de internet para casa, matricular-se em uma academia, cadastrar-se em uma biblioteca ou em uma locadora de DVDs...

A maioria dos formulários tem vários itens em comum, mas você precisa preenchê-los de forma correta. Funcionários públicos são muito exigentes no preenchimento dos dados e você deve completá-los propriamente.

Em geral, é necessário que o formulário seja preenchido com caneta preta (*black*) ou azul (*blue*) e em letras de forma (*block capitals*) – e essas letras devem ser escritas de forma clara nos espaços. Em certas situações, você não precisa escrever nada: uma pessoa pergunta seus dados e preenche a ficha para você, normalmente no computador.

Tendo uma Conversa

Goran está solicitando o visto para visitar o Vietnã nas férias.

Official: *Right, I need to ask you a few questions for the application form.* (Certo, eu preciso fazer algumas perguntas para preencher o formulário de solicitação.)

Goran: *Sure, no problem!* (Claro, sem problema!)

Official: *Surname?* (Sobrenome?)

Goran: *I'm sorry?* (Desculpe?)

Official: *Your surname... um... family name?* (Seu sobrenome... hum... nome de família?)

Goran: *Oh yes, I see. It's Simic: S-I-M-I-C.* (Ah, sim, entendi. É Simic: S-I-M-I-C.)

Official: *First names?* (Primeiro nome?)

Goran:	*Goran: G-O-R-A-N.* (Goran: G-O-R-A-N.)
Official:	*Date and place of birth?* (Data e local de nascimento?)
Goran:	*Fourth of May, nineteen eighty-two, Zagreb, Croatia.* (Quatro de maio de 1982, Zagreb, Croácia.)
Official:	*Nationatily – Croatian, I suppose?* (Nacionalidade – croata, imagino?)
Goran:	*Yes, that's right.* (Sim, está certo.)
Official:	*Passport number?* (Número do passaporte?)
Goran:	*Seven two seven one three eight two four nine.* (Sete dois sete um três oito dois quatro nove.)
Official:	*Date and place of issue?* (Data e local da emissão?)
Goran:	*Sorry, I don't understand.* (Desculpe, não entendi.)
Official:	*When and where did you get your passport?* (Quando e onde seu passaporte foi emitido?)
Goran:	*Oh, okay – twenty-seventh of July, two thousand and seven, here in London.* (Ah, certo. Vinte e sete de julho de 2007, aqui em Londres.)
Official:	*Purpose of your visit?* (Motivo da visita?)
Goran:	*It's for a holiday, actually.* (Férias, na verdade.)
Official:	*Single entry visa?* (Uma entrada?)
Goran:	*Sorry?* (Desculpe?)
Official:	*How many times will you be visiting Vietnam?* (Quantas vezes você vai visitar o Vietnã?)
Goran:	*Oh, just once.* (Ah, só uma.)
Official:	*Good, thanks – I'll just print this and then you can sign it.* (Bom, obrigado – só vou imprimir o documento para que possa assiná-lo.)

Outro tipo de formulário que talvez precise preencher é o de emprego. Se tiver que fazê-lo, esteja preparado para escrever a respeito dos tópicos relacionados a seguir:

- ✔ **Your education and qualifications (sua escolaridade e qualificações)** – os britânicos geralmente escrevem primeiro o nome da instituição de ensino e depois o curso, como por exemplo:

  University of Barcelona (UAB), 1989-93 – BA in English Philology, First Class

  Se você tiver curso superior ou algo acima, não é necessário colocar toda escolaridade (ensino fundamental, médio e outros), só a educação superior.

- ✔ **Your work experience (sua experiência de trabalho)** – coloque o nome da empresa ou da instituição, as datas e sua função:

  ACME Industries, 1993-97, Head of Marketing

Em alguns casos, é interessante expandir esse tópico, descrevendo exatamente o que fazia na função:

My job involved overall responsibility for corporate marketing as well as managing the marketing team of 20 people across our international offices.

Minha função englobava toda responsabilidade pelo marketing corporativo, bem como o gerenciamento da equipe de marketing, composta por 20 pessoas, em nossos escritórios internacionais.

- **Your hobbies and interests (seus hobbies e interesses)** – seja simples e escreva o que gosta de fazer. Para mais informações sobre hobbies, veja o Capítulo 7.

- **Your skills (suas habilidades)** – nesse tópico, você geralmente inclui as línguas estrangeiras, a carteira de motorista, as premiações ou certificados de cursos importantes. Não diga que você fala um idioma quando não fala. Mas, se quiser mencionar as línguas, pode tentar dessas formas:

Fluent spoken and written Spanish – mother tongue (espanhol fluente escrito e falado – língua mãe)

Fluent spoken English (inglês fluente falado)

Intermediate Portuguese (português intermediário)

Good working knowledge of Catalan (bons conhecimentos de catalão)

Escrevendo Cartas

Hoje em dia, as cartas pessoais praticamente desapareceram, pois as pessoas preferem escrever e-mails, usar redes sociais, como o Facebook, ou mandar mensagens de texto. Entretanto, há ocasiões em que precisará redigir um documento mais formal. Por isso, precisa saber um pouco da estruturação de cartas em inglês.

Aqui estão regras simples:

1. **Comece colocando seu endereço no topo, à direita.**

2. **Coloque o endereço do destinatário à esquerda, ao lado do seu. Abaixo, escreva a data.**

3. **Inicie a mensagem com a palavra "Dear" (caro, querido).**

   Se conhecer a pessoa para quem escreve, pode usar o primeiro nome (ex.: *Dear Michael*), mas se a relação for formal, use o sobrenome (ex.: *Dear Mr Jones*). Se não souber o nome da pessoa, utilize "*Dear Sir*" or "*Dear Madam*". E, se não souber o nome nem o sexo, escreva "*Dear Sir or Madam*".

4. **Escreva sua carta em parágrafos claros e lembre-se de evitar gírias, abreviações e erros ortográficos.**

5. Termine a carta com *"Yours sincerely"*, se começou com o nome da pessoa, ou *"Yours faithfully"*, se começou a carta sem mencionar o nome.

Aqui está um exemplo de carta para uma vaga de trabalho:

John Dunn & Sons Ltda.,
17 The Square
Luton
Bedfordshire LU12 9TR

13 Grenbrooke Terrace,
London SW168ED

Monday 12th January, 2010.

Dear Sir or Madam,

I'm writing in reference to your advertisement in The Times of today in which you advertise for a marketing executive for an immediate start in your Luton branch.

As you see in my CV (enclosed), I have 20 years' experience in the field and am currently actively seeking work after a short break working for the VSO in Mongolia.

I would be grateful if would give my CV your consideration and am available for interview at your convenience should you be interested in my particular skills and experience.

I look forward to hearing from you.

Yours faithfully,

Juan Serra.

Comunicando-se Eletronicamente

Nós falamos sobre escrever e enviar mensagens de texto no Capítulo 8. Outra forma muito usada de comunicação eletrônica são os e-mails. A maioria das empresas hoje em dia exige que você use e-mails, então, saber as convenções dessa forma de comunicação é uma boa ideia.

Você não precisa começar os e-mails com o mesmo tipo de cumprimento que usaria em outras correspondências escritas, tais como cartas (*letters*). As cartas formais começam com *Dear Sir*, *Dear Madam* ou *Dear Mr Johnson* (Prezado Senhor, Senhora ou Senhor Johnson), mas os e-mails normalmente excluem as saudações e são iniciados com o primeiro nome da pessoa ou *Mr* mais o nome.

Terminar um e-mail também é menos formal. Uma carta formal normalmente acaba com *"Yours sincerely"* (para aquelas que começam com *Dear* mais o nome) ou *"Yours faithfully"* (para as que começam com *Dear Sir* ou *Madam*). E-mails terminam, em geral, com expressões do tipo *"Best wishes"* (felicitações) ou simplesmente *"Best"*.

Entretanto, você escreve e-mails em uma linguagem formal quando estão relacionados com o trabalho ou a questões oficiais. Com amigos e família você pode ser tão informal quanto se estivesse falando pessoalmente com eles.

Diferenciando o Inglês Escrito do Falado

A principal diferença entre o inglês escrito e o falado é provavelmente a questão da formalidade – o inglês escrito tende a ser mais formal – mas não tão simples quanto isso.

O nível de formalidade depende do contexto em que estiver sendo utilizado. O inglês escrito (*written English*) pode ser informal (como em mensagens de texto, e-mails, entre outros) e o inglês falado pode ser igualmente formal (pense no noticiário da televisão, por exemplo).

Como na maioria das línguas, o contexto é o fator que dita as regras. Tente pensar na situação em que se encontra, com quem fala ou a quem escreve. Um e-mail para seu chefe é diferente de um para seu (sua) namorado(a) – ao primeiro você escreve, "*I was wondering if you'd like to get together for dinner tonight to discuss...*" (Gostaria de saber se quer jantar hoje à noite para discutirmos...), e ao segundo, "*Hey, honey! Dinner later? XXX*" (Oi, querido(a)! Jantar mais tarde? beijos!). Dessa forma, a linguagem pode ser formal ou informal – depende de quem irá receber a mensagem.

Abreviações são comuns nas mensagens de texto (*text messaging*), mas muitos profissionais escrevem frases completas nas mensagens de texto e digitam e-mails como se estivessem escrevendo cartas tradicionais. Se for responder a alguém, procure copiar o estilo da pessoa o máximo possível – pelo menos no ambiente profissional.

Se for fazer uma apresentação (*presentation*) no trabalho, é inapropriado usar muitas gírias e expressões coloquiais. Você precisa conhecer o público! Saber com quem fala ou a quem escreve é uma habilidade valiosa. Preste atenção nos exemplos de inglês escrito e falado que o cercam durante o dia e guarde em sua mente a situação e as pessoas envolvidas. Depois de um tempo essa distinção é feita de forma mais natural.

Diferentemente de outras línguas, o inglês não tem um modo de se referir ou uma estrutura verbal mais educada ou formal. Assim, a formalidade advém da escolha das palavras e da entonação – ou da estrutura dos textos escritos.

Em geral, um dos erros mais comuns que as pessoas cometem ao falar novas línguas é usar muitas gírias e palavrões porque pensam que assim soam como os nativos. Tenha um cuidado especial com os palavrões em inglês. Aqueles que não são tão ofensivos em sua língua podem ficar bastante agressivos quando traduzidos para o inglês – e muitas situações embaraçosas podem acontecer.

Xingamentos proferidos por falantes não nativos podem soar um pouco forçados ou artificiais. Novamente, o truque é esperar e ouvir – perceba quem xinga perto de você e quando o faz. Assim, se você se sentir confortável e se xingar é algo que você faria naturalmente, pode começar a experimentar. Entretanto, lembre-se de que as pessoas ao redor podem achar um pouco estranho.

Palavrões em inglês escrito (exceto em romances e outras literaturas) é muito raro, e você deve fazer isso com cautela.

Diversão e Jogos

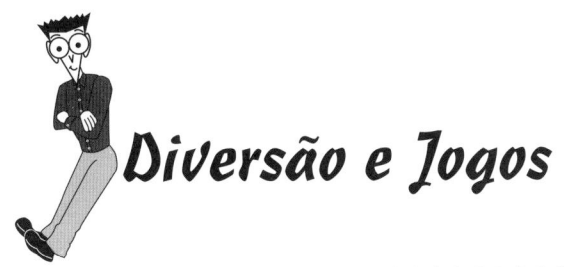

1. Relacione o adjetivo à descrição:

Como você descreveria alguém que...

1) Buys gifts and drinks for people regularly? _____
2) Always helps other people? _____
3) Jokes about everything? _____
4) Likes going to parties and social gatherings? _____
5) Always expects the worst to happen? _____
6) Has a high opinion about of herself? _____
7) Doesn´t believe everything she´s told? _____
8) Lets people down a lot? _____
9) Has a very calm nature? _____
10) Believes everything she´s told? _____

sociable	generous	pessimistic	gullible	unreliable
sceptical	selfless	placid	funny	boastful

Resposta:

1) generous
2) selfless
3) funny
4) sociable
5) pessimistic
6) boastful
7) sceptical
8) unreliable

9) placid

10) gullible

2. As frases abaixo são exemplos de inglês falado (spoken) ou escrito (written)?

1) Choose one of the options below.

2) CU@8 in the pub X

3) What are you up to, mate?

4) I'm looking forward to hearing from you.

5) Hi, John, It's Gary – how's going?

6) Smoking is prohibited in the building.

7) Have you got a second?

8) That's the end of the presentation. Any questions?

9) Flyposters will be prosecuted.

10) And in today's headlines, the prime minister's under pressure.

Resposta:

1) written

2) written

3) spoken

4) written

5) spoken

6) written

7) spoken

8) spoken

9) written

10) spoken

Parte III
Inglês a Caminho

A 5ª Onda   por Rich Tennant

@RICHTENNANT

"Há alguns xingamentos em inglês que são bastantes apropriados para gritar neste momento, vamos revisar..."

Nesta parte...

Nós esperamos que tenha a oportunidade de visitar o Reino Unido e praticar seu inglês enquanto estiver lá. A primeira coisa que deve colocar na mala é este livro! Nesta parte, apresentamos muitas expressões relacionadas com viagens e andanças que você pode usar. Nós o ajudamos a lidar com bancos e cartões de crédito e indicamos onde e como trocar dinheiro. Também o auxiliamos com os preparativos da viagem, tais como fazer reservas em hotéis, pedir informações e usar o transporte público em uma nova cidade. Incluímos um capítulo sobre como lidar com emergências e como descrever problemas de saúde, bem como questões legais.

Esperamos que não precise usar o capítulo de emergências e que passe muito de seu tempo consultando as seções de viagem. Desfrute de sua viagem ao Reino Unido!

Capítulo 11
Dinheiro, Dinheiro, Dinheiro

Neste capítulo

▶ Usando caixas eletrônicos e cartões de crédito no Reino Unido

▶ Visitando o banco

▶ Trocando dinheiro

▶ Enviando e recebendo dinheiro de outro país

Apesar da quantidade de dinheiro que você terá que despender enquanto estiver no Reino Unido, seja de férias ou a trabalho, este capítulo é um bom lugar para você descobrir os altos e baixos de gastá-lo.

Como em muitos países, os britânicos fiam-se mais no "plástico" (cartões de crédito e débito), do que no dinheiro vivo, hoje em dia. É mais natural pagar com cartão do que de qualquer outra forma. Você ainda pode pagar em dinheiro, é claro, e usar os caixas eletrônicos instalados nos bancos, nas instituições financeiras, bem como nos grandes centros comerciais.

Mostrando a Grana: Moedas e Cédulas

Diferentemente da Europa continental, a Grã-Bretanha não aderiu ainda ao euro e mantém sua própria moeda, constituída de "*pounds*" e "*pence*".

As moedas no Reino Unido são as seguintes:

- 1p (um *pence* ou um "p")
- 2p
- 5p
- 10p
- 20p
- 50p
- ₤1 (um *pound*)
- ₤2

E as notas são:

- £5 (cinco *pounds*)
- £10
- £20
- £50

As cédulas (*banknotes*) são de cores diferentes, por isso é fácil distingui-las. Você encontra a figura da rainha (*Queen*) em todas elas. Além da rainha, também há figuras de pessoas famosas nas cédulas. Essas figuras mudam, mas as atuais são: Elizabeth Fry, responsável por reformas nas prisões (£5); Charles Darwin, naturalista (£10); *Sir* Edgard Elgar, compositor (£20); Adam Smith, filósofo moral (£20); e *Sir* John Houblon, o primeiro presidente do *Bank of England* (£50).

Aqui estão algumas palavras úteis a respeito de dinheiro:

Palavras a Saber

pay (in) cash (pagar em espécie)	pay by cheque (pagar com cheque)	pay by card (pagar com cartão)
"Do you take cards?" ("Vocês aceitam cartão?")		
pay in a cheque (depositar um cheque)	cash a cheque (descontar um cheque)	take money out (sacar dinheiro)
pay money in (depositar dinheiro)	cashier (caixa)	safety deposit box (cofre bancário)
coins (moedas)	notes (notas)	

Sacando Dinheiro num Caixa Eletrônico

Algumas pessoas gostam de máquinas que falam (nós não – detestamos até entrar em elevadores que conversam conosco: "portas fechando", "subindo"...) e você precisa se acostumar a certo tipo de linguagem quando lida com elas. Quando você usa um caixa eletrônico em seu país, há opções em sua língua. Mas você pode precisar sacar dinheiro em inglês. Aqui está o que deve saber:

1. ***Insert your card, enter your PIN (Personal Identification Number, which is your four-digit number) and push the green confirm button.*** (Insira seu cartão, digite seu PIN – número de identificação pessoal, que tem quatro dígitos – e aperte o botão verde de confirmação.)

2. *Select a service, such as withdrawing cash.* (Selecione um serviço, como saque.)

   Você também pode ver seu saldo (*balance*), entre outros.

3. *Select the amount you want to withdraw or enter a particular amount.* (Selecione a quantia que deseja sacar ou digite outro valor.)

4. *Decide whether you want a receipt.* (Decida se quer o extrato.)

   Normalmente o caixa eletrônico permite que você veja o saldo na tela ou imprima o extrato.

5. *Take your card, then take your cash and receipt.* (Retire seu cartão, pegue o dinheiro e o extrato.)

   Muitos caixas eletrônicos emitem um ruído neste momento para lembrá-lo de que o dinheiro está esperando. Se não pegá-lo bem rápido, a máquina recolhe as notas de volta!

Algumas vezes algo dá errado e a máquina "engole" (*swallow*) seu cartão (o cartão fica preso dentro da máquina). Normalmente, há um número de telefone afixado na máquina para ser usado, em casos de emergência.

Anote em um caderninho os números de telefone que estão escritos atrás dos cartões de crédito ou débito (*credit and debit cards*) – se perdê-los ou alguém os roubar, você pode telefonar e cancelar os cartões antes que um esperto gaste todo seu dinheiro!

Expressões idiomáticas relacionadas com dinheiro

Aqui estão algumas expressões úteis relacionadas com dinheiro:

- *Pay through the nose for something* (pagar muito dinheiro por algo): "He paid through the nose for that car".
- *Cost an arm and a leg* (custa muito dinheiro): "That meal cost an arm and a leg".
- *Be worth a pretty penny* (tem um alto valor): "That new house of theirs must be worth a pretty penny".
- *Not have two pennies to rub together* (ser muito pobre): "Since he lost his job they haven't had two pennies to rub together".
- *Go Dutch* (dividir as despesas entre as pessoas): "Shall we go Dutch on dinner?".
- *Be hard up* (não ter muito dinheiro): "I'm really hard up this month since I paid all the bills".
- *Be on the house* (grátis, pago pelo dono): "It's my birthday", disse o dono, "drinks are on the house".
- *Laugh all the way to the bank* (ganhar muito dinheiro): "Since they published their book they've been laughing all the way to the bank".
- *Have more money than sense* (gasta muito dinheiro sem controle): "He's bought another sports car — he's got more money than sense".
- *Set you back* (custar): "A house like that probably set you back about £300,000".

Usando o Cartão de Crédito

Nós não precisamos lhe dar uma lição sobre bancos nem dizer como cuidar de seu dinheiro – mas certifique-se de que tenha o controle do que estiver gastando quando em outro país.

A maioria das lojas, restaurantes, *pubs*, postos de gasolina, entre outros estabelecimentos no Reino Unido, aceita cartões de crédito e você não terá problemas em usá-los. Algumas lojas menores determinam um valor mínimo de compras no cartão de crédito (*minimum charge*), porque lhes é cobrado um percentual para aceitar esse tipo de pagamento. Assim, é bom perguntar antes de começar a comprar.

Pagando com cartão

O Reino Unido usa um sistema chamado "*chip and pin*". Todos os cartões possuem um chip eletrônico que é ativado através de um número de identificação pessoal (*pin code – Personal Identification Number* ou *PIN*). No ato da compra, o vendedor pede que você insira seu *PIN* (*punch in your PIN* ou *enter your PIN*). Nesse tipo de transação, você não precisa assinar o comprovante. Dizem que esse sistema é muito mais seguro do que o antigo.

Mesmo se você tiver um cartão mais antigo, sem o sistema chip and pin, ainda consegue usá-lo em quase todos os lugares (embora nós tenhamos tido alguns problemas com máquinas de refrigerante, como aquelas que ficam no metrô de Londres).

Tendo uma Conversa

Piotr está em seu *gastropub* (um pub especializado tanto em bebida quanto em comida) habitual. Ele está jantando com um amigo do trabalho, Michael.

Piotr:	*Hi, I'd like to order some food and drinks, please.* (Oi, gostaria de pedir comida e bebida, por favor.)
Bartender:	*No problem. What number table are you at?* (Sem problema. Qual o número da sua mesa?)
Piotr:	*Oh, I don't know.* (Ah, não sei.)
Bartender:	*The numbers are on the table top – a small round metal tag. I need the number so I can bring you your food.* (Os números ficam em cima da mesa – uma plaquinha redonda de metal. Preciso do número para que possa levar a comida.)
Piotr:	*Okay, one second. [He goes to look for the number.] Okay, it's table fourteen.* (Certo, um segundo. [Ele vai procurar o número.] Certo, é mesa 14.)
Bartender:	*Great! What can I get you?* (Ótimo! O que vai querer?)

Piotr:	*One fish and chips and one steak and ale pie, please. And a bottle of the Chilean red wine you recommend.* (Uma porção de fish and chips, um steak and ale pie, por favor. E uma garrafa do vinho chileno que recomendar.)
Bartender:	*Okay, that's twenty-four sixty-five please. [Piotr hands over a credit card.] Do you want me to keep this here in case you want more food or drink?* (Certo, são vinte e quatro e sessenta e cinco, por favor. [Piotr entrega o cartão de crédito.] Quer que eu fique com ele aqui no caso de querer mais comida ou bebida?)
Piotr:	*Sure, thanks very much.* (Claro, muito obrigado.)
Bartender:	*Okay – we'll bring everything over when it's ready.* (Certo – entregaremos tudo quando estiver pronto.)

[At the end of the evening, Piotr goes to pay.] ([No final da noite, Piotr vai pagar.])

Bartender:	*That's thirty-nine seventy-four in total, please. I'll just put that through for you.* (São trinta e nove e setenta e quatro no total, por favor. Vou só passar o cartão para você.)
Piotr:	*It's a foreign card, not chip and pin.* (É um cartão estrangeiro, não é chip and pin.)
Bartender:	*No problem. Here's your receipt – and if you could just sign this for me, please?* (Sem problema. Aqui está seu comprovante – se puder assiná-lo para mim, por favor.)
Piotr:	*Sure. And thanks for everything.* (Claro. E obrigado por tudo.)
Bartender:	*You're welcome, sir. Have a good evening.* (De nada, senhor. Tenha uma boa noite.)

SABEDORIA CULTURAL

Muitos *pubs* ficam com seu cartão no balcão, permitindo que você consuma durante toda a noite e pague apenas uma conta quando sair, em vez de efetuar o pagamento toda vez que fizer um pedido. Essa é uma forma mais conveniente para você e barata para eles. Quando for fazer uma noitada, pergunte no bar se eles fazem isso.

Ih! Perdi o cartão!

Acontece! Se perder o cartão ou alguém roubar sua carteira, você precisa agir rápido. Caso simplesmente perca sua carteira, então tudo o que precisa fazer é telefonar para os números de emergência que ficam na parte de trás do cartão (você anotou os números, certo?), cancelá-los e pedir as substituições. Por outro lado, se alguém rouba sua carteira, é melhor cancelar os cartões e também reportar o roubo à polícia – isso é a garantia de que seu banco estará ciente de que você fez todo o possível para minimizar os problemas (leia o Capítulo 14 para instruções sobre a comunicação de um crime).

Tendo uma Conversa

A bolsa de Gina foi roubada e ela está telefonando para a empresa de cartões de crédito para cancelá-los.

Card company:	*Credit International, Stephen speaking, how can I help you?* (Credit International, Stephen falando, como posso ajudá-lo?)
Gina:	*Yes, hello. I've had my purse stolen and I'd like to cancel my cards, please.* (Sim, alô. Tive minha bolsa roubada e gostaria de cancelar meus cartões, por favor.)
Card company:	*I'm sorry to hear that, madam. I just need to get some basic information from you, if that's okay?* (Lamento por isso, senhora. Eu só preciso que me forneça algumas informações básicas, se estiver tudo bem.)
Gina:	*Of course, no problem.* (Claro, sem problema.)
Card company:	*Okay, could I have your full name please?* (Certo. Seu nome completo, por favor?)
Gina:	*Sure, it's Gina Li.* (Claro, é Gina Li.)
Card company:	*Is that L-I?* (É L-I?)
Gina:	*That's right.* (Correto.)
Card company:	*Great, and can you confirm which of our cards you have, please?* (Ótimo, e pode confirmar quais dos nossos cartões você possuía?)
Gina:	*Yes, I had a CI Shopping and a CI Classic.* (Sim, eu tinha um CI Shopping e um CI Classic.)
Card company:	*Okay. Now I need to ask you a couple of security questions. First, your date of birth, please?* (Certo. Agora preciso fazer algumas perguntas de segurança. Primeira, qual sua data de nascimento?)
Gina:	*It's the third of April, nineteen seventy-two.* (É três de abril de 1972.)
Card company:	*And your mother's maiden name?* (E o nome de solteira de sua mãe?)
Gina:	*Wang.* (Wang.)
Card company:	*Thank you, Ms Li. I'll just cancel those cards for you now and order some new ones for you.* (Obrigado, senhorita Li. Vou cancelar aqueles cartões e pedir novos para você.)
Gina:	*That's very kind, thank you.* (Isso foi muito gentil, obrigada.)
Card company:	*Can you confirm the address for the new cards, please?* (Pode confirmar o endereço para os novos cartões, por favor?)

Gina:	*Yes, it's thirteen Wood Drive, London, NW1.* (Sim, é 13 Wood Drive, Londres, NW1.)
Card company:	*No problem. The cards should be with you in three or four days. Is there anything else I can do for you today?* (Sem problema. Os cartões deverão chegar em três ou quatro dias. Há algo mais que possa fazer para você hoje?)
Gina:	*No, thank you – you've been very helpful.* (Não, obrigada – você ajudou muito.)

Indo ao Banco

Os bancos (*banks*) normalmente ficam abertos no período da manhã e da tarde, fechando entre 15:30 e 17 horas. As agências maiores costumam funcionar durante todo o dia. Como na maioria dos países, é provável que você fique na fila (*end up queuing*) por certo tempo para ser atendido e – se tiver tanta sorte quanto nós – vai sempre se ver parado atrás de pessoas como o rapaz que quer trocar a economia de moedas de um *pence* de toda vida por cédulas.

As operações mais comuns que as pessoas fazem nos bancos do Reino Unido são:

- *Pay money into their account.* (Depositar dinheiro em suas contas.)
- *Take money into their account.* (Sacar dinheiro de suas contas.)
- *Cash a cheque.* (Descontar um cheque.)
- *Change money.* (Realizar uma operação de câmbio.)
- *Arrange a bank loan.* (Fazer empréstimos bancários.)
- *Pay bills.* (Pagar contas.)

Um banco normalmente tem um guichê (*counter*) separado para operações de câmbio e mesas (*desks*) específicas para transações como empréstimos, entre outras. Certifique-se de que entrará na fila (*queue*) correta desde o início. Há, em geral, placas acima das mesas e dos guichês. Se quiser realizar operações básicas, como descontar um cheque, então qualquer fila em cujo guichê estiver escrito "caixa" (*cashier*) servirá.

Tendo uma Conversa

Chrysanthi está em um banco tentando trocar seu dinheiro.

Cashier:	*Next, please.* (Próximo, por favor.)
Chrysanthi:	*Hi, I'd like to change some notes into coins, please.* (Oi. Eu gostaria de trocar algumas notas por moedas, por favor.)
Cashier:	*No problem, what do you need?* (Sem problema. Do que precisa?)

Chrysanthi:	*Could I have ten pounds of ten-pence coins, ten pounds of twenty-pence coins e twenty pounds of fifty-pence coins, please?* (Poderia trocar dez libras por moedas de dez pence, dez libras por moedas de vinte pence e vinte libras por moedas de cinquenta pence, por favor?)
Cashier:	*Okay, there we go – that's forty pounds, please.* (Certo, aqui está – são quarenta libras, por favor.)
Chrysanthi:	*Oh, sorry, I haven't quite finished yet. Could I also have fifty pounds of one pound coins, five of two pence coins and five of one-pence coins?* (Ah, desculpe, ainda não terminei. Poderia trocar também cinquenta libras por moedas de uma libra, cinco por moedas de dois pence e cinco por moedas de um pence?)
Cashier:	*Right. That makes a total of one hundred pounds, please.* (Certo. Isso dá o total de cem libras, por favor.)
Chrysanthi:	*Great, thanks. I'd like to cash this cheque, please.* (Ótimo, obrigado. Eu gostaria de descontar esse cheque, por favor.)
Cashier:	*I'm afraid we can't cash that cheque – we need to pay into an account. Do you have an account with us?* (Infelizmente não podemos descontar esse cheque – devemos depositá-lo em uma conta. Você possui conta conosco?)
Chrysanthi:	*Yes, I do – I'll pay it then, thanks.* (Sim, tenho – vou depositá-lo então.)

Se você planeja abrir uma conta bancária no Reino Unido, pesquise para ver qual banco oferece os serviços dos quais precisa e quanto cobra pelas operações. Hoje em dia há um grande número de bancos on-line (*online banks*) que são mais baratos de usar e oferecem taxas menores. Em um banco on-line você consegue fazer quase todas as operações bancárias de casa ou de um *cybercafé*, e usar os caixas eletrônicos para o resto.

Abrir uma conta requer tempo e paciência. Você precisa provar que está morando legalmente no Reino Unido e que tem residência fixa. Os bancos normalmente pedem comprovantes de residência (*utility bills*) – contas de gás (*gas bill*), de energia elétrica (*electricity bill*) ou de telefone (*phone bill*) – pois elas contêm seu endereço. O banco britânico pode querer investigar sua situação de crédito (*do a credit check*) e essas ações levam tempo. Reserve pelo menos três semanas para a abertura de uma conta e certifique-se de que terá dinheiro suficiente para viver neste período.

Realizando Operações de Câmbio

Você realiza operações de câmbio de várias formas no Reino Unido – pode fazê-las em um banco (*bank*) ou em uma casa de câmbio (*change bureau* – as casas de câmbio normalmente estão sinalizadas com placas onde está escrito câmbio em várias línguas: *change, cambio, wechsel* etc.), em diversas lojas e até mesmo com pessoas nas ruas nas cidades maiores.

Você consegue trocar quase todas as moedas em uma casa de câmbio, mas se é proveniente de um país menor ou de um onde a moeda é volátil, então pode não conseguir fazer a troca. Bancos conseguem fazer pedidos de moedas estrangeiras e são habilitados para ajudá-lo com quaisquer problemas que possa encontrar na hora da troca.

Não se esqueça de que há duas cotações para o câmbio de moedas – a cotação pela qual a casa de câmbio ou o banco compram sua moeda e a cotação pela qual eles vendem a moeda. A única coisa de que precisa saber é que o cambista sempre vence. Por isso, não gaste muito tempo procurando pelo melhor negócio! Encontre algum lugar que não cobre comissão e troque seu dinheiro lá. Os aeroportos normalmente oferecem cotações piores dos que as empresas nas cidades. Então, espere para trocar seu dinheiro quando chegar ao local onde vai ficar.

Bancos e casas de câmbio (*exchange offices, exchange bureau, bureau of exchange*) são os lugares mais confiáveis para realizar o câmbio das moedas. Os pontos de câmbio pequenos e não oficiais em lojas ou nas ruas podem parecer atrativos (não cobram comissão, oferecem melhores taxas de câmbio), mas você corre o risco de um desastre se realizar tal operação com alguém desonesto. Se ainda assim quiser fazer a transação dessa forma, fique de olho nas cédulas falsas e nos potenciais perigos. Nós não recomendamos essa opção.

Tendo uma Conversa

Goran está em uma casa de câmbio em Londres.

Goran: *Hi, I'd like to change some Euros into pounds, please.* (Olá, eu gostaria de trocar euros por libras, por favor.)

Cashier: *No problem. How much do you want to change?* (Sem problema. Quanto gostaria de trocar?)

Goran: *Two hundred and seventy Euros, please.* (Duzentos e setenta euros, por favor.)

Cashier: *Sure. That works out at one hundred and sixty pounds and fifty-nine pence.* (Claro. Isso dá o valor de cento e sessenta libras e cinquenta e nove pence.)

Goran: *That's fine, thanks.* (Tudo bem, obrigado.)

Cashier: *How would you like that?* (Como gostaria?)

Goran: *I'm sorry?* (Desculpe?)

Cashier: *Big notes, smaller ones?* (Notas grandes ou pequenas?)

Goran: *Oh, I see. Could I have twenties, please?* (Ah, entendi. Pode me dar notas de vinte, por favor?)

Cashier: *Sure – here you go. That's twenty, forty, sixty, eighty, one hundred, and twenty, forty, sixty and fifty-nine pence.* (Claro – aqui está. Vinte, quarenta, sessenta, oitenta, cem, cento e vinte, e trinta, e quarenta, e sessenta e cinquenta e nove pence.)

Goran:	*Thanks very much.* (Muito obrigado.)
Cashier:	*You're welcome – and here's your receipt. If you could just sign one copy for me.* (De nada – e aqui está seu recibo. Se puder apenas assinar uma cópia para mim.)
Goran:	*Sure – here you are.* (Claro – aqui está.)
Cashier:	*Thank you. Enjoy your stay in London.* (Obrigado. Divirta-se em sua estadia em Londres.)
Goran:	*I'm sure I will, thanks very much.* (Tenho certeza de que irei, muito obrigado.)

O Reino Unido tem muitas lendas sobre dinheiro, especialmente Londres. Se você acredita em programas de televisão que se passam em Londres, então poderá pensar que todo mundo fala "*cockney*" e se expressa por enigmas que rimam. Você pode escutar expressões como *pony* (vinte e cinco libras), *monkey* (quinhentas libras) ou *sky divers* (notas de cinco libras, também conhecidas como taxi drivers e McGyvers!) – mas essas palavras só são comuns na televisão e em livros, então é melhor não usar nenhuma delas.

Como muitos idiomas, o inglês tem diversas maneiras de fazer referência ao dinheiro e não é comum ouvir alguém dizendo "*five pounds and sixty-nine pence, please*". Se estiver fazendo compras, é mais fácil escutar "*that´s five sixty-nine, please*". E caso esteja assistindo aos anúncios da televisão, vai se acostumar muito rápido a ouvir coisas como "*only five six nine*".

Há uma "pegadinha" aqui, é claro: "*five sixty-nine*" quer dizer cinco libras e sessenta e nove pence, enquanto "*five six nine*" significa quinhentas e sessenta e nove libras. Então, cuidado quando for comprar – aquele sofá, que parece uma pechincha, pode sair mais caro do que imagina!

Para parecer nativo em questões de dinheiro, precisará das seguintes palavras:

- *A fiver* (cinco libras): "*Can I borrow a fiver, please?*" (Posso pegar emprestadas cinco libras?)
- *A tenner* (dez libras): Observe que não há as formas "*twentier*" ou "*fiftier*".
- *Just under a tenner:* Isso normalmente quer dizer $9.99.
- *A grand:* (mil libras): "*He sold his apartment for four hundred grand.*" (Ele vendeu seu apartamento por quatrocentas mil libras.)
- *Quid* (uma libra): "*Could you lend me ten quid, please?*" (Poderia me emprestar dez libras, por favor?)
- *Dosh* (dinheiro em geral): "*I´m out of dosh again.*" (Estou sem dinheiro de novo.)

Enviando e Recebendo Dinheiro de Outro País

Muitas pessoas que vão trabalhar no Reino Unido precisam enviar dinheiro ao seu país de origem ou recebê-lo quando as coisas não andam muito boas. Isso era bastante complicado há alguns anos, mas hoje qualquer cidade tem várias maneiras disponíveis de realizar esse tipo de transação.

Você pode, é claro, usar os métodos tradicionais, como as transferências bancárias (*bank transfers*), mas as taxas são, em geral, muito altas e a transação pode levar algum tempo. A pessoa que recebe o dinheiro também precisa ter uma conta bancária para que o valor possa ser transferido. Embora essa devesse ser uma forma fácil, as diferenças entre os modos de operação dos bancos dos diferentes países podem complicar consideravelmente o negócio.

Você encontra os serviços de transferência de dinheiro (via companhias confiáveis, como a *Western Union*) em lojas de jornais e revistas (*newsagents*), salões de beleza (*hair salons*), cafés (*cafes*) e outros. Por causa da grande variedade e disponibilidade desses serviços, procure saber se a empresa é conhecida antes de usá-la. Lembre-se de que algumas grandes companhias permitem que envie dinheiro on-line, pelo telefone ou por meio de seus agentes.

Quando você envia dinheiro, paga uma comissão (como quando faz o câmbio) – certifique-se de quanto vai custar a transação antes de concordar em realizá-la. Note que para quantias altas (em geral, mais de 600 libras) você precisa apresentar alguma forma de identificação, seja o passaporte (*passport*) ou a carteira de habilitação (*driving licence*).

Normalmente precisa preencher um formulário de envio de dinheiro, entregar o dinheiro (*handover the cash*) junto com a taxa (*fee*) e mostrar o documento de identidade (*show some identification*). Depois, o caixa lhe entrega o recibo e o número de controle de transferência de dinheiro (*tracking number*). Você repassa o número de controle ao destinatário para que ele colete o dinheiro no agente local (*local venue*). Preste atenção nas restrições para quantias a serem enviadas – as regras podem variar.

Tendo uma Conversa

Gina está em um ponto de transferência de dinheiro em Manchester.

Gina: *Hi, I'd like to send some money to my family in Shenzhen, please.* (Oi, eu gostaria de enviar dinheiro para minha família em Shenzhen, por favor.)

Cashier: *Okay, how much are you thinking of sending?* (Certo. Quanto pensa em mandar?)

Gina:	*Two thousand five hundred pounds, please.* (Duas mil e quinhentas libras, por favor.)
Cashier:	*Right, I'm going to need to see two forms of identification for that, as it's over two thousand pounds.* (Certo. Vou precisar de dois tipos de documentos para isso, pois o valor é maior do que duas mil libras.)
Gina:	*Sure! What kind of ID do you need?* (Claro! Que tipo de documento de identidade precisa?)
Cashier:	*I need one document that proves you are you say you are, something like a passport or driving license, and one with your name and current address on it, something like a utilities bill – gas, phone, you know.* (Preciso de um documento que comprove sua identidade, como passaporte ou carteira de habilitação, e outro com seu nome e endereço atual, como um comprovante de residência – conta de gás, telefone, você sabe.)
Gina:	*No problem. Here's my passport and a letter from my bank. Is that okay?* (Sem problema. Aqui está meu passaporte e uma carta do meu banco. Está bom?)
Cashier:	*Absolutely! Now, you'll need to fill out this money transfer form and then bring it to me along with the money plus the transfer fee of sixty pounds.* (Claro. Agora, você precisará preencher esse formulário de envio de dinheiro e depois devolvê-lo com o dinheiro mais a taxa de transferência de sessenta libras.)
Gina:	*Oh! I see. I didn't realise it would cost so much.* (Ah, entendi. Não imaginava que custaria tanto.)
Cashier:	*Well, the fee covers our time plus any exchange services, and of course your money does arrive within a couple of hours or so, which is much quicker than using a bank.* (Bem, a taxa cobre nosso serviço mais qualquer serviço de câmbio e, é claro, seu dinheiro chega em algumas horas, o que é mais rápido do que fazer pelo banco.)
Gina:	*Yes, of course.* (Sim, claro.)
Cashier:	*You could try our website – it's usually cheaper online, but you won't be able to send as much each time.* (Você poderia usar nosso site – em geral, é mais barato on-line, mas não poderia enviar essa quantia toda de uma vez.)
Gina:	*No, it's fine, thanks. I'll just fill the form.* (Não, está bem, obrigada. Vou só preencher o formulário.)

Diversão e Jogos

1. Desembaralhe as letras para formar palavras relativas a dinheiro.

UEHQCE	_____	a paper document used to pay for something.
SHAIREC	_____	a person who works in a bank.
RCYNRUCE	_____	the money of a country (such as pounds, roubles)
TOCNUAC	_____	where your money is kept at a bank.
GHEXNACE	_____	you can change money at a currency.
RNENTE	_____	a slang word for ten pounds.
CIPERTE	_____	a paper given to you when you pay for something.
GANHCE	_____	money returned to you when you pay for something.
POIETDS	_____	pay money into your bank account.
DWHTIRWA	_____	take money out of your bank account.

Resposta:

cheque, cashier, currency, account, exchange, tenner, receipt, change, deposit, withdraw

2. Coloque as instruções do caixa eletrônico em ordem.

Select the amount you want to withdraw or key in a different amount.

Insert your card.

Select a service (withdraw cash).

Take your card.

Choose a language.

Confirm you would like a receipt.

Enter your PIN number.

Take your cash and receipt.

Resposta:

1. Insert your card.
2. Enter your PIN number.
3. Choose a language.
4. Select a service (withdraw cash).
5. Select the amount you want to withdraw or key in a different amount.
6. Confirm you would like a receipt.
7. Take your card.
8. Take your cash and receipt.

Capítulo 12
Encontrando um Lugar para Ficar

Neste capítulo

▶ Escolhendo onde ficar

▶ Reservando um hotel

▶ Fazendo check-in e check-out

▶ Reclamando das acomodações

Se for viajar de férias para Reino Unido, provavelmente vai querer se hospedar em um hotel. Há muitas categorias diferentes de hotéis e, como em muitos países, o quanto você tem no bolso determina o tipo de hotel no qual ficará hospedado. Existem muitas opções, dos baratos albergues e *B&Bs* aos mais luxuosos. Mas como muitos viajantes sabem, um hotel barato não significa necessariamente qualidade ruim. Você consegue encontrar acomodações de alta qualidade a baixos custos por todo Reino Unido, especialmente fora das grandes cidades e das áreas turísticas.

Acomodações

O Reino Unido tem acomodações que cabem em todos os bolsos. Além dos habituais albergues (*hostels*), *B&Bs* e hotéis (*hotels*), você encontra outros tipos de acomodações, tais como: propriedades em áreas rurais / fazendas (*farmhouse*), pousadas (*inns*), casas estilo chalé (*cottages*), apartamentos de temporada (*self-catering apartment*), casas de campo que foram transformadas em hotéis (*country house hotels*) e até mesmo castelos (*castles*).

DICA Se for usar a internet para procurar onde ficar, o site do British Tourist Board (www.visitbritain.com/em/accommodation) é um bom ponto de partida. Os sites de viagem, como www.expedia.co.uk e www.lastminute.com, são ótimos para achar hotéis a preços baixos.

Albergues da juventude

Se viajar a preços baixos é o mais importante, você consegue encontrar muitas acomodações econômicas disponíveis no Reino Unido. No ranking das hospedagens baratas, os albergues da juventude (*youth hostels*), também chamados de albergue dos mochileiros (*backpackers' hostels*), estão em primeiro lugar. Você os encontra na maioria das grandes cidades, não apenas no Reino Unido, mas também em diversos países.

Nos albergues os quartos normalmente são coletivos (*shared dormitory*) e têm beliches (*bunk beds*). Os dormitórios são separados para homens (*men*) e mulheres (*women*). Alguns também oferecem um pequeno número de quartos individuais (*single room e double room*), assim não precisa ficar em um dormitório coletivo. Os albergues da juventude também têm cozinha para que você prepare suas refeições.

Embora recebam o nome de "albergues da juventude", não há limite de idade. Entretanto, você precisa ser associado e possuir uma carteira de alberguista (*youth hostel membership card*) para se hospedar em um. Alguns deles têm limite de diárias. Você encontra informações sobre os albergues da juventude no Reino Unido no site www.yha.org.uk.

Guesthouses e B&Bs

Se dividir um quarto com um grupo de estranhos não é exatamente sua ideia de diversão, a próxima opção mais econômica é achar uma *guesthouse* ou *B&B*. *B&B* significa cama e café da manhã (*bed and breakfast* – pronunciado "*bee and bee*"). Muitos *B&Bs* são administrados por famílias e você aluga um quarto em uma casa particular. Em *B&Bs* menores, você pode ter sorte e ficar em um quarto com banheiro, mas o normal é dividi-lo com outros hóspedes. Os *B&Bs*, em geral, têm uma sala de estar compartilhada com televisão e um cômodo reservado ao café da manhã. As famílias que administram *B&Bs* normalmente não oferecem serviço de quarto ou lavanderia. Outros *B&Bs* são nada menos que pequenos hotéis, no qual os quartos têm banheiros. Nesses, você encontra serviço de quarto e lavanderia.

As pessoas preferem se hospedar em *B&Bs* a pequenos hotéis porque eles são menos impessoais e há a possibilidade de se conhecer os outros hóspedes. Em cidades grandes, tais como Brighton, York e Edimburgo, os *B&Bs* afixam nas janelas placas que dizem "*Vacancies*" (há vagas) ou "*No Vacancies*" (não há vagas). Dessa forma, você consegue automaticamente saber se há quartos disponíveis. O café da manhã em um *B&B* é pedido diretamente ao dono da casa e ele o prepara na hora. Normalmente, você escolhe entre o café da manhã inglês completo e o café da manhã continental.

Hotéis

Os hotéis (*hotels*) variam e vão desde aqueles que disponibilizam poucos serviços, classificados com uma ou nenhuma estrela, até os luxuosos cinco estrelas, que oferecem todos os serviços que você pode imaginar! Em um hotel você paga, basicamente, o que consome e o que utiliza – paga mais por mais serviços e menos por poucos serviços.

Morando em um hotel

Muitas pessoas famosas moraram em hotéis. Um dos mais famosos residentes do Savoy Hotel, em Londres, foi o ator Richard Harris (1930-2002). Dizem que pouco antes de sua morte ele foi retirado do hotel em uma maca para ser colocado na ambulância. Durante o percurso, passou pelo salão de jantar. Lá, levantou a mão e disse, com bom humor, para os hóspedes que jantavam: "Foi a comida!".

Tendo uma Conversa

Maria está de férias na Escócia. Ela vai ao centro de informações turísticas em Edimburgo para perguntar a respeito de acomodações em Glasgow.

Tourist office employee:	*Good morning. Can I help you?* (Bom dia, posso ajudá-la?)
Maria:	*Yes, please. I'd like to spend a few days in Glasgow. Can you give me some information about accommodation, please?* (Sim, por favor. Gostaria de passar alguns dias em Glasgow. Pode me dar informações sobre acomodações, por favor?)
Tourist office employee:	*Certainly. What sort of hotel would you like to stay in? Glasgow has a wide range of inexpensive hotels, and of course plenty of middle range and more expensive hotels.* (Claro. Qual tipo de hotel gostaria de se hospedar? Glasgow tem vários hotéis mais baratos e, é claro, muitos hotéis intermediários e hotéis mais caros.)
Maria:	*Something not too expensive, please.* (Algo não muito caro, por favor.)
Tourist office employee:	*Here's a list of middle range hotels, of two or three stars. Take a look at this, and see if there's anything that suits you.* (Aqui está uma lista dos hotéis intermediários, de duas e três estrelas. Leia e veja se há algum que serve para você.)
Maria:	*Thank you. [She looks at the list.] These all look little out of my price range. What about outside Glasgow? Are there any hotels a bit further from the centre of the city?* (Obrigada. [Ela lê a lista.] Todos esses estão um pouco além do meu limite de valores. E fora de Glasgow? Há hotéis mais afastados do centro da cidade?)
Tourist office employee:	*We do have information about cottages and country hotels in the area around Glasgow, but these are quite far out of town, and without your own transport it will be difficult to get into town. The cheapest place to stay would be the youth hostel, which is in Glasgow itself, in the West End.* (Nós temos informações sobre chalés e hotéis de campo nos arredores de Glasgow, mas ficam um pouco afastados da cidade. Sem carro seria difícil chegar à cidade. O lugar mais barato para ficar é o albergue da juventude, que fica na cidade, na West End.)

Maria:	*Okay, thanks. The youth hostel sounds like the best option.* (Certo, obrigada. O albergue da juventude parece a melhor opção.)
Tourist office employee:	*Here's the phone number. You can call them and see if they have a bed available. I think it's a dormitory accommodation in the youth hostel, with bunk beds, but you can check when you phone them.* (Aqui está o número de telefone. Você pode ligar e ver se eles têm uma vaga disponível. Acho que no albergue da juventude são quartos coletivos com beliches, mas você pode verificar quando telefonar.)

Palavras a Saber

accommodation (acomodação)

one-star / two-star / three-star (hotel hotel uma estrela / duas estrelas / três estrelas)

inn (pousada)

self-catering apartment (apartamento de temporada)

youth hostel / backpackers' hostel (albergue da juventude / albergue dos mochileiros)

tourist office (centro de informações turísticas)

farmhouse (propriedade em área rural / fazenda)

cottage (casa estilo chalé)

country house hotel (hotel casa de campo)

dormitory / bunk beds (quarto coletivo / beliches)

Hotéis caros (*expensive hotels*) oferecem muitos serviços e conveniências luxuosas. Os hotéis intermediários (*middle range hotels*) disponibilizam alguns serviços e conveniências (*services e facilities*). Qual a diferença entre serviço (*service*) e conveniência (*facility*)? O serviço é algo que o hotel faz para você, como o serviço de quarto (*room service*). Uma conveniência é algo que o hotel tem para oferecer, como academia de ginástica (*gym*) ou piscina (*swimming pool*). Entretanto, muitos hotéis usam essas palavras como sinônimo.

Alguns dos serviços oferecidos pelos hotéis intermediários no Reino Unido incluem lavanderia (*laundry service*), serviço de quarto (*room service*) e entrega de jornais (*newspaper delivery*). Dependendo do tipo de hotel em que se hospedar, consegue encontrar conveniências como piscina (*swimming pool*), sauna (*sauna*), academia de ginástica (*gym*), estacionamento (*free parking*) e ar-condicionado (*air conditioning*). Nos hotéis maiores e mais caros, há lojas de presentes (*gift shops*) e até mesmo salões de beleza (*hairdresser's ou beauty salon*)!

Os hotéis intermediários oferecem as seguintes conveniências dentro do quarto: conexão de internet (*Internet connection*), televisão por satélite (*satellite TV*), aparatos para chá e café (*coffee- and tea-making facilities*), cofre para valores (*safe*) e frigobar (*minibar*).

SABEDORIA CULTURAL

Não se pode fumar na maioria dos hotéis do Reino Unido. É proibido por lei fumar em áreas comuns como saguões de hotéis (*hotel lobbies*), elevadores (*lifts*), salões de jantar ou restaurantes (*dinning room ou restaurants*) e nos bares (*hotels bars*). Em alguns deles, é possível reservar um quarto para fumantes (*smoking room*), mas esse tipo de reserva está ficando cada vez mais incomum. Se quiser fumar em um hotel, terá que ir mesmo para a calçada.

Palavras a Saber

swimming pool (piscina)	beauty salon (salão de beleza)	snack bar (lanchonete)
tennis court (quadra de tênis)	air conditioning (ar-condicionado)	gift shop (loja de presentes)
room service (serviço de quarto)		

SONS NATIVOS

Lembre-se de que com substantivos compostos (*compound nouns*), a ênfase normalmente é dada à primeira palavra. Então você diz *swimming* pool, e não swimming *pool*, e *air* conditioning, e não air *conditioning*. É visível que os hotéis têm muitos serviços e conveniências cujas denominações são substantivos compostos.

Fazendo Reservas

Reservar (*reserving* ou *booking*) um quarto de hotel antes da viagem é o ideal. Os hotéis das cidades grandes e das áreas turísticas populares costumam lotar com antecedência, especialmente na alta temporada. Você, em geral, sempre consegue encontrar um lugar para ficar, mesmo no último minuto. Mas, em cima da hora, as opções de escolha das acomodações ficam bastante limitadas. Além disso, quando a reserva é feita com antecedência, você consegue preços um pouco mais baixos e alguns hotéis oferecem descontos especiais para diárias durante os dias de semana ou fins de semana. Os descontos (*discounts*) e as ofertas especiais (*special offers*) são normalmente anunciados pelo site do hotel ou pelo centro de informações turísticas.

A forma mais rápida e fácil de reservar um quarto de hotel é pelo telefone. Mas se estiver fora do Reino Unido, provavelmente vai querer reservar sua acomodação pela internet.

Reservas pela internet

A maior parte dos formulários de reservas de hotéis pela internet é parecida. (veja Figura 12-1).

Em geral, eles pedem para que forneça as seguintes informações:

- *Your arrival and departure dates.* (As datas de chegada e saída.)

✔ *The number of nights you'll be staying.* (O número de pernoites / diárias.)

✔ *The type of room(s) you want.* (O tipo de quarto que deseja.)

✔ *The number of occupants for your room.* (O número de hóspedes do quarto.)

Heather View Hotel, Newcastle-upon-Tyne

Welcome to our hotel booking form. Please fill in the information below to reserve a room. When you have completed the form, please click 'Check Availability'.

Date of arrival:

Date of departure:

Number of nights:

Type of room: standard single room

standard double room

standard twin room

suite

Number of occupants:

Check Availability.

To view details of our rooms follow this link: Room descriptions

Check-in after 12.00

Check-out by 11.00

If you need assistance with your reservation please call us on +44 (0)191 98554, or email enquiries@heatherview.com.

Figura 12-1: Um exemplo de reserva on-line.

Se não houver quartos disponíveis para a data desejada, o site normalmente o direciona a uma página na qual você pode deixar suas informações pessoais registradas, como o nome e endereço. Muitos hotéis pedem seus dados do cartão de crédito para reservar o quarto e alguns cobram antecipadamente. Certifique-se de que está ciente de todas as condições (*small print*) descritas no site antes de reservar o quarto com seu cartão de crédito. Se for cancelar a reserva, por exemplo, terá que pagar parte ou todo valor pelo quarto.

Reservas pelo telefone

Se já estiver no Reino Unido, pode ser mais fácil reservar um quarto de hotel pelo telefone. É possível que também seja mais rápido dessa forma, porque você consegue verificar a disponibilidade dos quartos imediatamente, mudar as datas ou decidir procurar outro hotel se não houver vagas. Mesmo fazendo as reservas pelo telefone, o recepcionista provavelmente fará as mesmas perguntas que estão no formulário da reserva on-line. Você precisa informar a data de chegada, o número de pernoites e o tipo de quarto que deseja. Além disso, você consegue perguntar diretamente sobre os valores, as conveniências e os serviços que precisar.

Tendo uma Conversa

Maria e uma amiga estão visitando *Newcastle upon Tyne*. O funcionário do centro de informações turísticas lhes recomendou o Heather View Hotel. Maria liga para o hotel para reservar um quarto.

Receptionist:	*Heather View Hotel, how may I help you?* (Heather View Hotel, como posso ajudá-lo?)
Maria:	*I'd like to book a room for this weekend, for Friday and Saturday night. Do you have any vacancies?* (Eu gostaria de reservar um quarto para este fim de semana, para sexta-feira e sábado. Vocês têm quartos disponíveis?)
Receptionist:	*Just one moment, I'll check. Yes, we do have some rooms for this weekend. What kind of room would you like?* Só um momento, vou verificar. (Sim, temos alguns quartos para este fim de semana. Que tipo de quarto gostaria?)
Maria:	*A twin room, please, with two single beds. There are two of us.* (Um quarto duplo, por favor, com duas camas de solteiro. Somos duas.)
Receptionist:	*Would you like a twin room with an ensuite bathroom, or a room with a shared bathroom?* (Você gostaria do quarto duplo com banheiro ou um com banheiro compartilhado?)
Maria:	*Ensuite please. How much is that per night?* (Com banheiro, por favor. Quanto é a diária?)
Receptionist:	*It's seventy pounds a night, without VAT. It includes breakfast.* (São setenta libras a diária, sem o imposto. O valor inclui café da manhã.)
Maria:	*Okay, could I book the room, please?* (Certo. Poderia reservar o quarto, por favor?)
Receptionist:	*Certainly, madam. Your name please?* (Certamente, senhora. Seu nome, por favor?)
Maria:	*It's Maria Sanchez.* (É Maria Sanchez.)
Receptionist:	*Thank you, can you spell your surname, please?* (Obrigada. Poderia soletrar seu sobrenome, por favor?)
Maria:	*It's S-A-N-C-H-E-Z.* (É S-A-N-C-H-E-Z.)
Receptionist:	*Thank you. Your reservation is made then, in the name of Maria Sanchez, for two nights, this Friday and Saturday, one twin room with ensuite bathroom. That will be a total of one hundred and forty pounds, not including VAT.* (Obrigada. Sua reserva está feita em nome de Maria Sanchez para duas diárias, nesta sexta-feira e no sábado. Um quarto duplo com banheiro. Isso dá o total de cento e quarenta libras, sem incluir o imposto.)

Maria:	*Thank you. Just a few more questions. What time is the check-out on Saturday? And is there an Internet connection?* (Obrigada. Só mais algumas perguntas. Qual é o horário do check-out no sábado? E há conexão de internet?)
Receptionist:	*Check-out is at eleven. Yes, all the rooms have WiFi Internet connections, which you need to pay for separately.* (O check-out é às onze. Sim, todos os quartos têm conexão de internet WiFi, que é cobrada separadamente.)
Maria:	*Okay, thank you for your help. See you on Friday.* (Certo, obrigada por sua ajuda. Até sexta-feira.)
Receptionist:	*You're welcome, Ms Sanchez.* (De nada, senhorita Sanchez.)

Algumas frases úteis:

- *Do you have any [rooms / vacancies]?* (Vocês têm [quartos / vagas]?)

- *How much is it per night?* (Quanto é a diária?)

- *Can I see the room?* (Posso ver o quarto?)

- *I'd like a room facing the street.* (Gostaria de um quarto de frente para a rua.)

- *I'd like a room [in the back / on the ground floor].* (Gostaria de um quarto (de fundos / no térreo].)

- *What time is [check-in / check-out]?* Qual o horário do [check-in / check-out]?

- *Is breakfast included?* (O café da manhã está incluído?)

- *Is there [gym / laundry service / Internet connection / swimming pool]?* (Há [academia / serviço de lavanderia / conexão de internet / piscina]?)

- *Does the hotel have WiFi?* (O hotel tem WiFi?)

- *I'd like to book a [single / double / twin room] with an ensuite bathroom.* (Gostaria de reservar um [quarto individual / casal / duplo] com banheiro.)

- *Does that include VAT [value added tax]?* (O valor inclui IVA [imposto sobre valor acrescentado ou agregado]?)

Cuidado com a diferença entre *twin room* e *double room*. Um *double room* é um quarto que normalmente tem uma cama de casal (quarto de casal) e um twin room, duas camas de solteiro separadas (quarto duplo). Entretanto, alguns *twin rooms* têm uma cama de casal em vez de duas de solteiro. Assim, o melhor é verificar na hora da reserva se o *twin room* tem apenas uma ou duas camas.

Os plugues (*plugs*) no Reino Unido são diferentes dos usados no resto da Europa e no continente americano. Um plugue britânico tem três pinos quadrados, por isso o ideal é comprar um adaptador de plugues (*plug adapter*) antes de viajar ou adquiri-lo já na cidade. O melhor lugar para fazer isso é o aeroporto. A corrente elétrica (*electrical current*) e a voltagem (*voltage*) são iguais no Reino Unido e na Europa, mas são diferentes para os aparelhos de outros lugares. Traga plugues (*plugs*), transformadores de voltagem (*transformers*) e cabos de laptop (*laptop computer cables*) que porventura possa precisar quando vier ao Reino Unido.

Check-in (Registro)

Quando chegar ao hotel, precisa se registrar na recepção (fazer o *check-in*). Se tiver reservas, é só dizer seu nome e sobrenome ao recepcionista. Muitos hotéis pedem que preencha um formulário com seus dados pessoais, como nome (*name*), endereço residencial (*home address*) e número de passaporte (*passport number*). Além disso, eles também pedem algum documento de identidade, como passaporte ou carteira de habilitação.

Tendo uma Conversa

Maria chega ao Heather View Hotel e vai fazer o registro na recepção.

Receptionist: *Good afternoon, can I help you?* (Boa tarde, posso ajudá-la?)

Maria: *Yes, please. I have a reservation – my name is Maria Sanchez.* Sim, por favor. (Tenho uma reserva – meu nome é Maria Sanchez.)

Receptionist: *Yes, here it is. A twin room with ensuite bathroom, for two nights. Could you please fill in the registration form, and add your passport details here, at the bottom of the form? Please add you signature here.* (Sim, aqui está. Um quarto duplo com banheiro, duas diárias. Poderia preencher a ficha de registro e colocar as informações do seu passaporte aqui, no final da ficha? Por favor, assine aqui.)

Maria: *Yes, of course. The room includes breakfast, right? What time is breakfast?* Sim, é claro. (A diária inclui café da manhã, certo? Qual o horário do café da manhã?)

Receptionist: *From seven to ten on Saturdays and Sundays. You'll find the dining room on the first floor. Here's your key card.* (De sete às dez aos sábados e domingos. O salão de refeições fica no primeiro andar. Aqui está seu cartão-chave.)

Maria: *Thanks very much.* (Muito obrigada.)

Receptionist: *Not at all, and I hope you enjoy your stay with us.* (Não há de quê. Espero que goste de sua estadia conosco.)

No Reino Unido, o andar térreo de um hotel é chamado de *ground floor* (andar térreo). É diferente dos Estados Unidos, onde é designado primeiro andar (first floor)! Em alguns hotéis luxuosos, você encontra um andar denominado *mezzanine floor* (mezanino), que, em geral, fica entre o térreo e o primeiro andar. Neste pavimento, normalmente há um salão de jantar ou sala de conferência. O acesso é feito pelo térreo.

Reclamando das Acomodações

Certas vezes, o hotel parece muito melhor nos folhetos e no site do que na vida real. Se você descobrir que os serviços mencionados no ato da reserva não estão disponíveis ou que os aparelhos no seu quarto não funcionam bem, então precisa reclamar na recepção.

Tendo uma Conversa

Maria está tendo problemas com seu quarto no Heather View Hotel. Ela vai à recepção reclamar.

Maria: *Excuse me, I'm afraid I need some help – I having problems with my room.* (Com licença, preciso de ajuda – estou tendo problemas com meu quarto.)

Receptionist: *Oh, I'm sorry. What seems to be the problem?* (Ah, sinto muito. Qual é o problema?)

Maria: *The central heating in my room isn't working, so the room is too cold. Also, there's something wrong with the shower; there's very little water coming out. Could you send someone to look at it?* (O aquecimento central não está funcionando no meu quarto, por isso está muito frio. Além disso, há algo de errado com o chuveiro; está caindo pouca água. Você poderia mandar alguém para dar uma olhada?)

Receptionist: *I'll terribly sorry. I'll send somebody from Maintenance up to your room right away.* (Sinto muitíssimo. Enviarei alguém da manutenção ao seu quarto imediatamente.)

Maria: *That's not all. I'm having problems connecting to the Internet from the room. I wonder if you could check it for me? Isso não é tudo.* (Estou tendo problemas para me conectar à internet do quarto. Imagino que você poderia verificar isso para mim.)

Receptionist: *Right, to connect the Internet you need an access code, and you pay for it separately.* (Certo. Para se conectar à internet você precisa de um código de acesso e isso é cobrado separadamente.)

Maria: *Okay, please could you give me a code and charge my room.* (Certo. Por favor, dê-me o código e coloque na conta do meu quarto.)

Receptionist: *Certainly, madam. I'm sorry about the other problems. We'll have somebody to look into them right away.* (Certamente, senhora. Sinto muito pelos outros problemas. Mandaremos alguém verificá-los imediatamente.)

Capítulo 12: Encontrando um Lugar Para Ficar 223

Maria:	*Thank you. Also, I wonder if I could have some more towels and another pillow, please?* (Obrigada. Além disso, gostaria de saber se poderia me dar mais toalhas e outro travesseiro, por favor?)
Receptionist:	*Yes, of course. We'll bring them to your room.* (Sim, é claro. Levaremos ao seu quarto.)

Algumas frases úteis:

- *The room is too [hot / cold / noisy / small]*. (O quarto é / está muito [quente / frio / barulhento / pequeno].)

- *The room isn't [warm / big] enough*. (O quarto não é [aquecido / grande] o suficiente.)

- *The [shower / central heating / kettle] isn't working*. O [chveiro / aquecimento central / aquecedor] não funciona.

- *There's something wrong with the [shower / central heating / kettle / light / phone]*. (Há algo de errado com o [chuveiro / aquecimento central / chaleira / lâmpada / telefone].)

- *I'm having problems with...* (Estou tendo problemas com...)

- *I wonder if [you / I] could...* (Gostaria de saber se [eu / você] poderia...)

- *Could you get someone to take a look at it?* (Poderia chamar alguém para dar uma olhada nisso?)

- *Could you please send someone up?* (Poderia mandar alguém aqui?)

Mesmo se não estiver satisfeito com os serviços ou conveniências do hotel, sempre reclame de forma educada. Você pode fazer uso de certas expressões para falar de maneira cortês quando for se queixar ou pedir ajuda. Diga "*I'm afraid I've got a complaint*" (Infelizmente tenho uma reclamação) ou "*I'm sorry but I've got a bit of a problem with...*" (Desculpe-me mas estou tendo um probleminha com...) em vez de "*I want to complain*" (Quero fazer uma reclamação). Peça ajuda ao recepcionista usando frases como: "*Would you mind sending someone to fix it?*" (Você se importaria de mandar alguém consertar?" ou "*Do you think you could take a look at it?*" (Acha que pode dar uma olhada?). Também é importante usar a entonação correta ao se expressar. Se o seu tom de voz é seco, soa como alguém rude e impaciente.

Check-out (Saída)

A maioria dos hotéis têm um horário específico para que você faça o *check-out* (quando precisa deixar o quarto e fechar sua conta). Se permanecer além desse período, o hotel cobrará mais uma diária. Por isso, pergunte qual é o horário do *check-out* quando chegar. Normalmente é de manhã, entre 10 horas e meio-dia. Em alguns hotéis você pode combinar de ficar mais algumas horas e pagar um valor reduzido em vez da diária inteira. Mas o importante é combinar isso com o recepcionista previamente, e não na hora da saída.

Tendo uma Conversa

Maria está fazendo o *check-out* no Heather View Hotel.

Maria: *I'd like to check out, please.* (Gostaria de fazer o *check-out*, por favor.)

Receptionist: *Yes, madam. What is your room number?* (Claro, senhora. Qual é o número do seu quarto?)

Maria: *Room one hundred and twelve.* (Quarto 112.)

Receptionist: *Right, that was for two nights. Did you have anything from the minibar?* (Certo. Foram duas noites. Vocês consumiram algo do frigobar?)

Maria: *No.* (Não.)

Receptionist: *Okay, I see that you have a charge for an Internet connection. Is that correct?* (Certo. Vejo que há uma cobrança relativa à conexão de internet. Está correta?)

Maria: *Yes, that is right. I'd like to pay by credit card, please.* (Sim, está certa. Gostaria de pagar com cartão de crédito, por favor.)

Receptionist: *Certainly. Here's your bill, madam. I hope you've enjoyed your stay with us?* (Certamente. Aqui está sua conta, senhora. Espero que tenha gostado de sua estadia conosco.)

Maria: *Well, I had some problems with the room when I arrived, but Maintenance came and sorted it all out very quickly; thank you for that.* (Bem, tive alguns problemas com o quarto quando cheguei, mas a manutenção foi até lá e resolveu tudo bem rápido; obrigada.)

Receptionist: *Our pleasure. We certainly hope that didn't affect your stay.* (O prazer é nosso. Certamente esperamos que isso não tenha afetado sua estadia.)

Maria: *Not at all. Thank you for help. Could you call me a taxi, please?* (De forma alguma. Obrigada pela ajuda. Poderia chamar um táxi para mim, por favor?)

Receptionist: *Yes, of course.* (Sim, é claro.)

Capítulo 12: Encontrando um Lugar Para Ficar 225

Diversão e Jogos

1. Quais conveniências e serviços que o City Gate Hotel oferece?

Resposta:

1) room service

2) air conditioning

3) Internet access

4) laundry service

5) swimming pool

6) conference room

2. Relacione as palavras na coluna da esquerda com suas definições à direita.

youth hostel	a large room with several beds
self-catering apartment	a hotel room for two people, with one double bed
budget accommodation	cheap accommodation, mainly for young people; you normally need a membership card to stay there
dormitory	inexpensive hostels and hotels
bunk beds	a hotel room for two people, with two single beds.
check-in time	you need to leave your hotel room by this time
check-out time	you can occupy your hotel room from this time
twin room	one bed on the top of the other
double room	a private bathroom attached to a hotel room
ensuite bathroom	a place to stay with cooking / kitchen facilities

Resposta:

youth hostel - cheap accommodation, mainly for young people; you normally need a membership card to stay there

self-catering apartment - a place to stay with cooking / kitchen facilities

budget accommodation - inexpensive hostels and hotels

dormitory - a large room with several beds

bunk beds - one bed on the top of the other

check-in time - you can occupy your hotel room from this time

check-out time - you need to leave your hotel room by this time

twin room - a hotel room for two people, with two single beds.

double room - a hotel room for two people, with one double bed

ensuite bathroom - a private bathroom attached to a hotel room

Capítulo 13
A Caminho

Neste capítulo

▶ Planejando uma viagem

▶ Reservando voos

▶ Usando o transporte público

▶ Alugando um carro

▶ Encontrando a direção certa

▶ Descrevendo os lugares de sua viagem

Imagine que é sua primeira vez em uma cidade desconhecida. Você está ansioso para dar uma volta e ver o que há de bom, mas esqueceu seu guia de viagem em casa. Não se preocupe – se souber as expressões certas, pode pedir todas as informações que quiser. Você consegue descobrir não só onde ficam os pontos turísticos, mas também a melhor maneira de chegar lá – de ônibus, trem, metrô ou a pé. Neste capítulo também o ajudamos com os preparativos da viagem – como reservas de voos – e emissão de documentos – como, por exemplo, visto, passaporte e carteira de habilitação.

Fazendo Planos de Viagem

Algumas pessoas dizem que a melhor parte da viagem é planejá-la. Pesquisar em guias, ler sobre o país, fazer o planejamento do melhor roteiro, de como viajar... Se tiver bastante tempo para ver todos esses detalhes, a preparação pode ser bem divertida. Há diversos motivos para você viajar para o Reino Unido. Pode ser a trabalho ou estudo. Talvez queira visitar a família ou os amigos. Ou, por acaso, esteja de férias, tenha uma folga ou precise fazer uma visita a negócios. Seja lá qual for o motivo de sua viagem, você provavelmente vai querer estar muito bem preparado.

O Eurotúnel

O Eurotúnel (em inglês, *The Channel Tunnel* ou *Chunnel*) é um túnel que fica embaixo do Canal da Mancha (*English Channel*) — o braço de mar entre a Inglaterra e a França. O trem de alta velocidade Eurostar faz o transporte de passageiros no Eurotúnel. Além deste, por lá também passam trens especiais que transportam carros e trens de carga, aqueles que levam mercadorias. A ideia de construir um túnel entre a Inglaterra e a França remonta a 1802. Mas levou muito tempo até que a ideia se tornasse realidade: o túnel só foi inaugurado em 1994. Foram seis anos para construí-lo e os gastos chegaram a 80% a mais do que havia sido originalmente planejado.

Viajando para o Reino Unido

Se for viajar para o Reino Unido, a primeira providência é decidir como ir. Embora o Reino Unido seja um conjunto de ilhas, o acesso é muito fácil. Basta utilizar uma combinação de ônibus ou carro particular e barco de travessia (*ferry*) ou trem. Ou, é claro, você pode simplesmente pegar um avião.

Estadia legal: visto e passaporte

A maioria dos cidadãos europeus não precisa do visto (visa) nos passaportes (*passports*). Entretanto, se você for de um país que não pertença à União Europeia, deve verificar antecipadamente se precisa do visto. Para consegui-lo, seu passaporte tem que estar válido, mas não a um passo de expirar. Dependendo do tipo de viagem que estiver planejando, pode precisar de um tipo diferente de visto. Por exemplo, um visto de estudante é diferente do visto de turista.

A forma mais rápida e fácil de conseguir informações sobre exigências de visto para seu país de origem é verificar na internet. Para começar, tente esta página: www.ukvisas.gov.uk/en.

O que levar na mala?

Depois de resolver como viajar e os lugares que deseja visitar, precisa determinar o que vai levar na mala (*what to pack*). O tempo no Reino Unido é uma de suas características mais famosas. Por isso, deve procurar saber qual tipo de roupa (*clothes*) é apropriado para a época em que planeja ir. É sempre uma boa ideia colocar um guarda-chuva (*umbrella*) na bagagem (*luggage*). Os invernos (*winters*) costumam ser rigorosos, especialmente no norte. Por outro lado, os verões (*summers*) podem ser bem quentes. Muitos lugares públicos estão preparados para o tempo frio e os prédios (*buildings*) e meios de transporte (*transport*) têm, em geral, aquecimento central. Entretanto, normalmente não há, nesses mesmos lugares, sistema de ar-condicionado.

Assim, no alto verão, eles são extremamente quentes. Pergunte a qualquer um que já pegou o metrô de Londres, em um dia de calor de agosto.

Além de levar roupas adequadas ao clima, o que coloca em sua bagagem também depende do tipo de viagem que estiver planejando. Para as férias de verão (*summer holiday*), acampamentos (*camping trip*) ou mochilões (*backpacking holidays*) em albergues da juventude (*youth hostels*), você pode levar coisas como sacos de dormir (*sleeping bags*), lanternas (*torch ou flashlights*), roupas de banho (*swimsuit* para mulheres e *swimming trunks* para homens), protetor solar (*sun cream*), óculos de sol (*sunglasses*) e botas de caminhada (*walking boots*). Se for uma viagem no inverno (*trip in winter*) ou se estiver esperando tempo frio vai precisar de um casaco ou uma jaqueta grossa (*heavy coat ou jacket*), cachecol (*scarf*), luvas (*gloves*) e possivelmente um chapéu (*hat*). Para viagens a negócios precisa levar roupas mais formais em uma mala (*suitcase*), como um terno (*suit*), um blazer (*jacket*) e gravata (*tie*). Pode levar também uma pasta (*briefcase*) para carregar papéis ou o laptop.

Palavras a Saber

suitcase (mala)	*briefcase* (pasta)	*backpack / rucksack* (mochila)
luggage (bagagem)	*backpacking holiday* (mochilão)	*camping trip* (acampamento)
business trip (viagem a negócios)	*sleeping bag* (saco de dormir)	*torch / flashlight* (lanterna)
swimsuit (traje de banho / maiô)	*swimming trunks* (calção de banho / sunga)	*sun cream* (protetor solar)
sunglasses (óculos de sol)	*walking boots* (botas de caminhada)	*coat / jacket* (casaco / jaqueta / blazer)
scarf (cachecol)	*gloves* (luvas)	*suit tie* (gravata)

Estando em Roma...

A expressão "Quando em Roma, faça como os romanos" (*When in Rome, do as the Romans do*), significa que o ideal é seguir os costumes e tentar se adaptar o mais rápido possível ao país em que se encontra.

Seu país de origem provavelmente tem muitas tradições e costumes diferentes dos do Reino Unido. Sugerimos que você pesquise sobre o comportamento típico e os hábitos de seus anfitriões antes de viajar. Uma das coisas mais atraentes acerca do Reino Unido é que muitas grandes cidades têm ampla diversidade de culturas, de nacionalidades e de grupos morando no mesmo lugar – embora você também encontre enormes diferenças em atitudes e comportamentos entre uma grande cidade cosmopolita, como Londres, e um pequeno vilarejo rural do País de Gales. Hoje em dia, o Reino Unido é um país multicultural. Por isso é bastante difícil dizer o que o comportamento "britânico" é ou não é.

O que é *Britishness* ("britanidade")? Certos estereótipos no que diz respeito ao comportamento britânico certamente existem, mas saiba que características como frieza, formalidade ou o famoso "*stiff upper lip*" (manter-se solene) não passam disso – estereótipos. *Stiff upper lip* significa aguentar firme as adversidades sem mostrar qualquer emoção.

A melhor maneira de se preparar para as diferenças de costumes é pesquisar antecipadamente informações sobre as pessoas com quem vai ficar ou se reunir. Por exemplo, se for a um encontro de negócios com pessoas de diferentes nacionalidades, o ideal é se informar sobre seus países e hábitos.

Os seguintes costumes britânicos podem ser diferentes em seu país:

- **Linguagem corporal** (*body language*): abraçar (*hugging*), beijar (*kissing*) e tocar outras pessoas (*touching another people*) são ações reservadas aos membros íntimos de uma família. Não é uma boa ideia colocar seu braço no ombro de alguém, a não ser que tenha bastante intimidade com essa pessoa. A distância entre você e aquele com quem fala (*personal space*) varia bastante entre as culturas. Se estiver conversando e notar que a pessoa está vagarosamente chegando para trás, significa que provavelmente está muito perto.

- **Jantando fora** (*eating out*): para chamar o garçom, diga educadamente: "*Excuse me*". Você nunca deve estalar seus dedos (*snap your fingers*) para chamá-lo, pois isso é extremamente grosseiro. Em um *pub*, é comum se revezar com os amigos para comprar rodadas de bebidas. Se for jantar na casa de alguém, procure não deixar comida no prato. Mais informações sobre jantar fora no Capítulo 5.

- **Presentes** (*gifts*): se for ficar na casa de alguém, leve um presentinho para seu anfitrião. Você pode levar flores, uma caixa de chocolate ou uma garrafa de vinho se for convidado para jantar em uma casa. As pessoas normalmente abrem a embalagem na hora em que são presenteadas, se esta estiver embrulhada com papel.

- **Cumprimentos** (*greetings*): você geralmente dá um aperto de mão (*shake hands*) na hora em que conhece a pessoa e diz "*Nice to meet you*". As pessoas só beijam no rosto (*kiss on the cheek*) amigos muito íntimos e isso é incomum no ambiente profissional.

- **Em uma casa** (*at the home*): quando faz uma visita a alguém, a pessoa pode oferecer para mostrar a casa, embora algumas tenham uma atitude bastante reservada, chegando até a fechar as portas dos outros cômodos. Se alguém mostrar a casa a você, é educado admirar os móveis e a decoração. Nunca fume na casa de outras pessoas sem permissão. É comum os fumantes irem para fora, seja no jardim ou na rua.

Lugares para se visitar

Se estiver indo ao Reino Unido de férias, mas não sabe muito bem quais lugares visitar, procure informações turísticas na internet ou em um guia de viagens. Sites que oferecem esse tipo de informação são um bom lugar para começar. Você pode dar uma olhada no site oficial de turismo do Reino Unido (www.visitbritain.com) que fornece informações em várias línguas. Diferentes lugares, como Escócia, Yorkshire ou South-east England, também têm sites regionais de turismo que podem ajudá-lo a achar locais interessantes em áreas que já planejava visitar. Simplesmente digite "Yorkshire tourist board" (ou a região de sua escolha) em um site de buscas (como www.google.co.uk) para encontrar links de sites de turismo regional.

Muitas pessoas gostam de pedir conselhos aos amigos ou familiares, especialmente se eles já visitaram o país. Você pode perguntar aos amigos no próprio Reino Unido, por conselhos ou lugares para visitar. Caso você esteja planejando visitar a Inglaterra, também pode pegar um exemplar do **Londres Para Leigos** (Wiley)"

Muitas pessoas confundem as palavras *trip* (passeio / viagem), *journey* (jornada / viagem) e *travel* (viajar / viagem). *Trip* e *journey* são substantivos, então você fala sobre "*a trip*" (um passeio) e "*a journey*" (uma viagem). *Journey*, em geral, é uma viagem mais longa e mais complicada do que uma *trip*. Nós sugerimos que use o vocábulo *trip* se não tiver certeza. Por exemplo, você pode dizer: "*I'm going on a trip to the UK*" ou "*I'm going on a business trip*". *Travel* é um substantivo abstrato ou um verbo, então você fala sobre "*travelling to the UK*" (viagem ao Reino Unido) ou "*I like to travel*" (eu gosto de viajar), mas nunca diz "*I'm going on a travel*".

Tendo uma Conversa

Oscar vai visitar o Reino Unido pela primeira vez e pede sugestões de lugares aonde ir e o que fazer ao seu amigo Roger.

Oscar: *I'd like to visit the north of England, but only have two days free. Where do you suggest I go?* (Eu gostaria de visitar o norte da Inglaterra, mas só terei dois dias livres. Aonde sugere que eu vá?)

Roger: *You should definitely visit Lake District. It's very beautiful and it's really worth seeing.* (Você deveria definitivamente visitar Lake District. É muito bonito e vale muito a pena conhecer.)

Oscar: *Yes, I read something about it in my guide book. It's on the way to Scotland, right?* (Sim, li algo a respeito em meu guia. Fica a caminho da Escócia, certo?)

Roger: *Well, it's south of the border with Scotland. I'd recommend Lake Windermere – it's famous for its beautiful scenery. You must see Stagshaw Garden.* (Bem, é ao sul da fronteira com a Escócia. Eu recomendaria Lake Windermere – é famoso por sua paisagem deslumbrante. Você precisa ver Stagshaw Garden.)

Oscar:	What about places to stay? Are there a lot of hotels to choose from? (E quanto aos lugares para ficar? Há muitas opções de hotéis?)
Roger:	I wouldn't recommend staying in a hotel. It would be much nicer to stay in a B&B, which is smaller and has more of a home feeling. (Não recomendaria ficar em um hotel. Seria muito melhor se hospedar em um B&B, que é menor e tem mais o aconchego de uma casa.)
Oscar:	So how long should I stay at Lake Windermere? Are there other things to see nearby? (Então, quanto tempo eu devo ficar em Lake Windermere? Há outras coisas para se conhecer por perto?)
Roger:	Personally, I'd stay in one place and then you can get a bus to see other areas of interest nearby, or rent a car. (Pessoalmente, eu ficaria em um único local e, então, poderia pegar um ônibus para ver outras áreas interessantes por perto. Ou alugaria um carro.)
Oscar:	Okay, that sounds like a good idea. Thanks for your recommendation! (Certo, isso parace uma boa ideia. Obrigado por sua recomendação.)

Aqui estão algumas expressões úteis para recomendar e pedir sugestões de lugares para visitar:

- *I´d like to visit...* (Eu gostaria de visitar...)
- *Where do you suggest I go?* (Aonde sugere que eu vá?)
- *How long should I stay?* (Quanto tempo devo ficar?)
- *Are there other things to see nearby?* (Há outras coisas para ver por perto?)
- *You should definitely visit...* (Você deveria mesmo visitar...)
- *I´d recommend... / I wouldn´t recommend...* (Eu recomendo... / Eu não recomendo...)
- *Personally, I'd . . . / Personally, I wouldn't . . .* (Pessoalmente, eu... / Pessoalmente, eu não...)
- *You must see...* (Você deve ver...)
- *...is really worth seeing.* (...vale muito a pena ver.)

Reservando um Voo

Durante sua estadia no Reino Unido, talvez precise reservar um voo para outra parte do país. Há muitas companhias aéreas que oferecem esse serviço *on-line*, mas você tem a opção de ligar para uma agência de turismo (*travel agency*) para pesquisar as diferentes opções de voos.

_____Capítulo 13: A Caminho **233**

Tendo uma Conversa

Oscar precisa reservar um voo de Londres para Belfast. Ele vai participar de uma reunião e ficar dois dias fazendo turismo. Oscar liga para um agente de viagens.

Travel Agent: *Hello, Express Travel. May I help you?* (Alô, Express Travel, posso ajudá-lo?)

Oscar: *Hello. I'd like some information about flights from London to Belfast, please.* (Alô. Gostaria de informações a respeito de voos de Londres para Belfast, por favor.)

Travel Agent: *Certainly, sir. When would you like to travel?* (Certamente, senhor. Quando gostaria de viajar?)

Oscar: *I need to fly on Monday the sixteenth, in the morning, around eight a.m.* (Preciso embarcar na segunda-feira, dia dezesseis, pela manhã – por volta das 8 horas.)

Travel Agent: *And when are you coming back?* (E quando é seu retorno?)

Oscar: *I'd like to come back on Thursday the nineteenth, late afternoon. My times are flexible for coming back.* (Gostaria de retornar na quinta-feira, dia dezenove, no final da tarde. Meu horário é flexível para a volta.)

Travel Agent: *Right, just let me have a look... hmmm, the direct flights on the morning of the sixteenth are already full. There's a large international trade fair on in Belfast forthat week, so it's going to be difficult to find a cheap direct flight. Are you happy to fly business or first class?* (Certo, deixe-me dar uma olhada... hummm, os voos matinais diretos do dia dezesseis já estão lotados. Haverá uma grande feira internacional de comércio em Belfast nessa semana, por isso será difícil encontrar voo direto na classe econômica. Você ficaria satisfeito de voar de classe executiva ou primeira classe?)

Oscar: *Well, are there any other options? For example, what about a flight via another UK airport?* (Bem, há outras opções? Por exemplo, que tal um voo via outro aeroporto britânico?)

Travel Agent: *Just let me check the availability. You could get a flight to Manchester, and then a connecting flight from there to Belfast, which would get you into Belfast around eleven a.m.* (Deixe-me verificar a disponibilidade. Você poderia pegar um voo para Manchester e, então, uma conexão de lá para Belfast, o que o deixaria em Belfast por volta das 11 horas.)

Oscar: *Hmmm – I get into Belfast very late.* (Hummm – chegaria em Belfast muito tarde.)

Travel Agent: *There's no problem with a direct flight back to London on the nineteenth. There's one leaving Belfast at 5 p.m.* (Não há problema com o voo direto de volta a Londres, no dia dezenove. Há um saindo de Belfast às 17 horas.)

Oscar:	That sounds fine, but the flight to Belfast sounds complicated. (Isso me parece bom, mas o voo para Belfast está complicado.)
Travel Agent:	The only direct flights available on Monday morning to Belfast are first class or business class, I'm afraid. (Os únicos voos diretos na segunda de manhã para Belfast só têm disponíveis assentos de primeira classe ou classe executiva, infelizmente.)
Oscar:	Okay, can you hold the return flight for me and I'll check with the company whether they'll cover the expenses of a business class. Otherwise I may need to fly the night before. (Certo, reserve o voo de volta para mim e eu vou verificar com a empresa se ela cobre as depesas da classe executiva. Caso contrário, vou precisar viajar na noite anterior.)
Travel Agent:	Certainly, sir. I can hold the return flight for you for twenty-four hours. You'll need to make the payment for the flight within twenty-four hours, or you may lose it. (Certamente, senhor. Posso reservar o bilhete de volta por 24 horas. Você precisará efetuar o pagamento dentro desse período ou perderá a reserva.)
Oscar:	Thanks, I'll get back as soon as I can. (Obrigado. Entrarei novamente em contato tão logo puder.)

Palavras a Saber

direct flight (voo direto)	return flight (voo de volta)	connecting flight (voo com conexão)
stopover (escala)	business class (classe executiva)	first-class (primeira classe)

Aqui estão algumas expressões que podem ajudá-lo a reservar um voo:

- I'd like some information about flights to... (Gostaria de informações sobre voos para…)

- I need to fly [on Monday / on the fourth / in June]. (Preciso embarcar [na segunda-feira / no dia 4 / em junho].)

- My times are flexible for coming back. (Meu horário é flexível para a volta.)

- Let me check availability. (Deixe-me verificar a disponibilidade.)

- I can hold the return flight for you for [24 hours / one day]. Posso reservar o voo de volta para você por [24 horas / um dia].)

- You need to make the payment for the flight within [24 hours / immediately]. (Você precisa efetuar o pagamento da passagem em [24 horas / imediatamente].)

- I'll get back to you as soon as I can. (Eu retornarei assim que puder.)

Check-in e segurança

Pegar um avião no Reino Unido é como pegar um avião em qualquer parte do mundo. Quando você chega ao aeroporto (*airport*), precisa fazer o *check-in*, isto é, mostrar sua passagem (*ticket*) e seu passaporte (*passport*) no balcão de embarque (*check-in desk*) e despachar as malas que vão no compartimento de carga do avião (*hold of the plane*). Você pode levar bagagem de mão (*hand luggage*) no avião, mas precisa certificar-se de que sua bolsa seja pequena e que não esteja muito pesada. A maioria das companhias aéreas permite apenas uma bagagem de mão e muitas determinam um limite de peso. Algumas empresas aéreas mais baratas cobram por cada mala que você despacha e normalmente só permitem um item de mão nesses voos. Não há problema nisso quando a viagem é curta, mas se você for ficar fora por muitos dias, provavelmente vai querer levar mais de uma mala. A atendente no balcão de embarque lhe dá o cartão de embarque (*boarding pass*) com seu nome (*your name*), o número do voo (*flight number*), o horário (*boarding time*) e o portão de embarque (*gate*).

Tendo uma Conversa

Oscar está fazendo o *check-in* do voo para Belfast.

Flight attendant:	*Good morning, sir. May I see your passport, please?* (Bom dia, senhor. Posso ver seu passaporte, por favor?)
Oscar:	*Yes, here you are. I'm on the eight a.m. flight to Belfast. Business class.* (Sim, aqui está. Estou no voo das 8 horas para Belfast. Classe executiva.)
Flight attendant:	*Right. Do you have any bags to check in?* (Certo. Você tem malas para despachar?)
Oscar:	*Yes, I have this suitcase to check in and this briefcase as a hand luggage.* (Sim, tenho esta bolsa de viagem para despachar e essa pasta como bagagem de mão.)
Flight attendant:	*Did you pack your suitcase yourself?* (Foi você mesmo que fez sua mala?)
Oscar:	Yes. (Sim.)
Flight attendant:	*Are you carrying any sharp items in your hand luggage? Please look at this card of security instructions and make sure you aren't carrying any on these items in your luggage.* (Você está levando algum objeto pontiagudo em sua bagagem de mão? Por favor, leia este cartão com instruções de segurança e certifique-se de que não está carregando nenhum destes itens na bagagem.)
Oscar:	*No, that's all fine.* (Não, está tudo certo.)
Flight attendant:	*Okay. Would you like an aisle or a window seat?* (Certo. Gostaria de um assento no corredor ou na janela?)
Oscar:	*An aisle seat, please. How long is the flight?* (Um assento no corredor, por favor. Quanto tempo dura o voo?)

Flight attendant:	*It's fifty minutes.* (Cinquenta minutos.)
Oscar:	*Is breakfast served on board?* (O café da manhã é servido a bordo?)
Flight attendant:	*Yes, sir, it is. Here is your boarding card. Boarding time is seven thirty-five at gate fifteen. You have seat number thirty-three C. Please go directly to the boarding gate now, as it may take you a while to get through security.* (É sim, senhor. Aqui está seu cartão de embarque. A hora do embarque é 7h35 no portão 15. O número de sua poltrona é 33C. Por favor, dirija-se imediatamente ao portão de embarque, pois pode levar certo tempo para passar pela segurança.)
Oscar:	*Thank you.* (Obrigado.)
Flight attendant:	*You're welcome. Enjoy your flight.* (De nada. Tenha um bom voo.)

Depois do *check-in*, você precisa passar pela segurança (*go through security*) e pelo controle de passaportes (*passport control*). Hoje em dia, muitos aeroportos estabeleceram medidas de segurança rígidas e determinadas quantidades de líquido não passam pela segurança. A União Europeia instituiu regras para o que pode e o que não pode ser levado a bordo. Por isso, verifique quais são esses itens com seu agente de viagens, ou on-line, antes de viajar. Até mesmo coisas como uma embalagem pequena de desodorante (*deodorant*) pode ser barrada pelo controle. Dessa forma, não coloque os itens de higiene pessoal (*toiletries*) na bagagem de mão, mas sim nas malas que vão para o compartimento de carga. Para passar pela segurança e pelo controle de passaporte e conseguir chegar ao portão de embarque em aeroportos grandes e movimentados, como *Heathrow*, em Londres, você precisará de tempo. Em épocas movimentadas, esses procedimentos costumam demorar – e você não quer perder seu voo, certo?

No portão de embarque (*departure gate*), você precisa esperar até que os funcionários do aeroporto anunciem o embarque. Depois, você entrega o cartão de embarque ao encarregado da companhia e embarca no avião (*board the plane*). A bordo, precisa encontrar sua poltrona (*seat*) e colocar sua bagagem de mão nos bagageiros (*overhead lockers*). Então, pode se sentar (*sit down*), colocar o cinto de segurança (*fasten your seatbelt*) e esperar a decolagem (*wait for take-off*).

Aeroportos de Londres

Londres tem quarto aeroportos principais: Heathrow, Gatwick, Stansted e Luton. O mais conhecido e o maior é o aeroporto de Heathrow, com cinco terminais. A maioria dos voos internacionais aterrissa em Heathrow e ele comporta o maior tráfego aéreo internacional do mundo — mas é só o terceiro aeroporto mais movimentado, depois de Atlanta e Beijing! A maior parte dos voos de empresas aéreas mais baratas, que saem de cidades da Europa, aterrissa em Stansted e Luton, que são aeroportos muito menores. Gatwick também é grande e atualmente possui dois terminais (*North Terminal* e *South Terminal*).

Palavras a Saber

check-in desk (balcão de embarque)	boarding card (cartão de embarque)	hand luggage (bagagem de mão)
luggage (bagagem)	baggage (bagagem / malas)	bags (malas)
suitcase (bolsa de viagem)	phone number (número de telefone)	sharp itens (objetos pontiagudos / cortantes)
passengers (passageiros)	departure gate (portão de embarque)	(departure hall sala de embarque)
security (segurança)	liquids (líquidos)	passport control (controle de passaporte)
window / middle / aisle seat (pronunciado I'll) assento da janela / do meio / do corredor)	overhead locker (bagageiro)	flight attendant (comissário de bordo)
seatbelt (cinto de segurança)	take-off (decolagem)	

Alimentação e compras em trânsito

A maioria dos voos disponibiliza alimentação a bordo. Entretanto, as companhias aéreas de baixo custo (*budget airlines*) cobram um valor muito alto pelos lanches. Os passageiros dos voos internacionais podem comprar produtos isentos de taxas nas *Duty-Free Shops*. Isso significa que você consegue adquirir perfumes, presentes, suvenires e outros itens a preços mais baixos do que os cobrados em lojas. Você também pode comprar bebidas alcoólicas e cigarros isentos de taxas nas lojas dos aeroportos.

Tendo uma Conversa

Oscar está em um voo matinal para Belfast. A comissária de bordo está servindo o café da manhã.

Flight attendant:	*What would you like to drink?* (O que gostaria de beber?)
Oscar:	*Orange juice, please.* (Suco de laranja, por favor.)
Flight attendant:	*With ice?* (Com gelo?)
Oscar:	*No, thanks. And a cup of coffee, please.* (Não, obrigado. E uma xícara de café, por favor.)

Flight attendant:	*Certainly, sir. Would you like cream and sugar with that?* Claro, senhor. (Gostaria de creme e açúcar para o café?)
Oscar:	*Just sugar, please.* (Só açúcar, por favor.)
Flight attendant:	*Here you go. Breakfast will be served in a minute.* (Aqui está. O café da manhã será servido em um minuto.)
Oscar:	*Thank you.* (Obrigado.)
[*The flight attendant serves breakfast.*]	([A comissária serve o café.])
Flight attendant:	*We have a choice of a cheese sandwich or scrambled eggs today. Which would you like?* (Nós temos como opções hoje sanduíche de queijo ou ovos mexidos. O que gostaria?)
Oscar:	*Scrambled eggs, please.* (Ovos mexidos, por favor.)
Flight attendant:	*Here you are, sir.* (Aqui está, senhor.)
Oscar:	*Thank you.* (Obrigado.)

Aterrissando e saindo do aeroporto

Se você for de avião do Reino Unido para outro país e não tiver passaporte da União Europeia, terá que preencher um formulário chamado *landing card*. Neste, você fornece informações como seu nome (*name*), data de nascimento (*date of birth*), número do passaporte (*passport number*) e endereço (*address*) no Reino Unido. Não é preciso preencher o *landing card* para voos domésticos.

Quando aterrissar (*land*), desça do avião (*get off the plane*) e vá até a sala de desembarque (*baggage claim area*) para recolher suas malas. É improvável que seja parado na alfândega, especialmente se estiver em voos domésticos ou dentro da União Europeia. Você normalmente encontra duas ou três portas de saída (*exit doors*) na sala de desembarque. Uma é pintada de verde e diz "*Nothing to declare*" (Nada a declarar). Outra é pintada de vermelho com os dizeres "*Goods to declare*" (Bens a declarar). Você precisa seguir por essa porta se estiver carregando bens sujeitos a declaração. Dependendo do aeroporto, há também uma terceira porta com a placa "*Arrivals from the European Union*" (Desembarque da União Europeia). Depois de passar por uma dessas três portas de saída, você vai para uma área de desembarque onde pode pegar um táxi (*take a taxi*), ônibus (*bus*) ou trem (*train*) para a cidade ou onde amigos podem estar esperando por você.

Quando alguém espera você no aeroporto, é provável que pergunte: "*How was your flight?*" (Como foi seu voo?). Se viajou de carro, ônibus ou trem, seu amigo pode perguntar: "*How was your trip?*" (Como foi sua viagem?). É útil saber como descrever a viagem de diferentes maneiras para poder responder a essa pergunta com algo a mais do que apenas "*Fine*" (boa)!

Tendo uma Conversa

O voo de Oscar aterrissou no aeroporto de Belfast. Seu colega de trabalho, Brian, vai encontrá-lo.

Brian: *Hello, Oscar, nice to see you again!* (Olá, Oscar. Bom ver você novamente!)

Oscar: *Hi, Brian, how are you?* (Oi, Brian! Como está?)

Brian: *Fine, fine.* (Bem, bem.)

Oscar: *I'm sorry I'm late – our flight was delayed at Heathrow. We sat on the runway for an hour before take-off.* (Sinto muito ter chegado tarde – nosso avião atrasou em Heathrow. Ficamos esperando na pista de decolagem por uma hora antes de decolarmos.)

Brian: *Yes, I saw it was announced on the arrivals board. Anyway, you're here now. How was your flight?* (Sim, eu vi anunciado no quadro de chegadas. De qualquer forma, você está aqui agora. Como foi seu voo?)

Oscar: *Okay. It was extremely bumpy when we were coming to land, but at least it was short!* (Tudo certo. Foi extremamente turbulento quando estávamos para aterrissar, mas pelo menos só por pouco tempo!)

Brian: *Good, did they give you anything to eat?* (Bom, eles serviram comida?)

Oscar: *Yes, I have breakfast on the flight.* (Sim, tomei café da manhã no avião.)

Brian: *Okay, that's good because we need to go straight ahead into the centre of town for our meeting. Let's go!* (Certo, isso é ótimo porque precisamos ir direto para o centro da cidade para nossa reunião. Vamos!)

SONS NATIVOS

Quando você descrever uma viagem, tente usar advérbios de intensidade, como *extremely* (extremamente), *horrendously* (aterradoramente) ou *totally* (completamente), em vez de *very* (muito). Por exemplo, diga: "*The flight was extremely bumpy*" ou "*The flight was horrendously bumpy*" (*horrendously* é mais intenso do que *extremely*). Não diga "*The flight was totally bumpy*", porque *totally* só é usado com certos adjetivos. Por exemplo: "*I was totally exhausted after the flight*" (Fiquei completamente exausto depois do voo). Se não tiver certeza do que usar, mantenha-se no *extremely* para ênfase e normalmente estará correto.

Palavras a Saber

duty-free goods (produtos isentos de taxas aduaneiras)	duty-free shops (free shops (lojam onde são vendidos produtos isentos de taxas))	
budget airline (companhia aérea de baixo custo)	international flight (voo internacional)	
internal flight (voo doméstico)	landing card (formulário oficial que deve preenchido por todos os não cidadãos da União Europeia ao entrarem no Reino Unido)	to be delayed (estar atrasado)
runway (pista da decolagem e aterrissagem)	to take off (decolar)	to land (aterrissar)
arrivals board (quadro de chegadas)	departure board (quadro de partidas)	baggage reclaim (sala de desembarque)
bumpy (turbulento)	customs (alfândega)	customs official (inspetor de alfândega)
nothing to declare (nada a declarar)	goods to declare (bens a declarar)	arrivals hall (setor de desembarque)

Dando uma Volta

O sistema público de transportes no Reino Unido é muito bom. Os britânicos e visitantes normalmente reclamam do alto preço do transporte comparado a outras cidades europeias. Todas as grandes cidades têm ampla rede de ônibus e trens e algumas possuem linhas de trens subterrâneos e metrô.

Usando o metrô

O metrô mais famoso no Reino Unido é o de Londres (*London Underground* ou "*the Tube*").

Algumas cidades britânicas têm bilhetes (*tickets*) ou passes (*passes*) especiais para serem usados no transporte público. Londres, por exemplo, possui o *Oyster card*, um cartão similar ao de crédito que pode ser utilizado em ônibus e metrô. Você compra créditos para o *Oyster card* e a passagem (*fare*) é automaticamente debitada do cartão quando este é passado pelas catracas do metrô ou máquinas dos ônibus. É preciso passar o *Oyster card* por círculo amarelo especial para que o valor da passagem seja debitado. Costuma ser mais em conta usar esse tipo de sistema do que pagar uma passagem integral por viagem e os ônibus são, em geral, mais baratos do que o metrô. Muitos londrinos usam o *Oyster card* para ir e vir do trabalho, mas se você for a Londres para ficar um período curto de tempo (apenas um dia ou fim de semana) e estiver planejando fazer mais do que duas viagens por dia, pode adquirir outros tipos de bilhetes. Você pode comprar, por exemplo, o cartão de um dia (*one-day travel card*) que permite que faça quantas viagens quiser no mesmo dia depois das 9h30. Adultos acompanhados de crianças também podem comprar tíquetes especiais. O ideal é perguntar no guichê do metrô sobre os tipos de cartões disponíveis.

Tendo uma Conversa

Oscar quer comprar um bilhete para o metrô de Londres. Ele se dirige ao guichê e pergunta quais são os tipos à venda.

Oscar: *Good morning, I'd like to know what kind of ticket I can buy for the London Underground for just a few days.* (Bom dia. Eu gostaria de saber quais tipos de bilhetes que posso comprar para o metrô de Londres só para alguns dias.)

Employee: *Well, that depends. You can buy one-day travel pass if you are going to make several journeys. That means for under ten pounds you can make many journeys as you want in one day, on the Tube and also by bus.* (Bem, isso depende. Você pode comprar o cartão de um dia se for fazer muitas viagens. Isso significa que por menos de 10 libras pode ir e vir o quanto quiser num dia, de metrô e também de ônibus.)

Oscar: *Actually, I have two free days in London and wanted to do some sightseeing. What about Oyster card?* (Na verdade, eu tenho dois dias livres em Londres e gostaria de fazer turismo. E quanto ao Oyster card?)

O metrô de Londres

O metrô de Londres é o sistema de metrô mais antigo do mundo — a primeira parte foi inaugurada em 1863. Atualmente tem 270 estações e cerca de 400 km de trilhos, por isso, também é a maior rede de metrô do mundo. Para somar a essas grandezas, é também o sistema de transporte público mais caro por quilômetro e dizem que é o lugar mais quente para se estar em um dia ensolarado de agosto. O metrô de Londres é conhecido como *"the Tube"* (o Tubo) por causa de seus túneis circulares, estreitos e cilíndricos, como um tubo. As pessoas consideram o mapa do metrô de Londres um modelo clássico e muitos outros copiaram as cores dos códigos e o desenho não geográfico. O mapa data de 1933 e, juntamente com os ônibus vermelhos de dois andares (*double-decker buses*), representa uma das tradicionais imagens de Londres.

Employee:	*An Oyster card works best for people who live in London and make two journeys a day to e from work. Then each journey works out a bit cheaper.* (Um Oyster card é melhor para pessoas que vivem em Londres e fazem duas viagens por dia, para ir ao trabalho e voltar. Neste caso, cada viagem sai um pouco mais barata.)
Oscar:	*So do you think is a good idea to get a one-day travel card for today and then another for tomorrow?* (Então você acha que é melhor comprar um cartão de um dia para hoje e outro para amanhã?)
Employee:	*Like I said, if you want to make more than two journeys a day that's probably best. But you can only use a travel card after nine-thirty.* (Como eu disse, se você quiser fazer mais de duas viagens por dia, é provavelmente o melhor. Mas só pode usar o cartão depois das 9h30.)
Oscar:	*And I can travel anywhere on the Tube with the card?* (E eu posso ir a qualquer lugar de metrô com o cartão?)
Employee:	*You have to buy it for certain zones. We're in Manor House Tube Station, which is zone four. If you want to go to the West End, that's zone one. So you need a card for zones one to four.* (Você precisa comprá-lo de acordo com as zonas. Estamos em Manor House Tube Station, que é zona quatro. Se quiser ir a West End, é zona um. Assim, você precisa de cartão para as zonas de um a quatro.)
Oscar:	*Okay, can I have one travel card for zones one to four, please? And can I pay by credit card?* (Certo. Posso comprar um cartão para as zonas de um a quatro, por favor? E pagar com cartão de crédito?)
Employee:	*Yes, certainly. Here you go. Please sign here.* (Sim, claro. Aqui está. Por favor, assine aqui.)
Oscar:	*Thank you. Do you have an Underground map?* (Obrigado. Você tem um mapa do metrô?)
Employee:	*Yes, you can take one from the rack just here.* (Sim, você pode pegar um da prateleira aqui.)
Oscar:	*Thanks.* (Obrigado.)

Viajando de trem

Nem todas as cidades têm metrôs. Os trens (*trains*) são bem mais comuns. Você provavelmente vai pegar um trem para ir de uma cidade à outra. As passagens (*rail fares*) normalmente são caras. Se reservar com antecedência, elas podem sair um pouco mais baratas – em alguns casos você consegue economizar até 50% fazendo esse procedimento. Então, definitivamente, vale a pena reservar as passagens dos trens de longa distância, aqueles que fazem o trajeto entre duas cidades grandes. Você pode fazer isso pessoalmente na estação ou a distância, pela internet ou telefone. Os trens britânicos têm assentos de primeira e segunda classe e um sistema bastante complexo de descontos, como o tíquete de ida e volta para o mesmo dia (*one-day returns* ou *day return*). Se você comprar um desses, provavelmente vai pagar o mesmo valor de uma passagem unitária, e não muito mais. Também costuma ser mais barato comprar um tíquete com retorno, mesmo quando a ida é em um dia e a volta no outro, do que duas passagens unitárias.

Também há descontos nas passagens de trens para crianças (*children*), estudantes (*students*), aposentados (*pensioners*), embora seja preciso um cartão de estudante ou aposentado comprovando que a pessoa é qualificada para receber o desconto. Se quiser comprar uma passagem de primeira classe, precisa pedi-la – a maioria das pessoas viaja de segunda classe e o funcionário do guichê provavelmente vai lhe dar uma dessas se não disser o contrário.

Tendo uma Conversa

Oscar está comprando uma passagem de trem de Londres para Brighton.

Oscar:	*Good morning, a ticket to Brighton, please.* (Bom dia. Uma passagem para Brighton, por favor.)
Employee:	*Is that a single or return?* (É unitária ou com retorno?)
Oscar:	*Return, please.* (Com retorno, por favor.)
Employee:	*Are you coming back today?* (Vai voltar hoje?)
Oscar:	*Yes.* (Sim.)
Employee:	*In that case you want a day return.* (Nesse caso, você vai querer com retorno para o mesmo dia.)
Oscar:	*Yes, please.* (Sim, por favor.)
Employee:	*That's twenty-five pounds please.* (São vinte e cinco libras, por favor.)
Oscar:	*Which platform does the train leave from? And what time is the next train?* (De qual plataforma o trem sai? Qual é o horário do próximo trem?)
Employee:	*The next train leaves at 11.06. The platform will be announced on the departure board, but it usually leaves from platform twelve.* (O próximo trem sai às 11h06. A plataforma será anunciada no quadro de partidas, mas normalmente sai da plataforma 12.)
Oscar:	*Thank you very much.* (Muito obrigado.)
Employee:	*You're welcome.* (De nada.)

> **Palavras a Saber**
>
> a single / one-way / return / day return ticket (rail)
> (bilhete unitário / de ida / com retorno / com retorno para o mesmo dia)
>
> an Oyster card (London Underground)
> (cartão pré-pago de transporte de Londres (normalmente para o metrô))
>
> a travel pass — zones — a fare
> (bilhete comprado para utilizar o transporte público (há vários tipos para situações diferentes)) — (zonas) — (uma passagem)
>
> discount — first class / second class — platform — departure board
> (desconto) — primeira classe / segunda classe — (plataforma) — (quadro de partidas)
>
> express train / slow train (trem expresso / trem parador)

Pegando ônibus

Os ônibus públicos são, em geral, um ótimo meio para conhecer uma cidade. Se não tiver um bilhete único que permita fazer quantas viagens quiser, certifique-se de que tem o valor certo da passagem do ônibus, porque muitos motoristas não aceitam notas (como as de cinco ou dez libras) e não carregam muito troco.

Você encontra os itinerários dos ônibus afixados nos pontos, embora às vezes seja difícil saber de qual direção ele virá. Não tenha medo de pedir ajuda a alguém.

Formando filas

Os britânicos são famosos por muitas coisas e uma delas é formar filas (*queuing* — pronunciado "*kyu-ing*"). *Queuing* nada mais é do que formar ordenadamente uma fila enquanto espera por algo. Formar filas é especialmente importante em pontos de ônibus. Quando chegar a um, certifique-se de que se posicionará atrás da última pessoa na fila e não na frente. Os britânicos acham educado esperar aqueles que chegaram antes entrar no ônibus primeiro. Não passe na frente quando o ônibus chegar. Você também precisará esperar em uma fila para comprar coisas como bilhetes de ônibus e trens. Dizem que se alguém no Reino Unido parar sozinho na calçada e ficar olhando para o nada por tempo o bastante, uma fila ordenada irá se formar atrás dele.

Capítulo 13: A Caminho

Tendo uma Conversa

Oscar quer pegar um ônibus de St Paul's Cathedral para Piccadilly Circus em Londres. Ele pede ajuda a um homem no ponto.

Oscar: *Excuse me, I want to go to Piccadilly Circus from here. Should I get the number sixteen bus?* (Com licença, eu gostaria de ir daqui para Piccadilly Circus. Eu deveria pegar o ônibus número 16?)

Man: *No, mate, you need the number nineteen.* (Não, parceiro, você precisa pegar o número 19.)

Oscar: *Oh, okay.* (Ah, tá.)

Man: *Anyway, you're on the wrong side of the road. This bus goes east. You want to go west. Cross the road and get the bus at the bus stop there on the other side.* (De qualquer forma, você está do lado errado da rua. Esse ônibus vai para o leste. Você quer ir para o oeste. Atravesse a rua e pegue o ônibus no ponto do outro lado.)

Oscar: *Okay, thanks. Do you know how often they come?* (Certo, obrigado. Você sabe qual a frequência que eles passam?)

Man: *They're fairly frequent at this time of the day – about every five or ten minutes. But you know what they say: buses only ever come in threes… [This well-known phrase means that you can spend hours for a bus and then three of the same bus come along at the same time.]* (Eles passam com bastante frequência nesta hora do dia – aproximadamente a cada 5 ou 10 minutos. Mas você sabe o que dizem: buses only ever come in threes… [Isso é uma expressão que significa que você pode passar horas esperando por um ônibus e então três iguais vêm ao mesmo tempo.])

Oscar: *Right, thanks. Thanks for your help.* (Certo, obrigado. Obrigado pela sua ajuda.)

Man: *No problem, mate.* (Sem problema, parceiro.)

Black cabs

Outro símbolo tradicional de Londres são os táxis pretos ou "*black cabs*". Hoje em dia, você vê muitos "*black*" *cabs* de diferentes cores e alguns deles têm propaganda nas laterais. Os motoristas desses táxis fazem uma prova especial para testar seus conhecimentos das ruas de Londres, que é uma cidade enorme. Essa prova é chamada de "*the Knowledge*" (o Conhecimento — o nome completo é "*The Knowledge of London Examination System*") e começou a ser aplicada na década de 1860. Dizem que é um dos exames para motoristas de táxi mais difíceis do mundo e os taxistas precisam fazê-lo uma média de 12 vezes para conseguir passar.

Ouve-se a palavra *get* muitas vezes quando o assunto é transporte. Você "*get in*" (entra) e "*get out*" (sai) de um carro ou táxi. Você "*get on*" (entra) e "*get off*" (sai) de um avião, ônibus ou trem. Como regra geral, "*get in*" e "*get out*" são usados para meios de transporte de pequeno porte, como táxis e carros. Para os de grande porte, nos quais você consegue ficar em pé dentro, "*get on*" e "*get off*" são as formas utilizadas.

Pegando um táxi

Algumas vezes você precisa pegar um táxi (*get a taxi* ou *cab*) para ir de um lugar a outro. A maioria das cidades tem táxis licenciados (aquele que você pode pegar diretamente na rua) e eles normalmente colocam o nome e o telefone da companhia nas portas. Você também encontra minitáxis (esses só rodam com passageiros agendados) no Reino Unido. Esse tipo de táxi tende a ser mais barato do que os licenciados. Você encontra centrais de minitáxis nas *high streets*, perto das estações de metrô e ônibus. Você pode agendar sua corrida na central e algumas vezes paga antecipadamente pelo serviço.

Dar gorjeta para o taxista é opcional no Reino Unido. Algumas pessoas arredondam o valor da corrida para cima. Por exemplo, se o valor da sua corrida for ₤8.65, pode arredondar para ₤9.

Para dizer como se desloca do ponto A ao B, use o verbo *go*. Então, você usa "*go by car*", "*go by train*", "*go by Tube*", "*go by taxi*" e "*go by bicycle*". Mas quando vai a pé, você usa "*go on foot*", nunca "*go by foot*".

Alugando um Carro

Se quiser sair dos roteiros batidos (*get off the beaten track*, ou seja, ir a lugares onde têm poucos turistas), provavelmente vai querer alugar um carro. Todas as grandes cidades têm locadoras de veículos (*car rental* ou *hire offices*), incluindo companhias internacionais, como Avis e Hertz. Reservar o aluguel de seu carro antes de viajar, seja via agente de viagens ou site da companhia, pode ser mais barato do que alugar um carro no Reino Unido. Você consegue descontos especiais para, por exemplo, fins de semana ou aluguéis de sete dias.

Você precisa ter uma carteira internacional de habilitação (*international driving licence*) para alugar um carro no Reino Unido e a emissão dessa carteira deve ser feita no seu país de origem. Se você for da União Europeia, pode dirigir com sua habilitação por certo período de tempo, dependendo do tipo de carro que quiser alugar. O melhor é verificar antes com a locadora se a sua licença é válida no Reino Unido. Você também pode encontrar informações sobre dirigir com uma habilitação não britânica no site www.direct.gov.uk/en/ Motoring/DriverLicensing/ DrivingInGbOnAForeignLicence/DG_402556.

No Reino Unido há menos postos de pedágio do que em muitos países da Europa. Há poucas vias expressas com esses postos, embora você precise pagar pedágio na Forth Bridge e na Tay Bridge, na Escócia, na Severn Bridge, que conecta a Inglaterra ao País de Gales, no Tyne Tunnel e Mersey Tunnel, no norte da Inglaterra. O mais famoso é o controverso pedágio urbano de Londres (*London congestion charge*), no qual os carros que circulam no centro pagam uma taxa que custa 5 libras por dia.

Uma coisa extremamente importante a se lembrar é que no Reino Unido se dirige pelo lado esquerdo da rua. Isso pode ser um tanto confuso quando o motorista entra em uma rotatória pela primeira vez.

Tendo uma Conversa

Oscar chega a Belfast e aluga um carro para visitar os amigos no interior.

Oscar:	*Good morning, I have a reservation for a car under the name of "Suarez".* (I made a reservation via your website. Bom-dia, tenho uma reserva de carro no nome de "Suarez". Fiz a reserva pelo site.)
Employee:	*Yes, just a moment. Can you spell the name, please?* (Sim, só um momento. Pode soletrar o nome, por favor?)
Oscar:	*Yes, it's S-U-A-R-E-Z. First name Oscar.* (Sim, é S-U-A-R-E-Z. Primeiro nome, Oscar.)
Employee:	*Yes, here it is. Just for two days, is it?* (Sim, aqui está. Só por dois dias, certo?)
Oscar:	*Yes, that's right. I believe you have a special weekend rate?* (Sim, está correto. Acho que vocês têm um preço especial de fim de semana.)
Employee:	*Yes, you've booked a car at the weekend rate, unlimited mileage. Let's do the paperwork first. Do you have an international driving licence?* (Sim, você reservou pelo valor de fim de semana, milhagem ilimitada. Vamos ver os documentos primeiro. Você tem carteira internacional de habilitação?)
Oscar:	*I come from a European Union country, and I have my Spanish driving licence.* (Eu vim de um país da União Europeia e tenho carteira de habilitação espanhola.)
Employee:	*Okay, that's fine. Can I see it, please? I need to make a copy for our records. What about car insurance? Would you like me to include insurance with the rental?* (Certo, está bem. Posso vê-la, por favor? Preciso fazer uma cópia para nossos arquivos. E quanto ao seguro do carro? Gostaria que eu incluísse o seguro com a locação?)
Oscar:	*That's already covered by my Spanish car insurance, thank you.* (Isso já é coberto pelo meu seguro do carro na Espanha, obrigado.)

Employee:	Right, you've booked an economy model and we have this one available. Its diesel, so you need to put diesel into it, not normal petrol. (Certo. Você reservou um modelo econômico e temos este disponível. É a diesel, por isso você precisa abastecer com diesel, não gasolina comum.)
Oscar:	Okay. (Certo.)
Employee:	We'll give you the car with a full tank of diesel. If you bring it back full there will be no charge, but if we need to add more diesel, we'll need to charge you for that per litre. (Nós vamos lhe dar o carro com o tanque cheio de diesel. Se vier de volta cheio, não haverá cobrança. Mas, se precisarmos completar com diesel, teremos que cobrar de você por litro.)
Oscar:	Okay, I understand. (Certo, eu entendo.)
Employee:	Please could you fill out these papers for me, and we'll proceed with your reservation... (Por favor, poderia preencher esses documentos para mim e prosseguiremos com sua reserva...)

Os postos de gasolina (*petrol stations*) também são conhecidos como "*service stations*". Muitos deles funcionam com um sistema de autosserviço (*self-service*), mas outros não. Se precisar colocar gasolina ou diesel no carro, ou ir ao posto de gasolina para qualquer outra coisa, essas expressões serão úteis:

- *Where is the nearest petrol station?* (Onde é o posto de gasolina mais próximo?)

- *Is there a petrol station near here?* (Há um posto de gasolina perto daqui?)

- *Fill it up, please.* (Complete, por favor.)

- *Thirty pound of [super / regular / unleaded / diesel], please.* (Trinta libras de [aditivada / comum / gasolina sem chumbo / diesel], por favor.

- *Where are the bathrooms, please?* (Onde ficam os banheiros, por favor?)

- *Where can I put air in the tyres?* (Onde posso calibrar os pneus?)

- *Do you have something I can clean the windshield with, please?* (Você tem algo com que eu possa limpar o para-brisa, por favor?)

- *Where can I find a mechanic?* (Onde posso achar um mecânico?)

- *I've got a flat tyre.* (Meu pneu furou.)

Pedindo Informações

Uma boa maneira de conhecer uma cidade pequena e ver o que há de bom é a pé. Cidades com centros históricos, como Oxford e Cambridge, têm muitas estradinhas e pode ser difícil se localizar. Mas se tiver as expressões certas na manga, não precisa se preocupar em se perder – pode simplesmente perguntar o caminho a alguém. Você precisa sabê-las para pedir informações, mas também para entender a resposta. Aqui estão algumas preposições necessárias para descrever onde ficam os lugares:

- *Opposite* (oposto)
- *Next to* (próximo a)
- *Near* (perto)
- *Not far from* (não [é] longe)
- *Between* (entre)
- *Behind* (atrás)
- *Across the road from* (do outro lado da estrada)
- *On the corner of* (na esquina do [a])
- *In the middle of* (No meio de [o/a])

Você também precisará entender como chegar ao local. Aqui está uma típica resposta a um pedido de informação:

> *Turn left over there, then go straight ahead and take the third right. Go past the bus station to the end of the road and it´s the first street on the left.*
>
> Vire à direita lá, então vá em frente e pegue a terceira à direita. Passe o terminal de ônibus, indo até o final rua, e é a primeira rua à esquerda.

Algumas vezes, as informações em língua estrangeira são difíceis de entender. Não tenha medo de solicitar esclarecimentos ou pedir para que a pessoa repita o que disse. Se tiver um mapa, pergunte se ela pode lhe mostrar no caminho no papel. Aqui estão algumas expressões para ajudá-lo a achar seu caminho:

- *Excuse me, where is the station?* (Com licença, onde fica a estação?)
- *Could you tell me the way to the station, please?* (Poderia me dizer o caminho até a estação, por favor?)
- *How do I get to the station, please?* (Como chego à estação, por favor?)
- *Turn* [left / right]. (Vire [à esquerda / direita].)
- *Go straight ahead.* (Siga em frente.)
- *Go along this street.* (Vá seguindo essa rua.)
- *Take the* [first / second / third] *left.* (Pegue a [primeira / segunda / terceira] à esquerda.)
- *Go to the end of the road.* (Vá até o final da rua.)
- *Go past the* [station / post office]. Passe [a estação / o posto dos correios].)
- *It's the second on the right.* (É a segunda à direita.)
- *It's on* [your / the] [left / right]. (É a [sua] [esquerda / direita].)
- *I'm sorry, was that left or right?* (Desculpe-me, era à esquerda ou direita?)
- *So it's on the left or the right?* (Então é à esquerda ou direita?)

Parte III: Inglês a Caminho

- *How far is it?* (É longe?)
- *Is it far from here?* (É longe daqui?)
- *Can you show me on the map, please?* (Pode me mostrar no mapa, por favor?)

Em algumas partes do Reino Unido é comum usar a expressão *right?* (certo?) para verificar se a pessoa está prestando atenção. Então, não fique surpreso se pedir informações em Londres e alguém disser: "*Okay, turn right, **right**? And then you take the first left, **right**? Then go straight ahead, **right**, and keep going...*". As palavras *right* em negrito querem apenas dizer "certo".

Tendo uma Conversa

Oscar está andando no centro da cidade de Belfast. Ele quer conhecer o Grand Opera House. Oscar pede informações a um homem na rua.

Oscar: *Excuse me. Can you tell me the way to the Grand Opera House, please? It's far from here?* (Com licença. Poderia me dizer o caminho para o Grand Opera House, por favor? É longe daqui?)

Man: *Not far at all; it's about a five-minute walk. Go to the end of the street and turn left at the corner. Go on about fifty metres, past the post office, then turn left again. Then you'll see it down on your right.* (Não muito longe; é uma caminhada de aproximadamente 5 minutos. Vá até o final da rua e vire à esquerda na esquina. Siga cerca de 50 metros, passe o posto dos correios, em seguida, vire à esquerda de novo. Então irá vê-lo à sua direita.)

Oscar: *Okay, so I first go to the end of the street and turn right...* (Certo, então eu sigo primeiro até o final da rua e viro à direita...)

Man: *No, no. You turn left at the end of the street.* (Não, não. Você vira à esquerda no final da rua.)

Oscar: *So I turn left, then left again?* (Então viro à esquerda e depois novamente à esquerda?)

Man: *Yes, and straight ahead along the street and it will be on your right. You can't miss it.* (Sim, e segue direto ao longo da rua e ele estará a sua direita. Não tem erro.)

Oscar: *Okay, thanks a lot.* (Certo, muito obrigado.)

Para perguntar a distância, pode usar a palavra *far*. Por exemplo: "*How far is the cathedral from here?*" (A catedral é longe daqui?). A resposta pode ser: "*Not far; it´s a five-minute walk.*" (Não é longe; é uma caminhada de cerca de 5 minutos.) Os britânicos tendem a usar mais a palavra *far* em frases interrogarivas e negativas. Em afirmativas o mais comum é o uso expressão "*a long way*" (longe / distante). Por exemplo: "*It's a long way; about 45-minutes walk*" (É distante; aproximadamente 45 minutos de caminhada.) Se usar *far* em afirmativas, acrescente a palavra quite – "*It's quite far; about 45-minutes walk*".

_____Capítulo 13: A Caminho **251**

Palavras a Saber

castle (castelo)	stadium (estádio)	art gallery (galeria de arte)
shopping centre (shopping center)	cathedral (catedral)	church (igreja)
clock tower (relógio da torre)	opera house (teatro lírico)	bus station (terminal de ônibus)
train station (estação de trem)	underground / Tube station (estação do metrô)	
bridge (ponte)	docks (cais)	river (rio)
beach (praia)	waterfront (à beira d'água)	harbour (porto)

Descrevendo Cidades

O Reino Unido tem muitos lugares para serem visitados, desde centros históricos e vilarejos até grandes centros industriais. Antes de ir a algum lugar, talvez queira pedir recomendações a amigos. Ou, quem sabe, você mesmo queira dar sugestões de locais a outras pessoas.

Aqui estão algumas expressões úteis para descrever cidades:

- *It's an industrial area.* (É uma área industrial.)
- *It's quite [crowded / noisy / cosmopolitan / touristy].* (É muito [cheia / barulhenta / cosmopolita / turística].)
- *It's [bigger / smaller / noisier / more beautiful] than...* (É [maior / menos / mais barulhenta / mais bonita] do que...)
- *It's a popular tourist destination.* (É um destino turístico popular.)
- *It's near the border with Scotland/Wales.* (É perto da fronteira da Escócia com o País de Gales.)
- *It's famous for the medieval cathedral.* (É famoso pela catedral medieval.)
- *It has a beautiful historical centre.* (Tem um centro histórico bonito.)
- *It has spectacular views.* (Tem vistas espetaculares.)
- *It has beautiful scenery.* (Tem uma vista linda.)

Tendo uma Conversa

Oscar está contando a seu amigo Roger como foi sua viagem a Belfast.

Roger: *How was your trip to Belfast? What did you think of the city?* (Como foi sua viagem a Belfast? O que achou da cidade?)

Oscar: *I liked a lot. It's smaller than I expected, and not as crowded as other big cities.* (Gostei muito. É menor do que imaginava e não tão cheia quanto outras grandes cidades.)

Roger: *What did you visit in the city?* (O que visitou na cidade?)

Oscar: *Oh, you know, the typical tourist places. The Grand Opera House, Belfast Castle, the Albert Memorial Clock Tower...* (Ah, você sabe, os típicos pontos turísticos. O Grand Opera House, o castelo de Belfast, o Albert Memorial Clock Tower...)

Roger: *What's the nightlife like? I hear Belfast is a very lively city.* (E como é a vida noturna? Ouvi que Belfast é uma cidade muito animada.)

Oscar: *Yes, the streets were full of people at night in the centre, but maybe that's because it's summer!* (Sim, as ruas ficam cheias de pessoas à noite no centro, mas deve ser porque é verão!)

Roger: *Did you visit the countryside at all?* (Você visitou o interior afinal?)

Oscar: *Yes, I rented a car for two days and drove around a bit. There are some spectaculars places in Ireland!* (Sim, aluguei um carro por dois dias e passeei um pouco por lá. Há locais espetaculares na Irlanda!)

Roger: *Well, it's famous for its beautiful scenery, and they say that people are much friendlier than in other parts of the UK.* (Bem, ela é famosa por suas lindas paisagens e dizem que as pessoas são muito mais amistosas do que em outras partes do Reino Unido.)

Oscar: *That's certainly true. I got lost a few times in the centre of Belfast and people were very friendly and helpful.* (Isso com certeza é verdade. Eu me perdi algumas vezes no centro de Belfast e as pessoas foram muito cordiais e prestativas.)

Note que a expressão "*What is/are...like?*" é usada para pedir a opinião de alguém sobre determinada situação ou lugar. Então, você diz "*What is Belfast like?*" ou "*What are the people like?*", mas não "*How is Belfast?*" ou "*How are the people?*". Entretanto, pode perguntar "*How was [your trip to] Belfast?*". A resposta para "*What is Belfast like?*" poderia ser "*It's great / interesting / quite cosmopolitan...*", entre outras. Lembre-se de que essa pergunta tem significado diferente da pergunta "*Do you like Belfast?*". A resposta para esta é "*Yes, I do*" ou "*No, I don't*".

Diversão e Jogos

1. Correlacione as perguntas às respostas corretas.

a) What do you suggest I visit in town?	The platform will be announced on the departure board.
b) Are there any seats available for the Tuesday flight?	I don´t mind; any seat is fine.
c) Would you like an aisle, middle or window seat?	No, you need the number 19.
d) Would you like cream and sugar with that?	Yes, I loved it. It´s very cosmopolitan.
e) Do you need a landing card?	Just black coffee, thank you.
f) How was your flight?	Just one-way ticket, please.
g) Do you want a single or return ticket?	No, thanks, I have an EU passport.
h) Which platform does the train leave from?	It's a lot less industrial than I expected.
i) Should I get the number 16 bus?	I'm afraid it´s fully booked, unless you fly first class.
j) What's the city like?	A little bumpy, to be honest.
k) Did you like the city?	You should definitely see the cathedral.

Resposta:

a) What do you suggest I visit in town? You should definitely see the cathedral.

b) Are there any seats available for the Tuesday flight? I'm afraid it´s fully booked, unless you fly first class.

c) Would you like an aisle, middle or window seat? I don´t mind; any seat is fine.

d) Would you like cream and sugar with that? Just black coffee, thank you.

e) Do you need a landing card? No, thanks, I have an EU passport.

f) How was your flight? A little bumpy, to be honest.

g) Do you want a single or return ticket? Just one-way ticket, please.

h) Which platform does the train leave from? The platform will be announced on the departure board.

i) Should I get the number 16 bus? No, you need the number 19.

j) What's the city like? It's a lot less industrial than I expected.

k) Did you like the city? Yes, I loved it. It´s very cosmopolitan.

2. Agora diga em qual lugar esses diálogos se passam.

| at the bus stop | on the airplane | in the tourist office | at the airport |
| at a friend's house | after a trip | at the train station | at the travel agent |

Resposta:

in the tourist office - a

at the travel agent - b

at the airport - c, f

on the airplane - d, e

at the train station - g, h

at the bus stop - i

at a friend's house - j, k, (f)

Capítulo 13: A Caminho

3. Coloque as palavras no grupo correto.

boarding card   clock tower   backpack   check-in desk   castle   bus
departures hall   Tube   town hall   underground   briefcase   overground train
suitcase   cathedral   baggage claim   rucksack

Types of Luggage	At the airport	Types of Transport	Tourist Attractions

Resposta:

Types of luggage: suitcase, briefcase, backpack, rucksack

At the airport: check-in desk, baggage reclaim, departures hall, boarding card

Types of transport: Tube, underground, overground train, bus

Tourist attractions: cathedral, town hall, clock tower, castle

4. Coloque as frases na ordem correta. A primeira e a última frase já estão feitas.

<u>1)</u>   Book your flight.

___ Put your hand luggage in the overhead locker.

___ Arrive at the airport.

___ Check your luggage and get your boarding card.

___ Fasten your seatbelt.

___ Go to your boarding gate.

___ Board the plane and find your seat.

___ Go to the check-in desk.

___ Go through security and passport control.

10) Order your drink from the flight attendant.

Resposta:

1) Book your flight.

2) Arrive at the airport.

3) Go to the check-in desk.

4) Check your luggage and get your boarding card.

5) Go to your boarding gate.

6) Go through security and passport control.

7) Board the plane and find your seat.

8) Put your hand luggage in the overhead locker.

9) Fasten your seatbelt.

10) Order your drink from the flight attendant.

Capítulo 14
Lidando com Emergências

Neste capítulo

▶ Conseguindo ajuda quando se precisa

▶ Permanecendo saudável

▶ Crimes e problemas legais

Em qualquer momento de sua viagem, algo pode acontecer – embora esperemos que não seja nada sério. Em certas ocasiões, você precisa saber como conseguir ajuda para resolver problemas, desde situações gerais a específicas, como questões de saúde, visitas ao dentista e conversas com a polícia. Neste capítulo, orientamos você nessas questões para lhe assegurar uma estadia tranquila.

Ser capaz de conseguir ajuda de forma rápida e eficaz é o mais importante – você não vai querer procurar por um dicionário ou guia de expressões em um momento inoportuno.

Conseguindo Ajuda Rapidamente

Se passar por um problema, deverá saber como pedir socorro urgentemente. Para começar, aqui estão algumas frases:

- *Can somebody help me, please?* (Alguém pode me ajudar, por favor?)
- *Please, I need help, over here!* (Por favor, preciso de ajuda aqui!)
- *Can you get help, please?* (Você pode chamar ajuda, por favor?)
- *Somebody call [an ambulance / the police]*. (Alguém chame [uma ambulância / a polícia].)

Você também pode simplesmente gritar "*Help!*" (Socorro!) ou "*Fire!*" (Fogo!) alto o bastante e, com certeza, alguém virá em seu auxílio.

Lidando com Problemas de Saúde

Quando chegar à cidade na qual vai ficar, faça seu registro com um médico ou dentista (*register with a doctor ou dentist*). Se tiver cobertura do sistema de saúde britânico (*British National Health System*, que tem acordos para os membros da União Europeia e outros países. As condições estão no site www.adviceguide.org.uk/index/family_parent/health/nhs_charges_for_people_from_abroad.htm) poderá se registrar com um médico ou dentista de graça. Entretanto, se não for ficar um período muito longo de tempo, precisará pagar por tratamento privado.

O sistema de saúde britânico é excelente. Para encontrar um médico na área onde mora (clínico geral – *GP* ou *general practitioner*) entre no site www.nhs.uk/servicedirectories/Pages/serviceSearch.aspx. Caso sofra um acidente ou fique gravemente doente, poderá ir diretamente para a emergência (*Accident and Emergency department – A&E*) do hospital local, mas para problemas de saúde menores, deverá ir ao seu clínico geral primeiro e ele recomendará um especialista, se necessário.

A maior parte remédios (*medicines*) só pode ser comprada com receitas. Então, você provavelmente terá que ir ao médico se tiver qualquer coisa pior do que uma gripe ou resfriado. Quase todos os remédios são pagos.

Se a condição de sua estadia não lhe der acesso ao serviço de saúde (*NHS services*) ou se seu país não tiver um acordo de reciprocidade com o Reino Unido (isso se aplica à maioria dos países fora da Comunidade Europeia) você precisará pagar por tratamento particular.

Descrevendo os seus sintomas

No momento em que for a um médico (*doctor*), hospital (*hospital*) ou dentista (*dentist*), é importante saber descrever o que está sentindo e ser capaz de explicar qual parte do corpo está machucada ou onde é a dor. Nesta parte, nós detalhamos visitas ao médico e dentista e exploramos como falar do corpo.

A primeira coisa que precisa saber fazer é dizer onde dói. A figura 14-1 mostra as diferentes partes do corpo.

Estou bem!

Quando alguém pergunta como está, é costume dizer "Bem, obrigado" (*Fine, thanks*), "Nada mal" (*Not too bad*) ou "Não posso reclamar" (*Can't complain*), mesmo se não estiver assim tão bem. É uma pergunta comum entre as pessoas, mas ninguém deseja ouvir um relato de seus problemas médicos como resposta. Não é que as pessoas não liguem, não é isso. Você precisa se acostumar a perguntar como as pessoas estão sem esperar detalhes sangrentos como resposta.

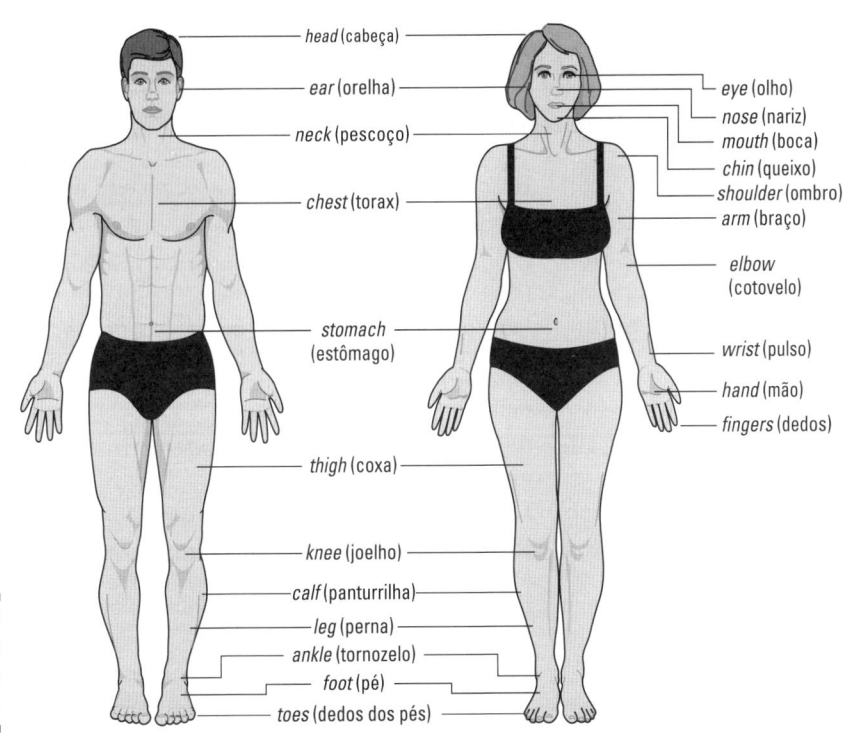

Figura 14-1: As diferentes partes do corpo.

Labels (left figure): head (cabeça), ear (orelha), neck (pescoço), chest (tórax), stomach (estômago), thigh (coxa), knee (joelho), calf (panturrilha), leg (perna), ankle (tornozelo), foot (pé), toes (dedos dos pés)

Labels (right figure): eye (olho), nose (nariz), mouth (boca), chin (queixo), shoulder (ombro), arm (braço), elbow (cotovelo), wrist (pulso), hand (mão), fingers (dedos)

Tente usar as seguintes expressões para explicar o que dói ou o que incomoda:

- *My [neck / back / chest / leg] hurts.* [descreve dores] (Meu(s) / Minha(s) [pescoço / costas / tórax / perna] dói / doem.)

- *I've got a terrible pain in my [chest / leg / stomach].* [descreve dores] (Estou sentindo uma dor terrível em meu / minha [tórax / perna / estômago].)

- *My throat is sore.* [descreve inflamações] (Minha garganta está inflamada.)

- *I've got a [fever / temperature / pain in my… / sore…].* Estou [com febre / dor em meu… / inflamação ou ferida…].)

- *I can't sleep.* Eu não consigo dormir.

- *I'm having trouble [walking / sitting / breathing].* (Estou com problemas para [andar / sentar / respirar].)

- *I'm feeling a bit tired and haven't got any energy.* (Estou me sentindo cansado e sem energia.)

Tendo uma Conversa

Gina foi ao médico.

Doctor: *Hello, how are you today?* (Olá, como está hoje?)

Gina: *Hello. Not too good actually.* (Olá. Na verdade, não muito bem.)

Doctor: *Oh dear, what seems to be the problem?* (Puxa, qual é o problema?)

Gina: *I've got a sore throat and a bit of a cough, and I don't seem to have very much energy at the moment.* (Estou com a garganta inflamada e com um pouco de tosse. Estou sem muita energia no momento.)

Doctor: *Right. Have you had a fever at all?* (Certo. Você teve febre até o momento?)

Gina: *I don't think so, not really.* (Acho que não. Não, na verdade.)

Doctor: *Well let's just take your temperature to make sure. What about aches and pains – anything?* (Bem, vamos medir sua temperatura para ter certeza. E quanto a dores?)

Gina: *Actually, yes – I've been aching all over since yesterday.* (Na verdade, sim. Estou com dores no corpo desde ontem.)

Doctor: *And are you eating okay?* (E está se alimentando bem?)

Gina: *Yes, absolutely – as much as usual.* (Sim, com certeza – normalmente.)

Doctor: *Sneezing, coghing, sore eyes?* (Espirros, tosses, olhos doloridos?)

Gina: *Yes.* (Sim.)

Doctor: *It sounds like that flu that's going around at the moment. I'll give you a prescription for some medicine. Stay home for a couple of days, drink lots of liquids and get some rest. I'm sure you'll be fine in two or three days.* (Parece-me que é essa gripe que anda por aí no momento. Vou lhe dar uma receita para os remédios. Fique em casa por alguns dias, beba muito líquido e repouse. Tenho certeza de que estará bem em dois ou três dias.)

Gina: *Thanks very much. I thought it might be the flu, and I didn't want to bother you, but it didn't seem to be getting any better.* Muito obrigada. (Eu achei que poderia ser gripe e não quis incomodá-lo, mas parecia que não melhorava.)

Doctor: *No problem. Come back and see me in four days if you don't feel any better, okay?* (Sem problema. Volte aqui para me ver em quatro dias se não melhorar nada, certo?)

Se tiver problemas mais graves de saúde, então vá a um hospital para ser examinado (*get checked-out*). É sempre melhor prevenir do que remediar. Caso tenha uma emergência muito séria, ligue para 999 e peça uma ambulância (veja "Comunicando um problema", mais adiante neste capítulo). Ou, então, vá por si próprio para a emergência (*Accident and Emergency department*) do hospital mais próximo.

Capítulo 14: Lidando com Emergências

Na Grã-Bretanha todos têm direito a tratamento médico de emergência, mas você precisa pagar por isso se for hopitalizado. Caso possa, chame alguém para tomar conta de todos estes detalhes para você.

Certifique-se de que tenha feito o seguro-saúde próprio para viagens. Junto com outras documentações, como passaporte e o visto, verifique se todos esses documentos estão válidos e se cobrem emergências.

Tendo uma Conversa

Joan foi à emergência do hospital. Depois de um curto período de espera, ele se consulta com o médico.

Doctor: *So, Mr Castells, what seems to be the problem?* (Então, sr. Castells, qual é o problema?)

Joan: *It's my foot, Doctor. I fell down the stairs and I can't stand on it any more – it really hurts.* (É meu pé, doutor. Caí da escada e não consigo mais pisar com esse pé – dói muito.)

Doctor: *I see. Let's have a look at it then. Does it hurt here?* (Entendo. Vamos dar uma olhada então. Aqui dói?)

Joan: *Ow! Yes, it does.* (Ai! Sim, dói.)

Doctor: *It is a bit swollen. Could be a small fracture, or maybe you've just twisted your ankle in the fall. I think you should have an x-ray.* Está um pouco inchado. (Pode ser uma fratura pequena ou talvez você só tenha torcido o tornozelo na queda. Você precisa tirar um raios X.)

[*A while later, after the x-ray.*] ([Um pouco mais tarde, depois do raio X.])

Doctor: *I'm afraid you've broken your ankle, Mr Castells.* (Infelizmente você quebrou seu tornozelo, sr. Castells.)

Joan: *Oh dear. What happens now?* (Puxa! E agora?)

Doctor: *Well, we'll give you some painkillers for the next day or two, and we're going to have to put your ankle in a plaster cast for a while.* (Bem, vamos lhe dar alguns analgésicos para tomar durante um ou dois dias e teremos que engessar seu tornozelo por um tempo.)

Joan: *What about my work?* (E quanto ao meu trabalho?)

Doctor: *What do you do?* (O que você faz?)

Joan: *I'm a postman.* (Sou carteiro.)

Doctor: *Well, I'm afraid you'll have to have a few days off!* (Bem, infelizmente você terá que tirar alguns dias de licença!)

Indo ao dentista

Ir ao dentista é geralmente um pouco menos difícil – no que diz respeito ao que o aflige, pelo menos – do que ir ao médico, porque você só precisa falar sobre sua boca. Usar frases simples, como "*I have a toothache*" (Estou com dor de dente), e apontar para a área dolorida é o suficiente para o profissional fazer seu trabalho. Se você tiver cobertura do sistema de saúde britânico (*NHS healthcare*), automaticamente tem direito ao dentista do NHS da área onde mora (para mais informações, digite seu CEP – *postcode* – no site www.nhs.uk/Pages/HomePage.aspx). Os dentistas do sistema de saúde são mais baratos do que os particulares e cobram valores combinados pelos tratamentos.

Fazer tratamento dentário particular (*private dentistry*) é normalmente muito caro, mas você acha dentistas particulares na área onde reside no site www.privatehealth.co.uk/private-dentistry/find-a-dentist.

Palavras a Saber

tooth (teeth) (dente (dentes))	gums (gengiva)	mouth (boca)	cavity (cárie)
filling (restauração dental)	extract (extração)	dentist (dentista)	anaesthetic (anestésico)
toothache (dor de dente)	mouthwash (enxaguante bucal)	toothpast (creme dental)	toothbrush (escova de dentes)

Crimes e Problemas Legais

Felizmente, a maioria das pessoas vive a vida inteira sem passar pela experiência de nenhum tipo de crime. Mas, às vezes, você pode ter um pouco de má sorte e se deparar com uma situação difícil e perturbadora. Nesta seção, tratamos do que fazer se isso acontecer, de como contatar a polícia e do que falar quando conversar com os policiais.

Envolvendo-se em um problema

Erros acontecem e pode ser que em algum momento você se veja do lado errado da lei – talvez pare em lugar proibido ou se envolva em um acidente de carro. A primeira coisa a fazer é ficar calmo (*stay calm*). Os policiais britânicos são treinados para lidar com as pessoas de forma firme, mas educada, e você deve demonstrar a mesma cortesia.

Se for uma questão menor, como parar em local proibido, consegue resolver o problema sozinho. Algumas vezes há uma boa razão e você pode discutir o assunto de maneira calma e respeitável – embora seja provável que ainda assim tenha que pagar a multa. Para problemas mais sérios, certifique-se de que esteja representado: peça para ligar para seu consulado e consiga auxílio. E, lembre-se, no Reino Unido você é inocente até que prove o contrário.

Vamos começar com as expressões usadas para emergências sérias:

- *I'd like to call my consulate, please.* (Gostaria de ligar para meu consulado, por favor.)

Forças de segurança

No Reino Unido os oficiais de polícia (*police officers*) são conhecidos como *"Bobbies"*, embora historicamente eles também sejam chamados de *"Peelers"*. Ambas as denominações provêm do nome do homem que criou a primeira força policial disciplinada em 1829, Sir Robert Peel (Bob é o diminutivo de Robert).

Você encontra oficiais de polícia por todas as ruas: em carros, a pé e, às vezes, a cavalo. Você também encontra um tipo de guarda chamada *special constables*, que são oficiais voluntários com poderes limitados. Além disso, há os agentes de trânsito (*traffic wardens*), que vigiam onde os carros são estacionados e aplicam multas se estiverem parados em local proibido.

A polícia britânica não só trabalha na solução de crimes, mas também fica feliz em ajudar com informações ou recomendações — os oficiais são bastante amistosos, a menos que você arrume problemas...

✔ *Could I speak to a lawyer who speaks [Spanish / Russian / Japanese], please?* (Poderia falar com um advogado que fale [espanhol / russo / japonês], por favor?)

Tendo uma Conversa

Rudi foi parado pelo policial porque ultrapassou o sinal vermelho.

Policeman:	*Good afternoon, sir.* (Boa tarde, senhor.)
Rudi:	*Good afternoon, Officer. Is there a problem?* (Boa tarde, policial. Algum problema?)
Policeman:	*I'm afraid there is, sir. You just drove through a red light.* (Receio que sim, senhor. Você simplesmente ultrapassou o sinal vermelho.)
Rudi:	*Really? I thought it was on amber when I went through.* (Verdade? Pensei que estivesse amarelo quando atravessei.)
Policeman:	*I'm afraid the camera flashed, which indicates the light was red when you drove through it, sir.* (Infelizmente a câmera piscou, o que indica que a luz estava vermelha quando você ultrapassou, senhor.)
Rudi:	*Oh dear. This has never happened to me before. I'm really terrible sorry. What happens now?* (Puxa! Isso nunca me aconteceu antes. Sinto muitíssimo. O que acontece agora?)
Policeman:	*Is this your car, sir?* (Esse é seu carro, senhor?)
Rudi:	*Yes, Officer, it is.* (Sim, policial, é.)
Policeman:	*Could I see your driving licence and documentation, please?* (Poderia ver sua carteira de habilitação e documentos, por favor?)
Rudi:	*Of course. Here you are.* (Claro. Aqui estão.)

Policeman:	*Thank you, sir.* (Obrigado, senhor.)
Rudi:	*Do I need to call a lawyer or my consulate?* (Preciso telefonar para um advogado ou para meu consulado?)
Policeman:	*No, sir. I'm going to issue with a fixed penalty notice – that's an automatic fine of sixty pounds that you'll be able to pay later.* (Não, senhor. Vou emitir uma notificação de penalidade – é uma multa automática de sessenta libras que você poderá pagar mais tarde.)
Rudi:	*Oh, I see.* (Ah, entendo.)
Policeman:	*You'll will also have three points put on your driving licence. Oh, wait a minute, this isn't a British driving licence, is it?* (Você também terá três pontos acrescentados em sua carteira de habilitação. Ah, espere um minuto, essa não é uma carteira de habilitação britânica, é?)
Rudi:	*No, Officer, sorry.* Não, policial. (Desculpe.)
Policeman:	*In that case, Sir, I'm afraid you'll be issued with a court summons and will have to go to court to argue your case.* (Nesse caso, senhor, você infelizmente será intimado judicialmente e terá que ir ao tribunal para discutir seu caso.)
Rudi:	*Oh dear, this is all very upsetting, Officer.* (Puxa, isso tudo é terrível, policial.)
Policeman:	*Here are your documents. You'll be hearing from us soon. Please, drive carefully for the rest of your trip.* (Aqui estão seus documentos. Entraremos em contato em breve. Por favor, dirija com cuidado no resto de sua viagem.)
Rudi:	*I certainly will, Officer. I'm sorry for the trouble.* (Certamente, policial. Desculpe-me pelo problema.)

Comunicando um problema

Esperamos que jamais tenha que comunicar um crime, mas se nunca foi vítima ou testemunha de um, essa seção pode ajudá-lo.

Em uma emergência (ao perceber incêndios ou alguém sendo atacado, por exemplo) telefone para 999. O operador do número de emergência irá perguntar de qual serviço precisa: polícia (*police*), ambulância (*ambulance*), bombeiros (*fire service*) ou guarda costeira (*coastguard* – em algumas áreas). Tente ficar calmo (*keep calm*) e responder às perguntas simples feitas pelo operador:

- *What happened?* (O que aconteceu?)
- *What's your name?* (Qual é o seu nome?)
- *What's the number of the telephone you're calling from?* (De qual número de telefone está ligando?)
- *Where is the incident?* (Onde é a ocorrência?)
- *Is anybody hurt?* (Há algum ferido?)

O operador pode fazer outras perguntas conforme suas respostas.

Se a situação for menos urgente, vá à delegacia de polícia local (*local police station*). Informe-se onde fica a mais próxima quando se mudar para um lugar novo. Você também pode encontrar nas ruas policiais patrulhando (*police patrolling*) ou cidadãos comuns que são treinados para dar auxílio ao trabalho feito pela polícia, chamados de *police community support officers*. Para saber maiores detalhes sobre a delegacia de polícia local, visite o site www.police.uk/forces.htm.

Quando chegar à delegacia, explique por que está lá e o que aconteceu. Se tiver perdido um objeto ou tiver sido roubado, precisará preencher alguns formulários e responder a algumas perguntas. No entanto, se o crime for mais sério, um policial vai interrogá-lo em particular com ajuda de outras pessoas do serviço de polícia.

Fique calmo (*stay calm*), fale claramente (*speak clearly*) e dê todos os detalhes possíveis (*give as much information as possible*). Em cidades grandes, os policiais às vezes têm à disposição o serviço de intérpretes. Não esqueça, como último recurso, você pode ligar para a embaixada (*embassy*) ou consulado (*consulate*) de seu país para pedir ajuda.

Em geral, você precisa dar informações sobre roubos, assaltos a casas e empresas e furtos:

- *The gang robbed a bank (and stole lots of money).* (O bando assaltou o banco (e roubaram muito dinheiro).
- *Help! I've been robbed! They stole my wallet!* (Socorro! Fui assaltado! Eles roubaram minha carteira!)
- *My house has been burgled; they stole the TV and the DVD player.* (Minha casa foi arrombada; eles roubaram a televisão e o aparelho de DVD.)

Outros crimes:

- *Attack someone: a man attacked him with a knife.* (Atacar alguém: o homem atacou-o com uma faca.)
- *Shoplift clothes from a shop.* (Furtar roupas de uma loja.)
- *Kidnap someone: they kidnapped the child and demanded a ransom.* (Sequestrar alguém: eles sequestraram a criança e exigiram resgate.)
- *Mug someone: they mugged him and stole his wallet.* (Atacar com finalidade de roubar: eles atacaram-no e roubaram sua carteira.)

Tendo uma Conversa

Alguém roubou a bolsa de Monica em um café.

Monica: *Excuse me, Officer. I've had my bag stolen.* (Com licença, policial. Tive minha bolsa roubada.)

Officer:	I see, miss. When did this happen? (Entendo, senhorita. Quando isso aconteceu?)
Monica:	Just a couple of minutes ago. (Há alguns minutos.)
Officer:	Here in the street? (Aqui na rua?)
Monica:	No, from a cafe over there. I was just paying for my coffee and when I looked I saw a man running away with my bag. I tried to catch him, but he was too quick, I'm afraid. (Não, em um café mais para lá. Eu estava pagando meu café e, quando olhei, vi um homem saindo com minha bolsa. Tentei alcançá-lo, mas ele foi muito rápido, infelizmente.)
Officer:	I see. What did he look like? (Sei. Como ele era?)
Monica:	Oh, umm... let's see... he was quite tall, with short black hair and black sunglasses. (Ah, hum... deixe-me ver... ele era bem alto, tinha cabelo preto e curto e usava óculos escuros pretos.)
Officer:	And did you see what he was wearing? (E você viu o que ele estava usando?)
Monica:	Yes, a pair of jeans, white trainers and a short black jacket. Oh, and a hat – one of those woolen ones. (Sim, calça jeans, tênis branco e jaqueta preta e curta. Ah, e um gorro – um desses de lã.)
Officer:	Just let me radio in and we can sit down and you can give me all your details, okay? (Deixe-me só transmitir isso por rádio que podemos sentar e você me passa todos os detalhes, certo?)
Monica:	Okay. Thank you. (Certo. Obrigada.)

Palavras a Saber

mugger (assaltante)	*murderer* (assassino)	*robber* (ladrão)
shoplifter (larápio)	*terrorist* (terrorista)	*burglar* (arrombador)
thief (ladrão)	*vandal* (vândalo)	*rapist* (estuprador)

Na maior parte das vezes, tudo o que precisa fazer é descrever o que aconteceu (lembre-se dos tempos verbais no passado) e quem praticou a ação (aparência física, roupas). A polícia toma conta do resto. Não dê uma de herói tentando pegar aquele que cometeu o crime – deixe esse assunto na mão dos especialistas. Já será bastante heroísmo se puder comunicar o fato adequadamente.

Capítulo 14: Lidando com Emergências

Problemas com Visto e Estadia

Certifique-se de que toda sua documentação esteja em ordem antes de viajar e anote todas as datas das quais precisa se lembrar quando estiver no Reino Unido. Você deve pedir a extensão de visto (ou alteração) antecipadamente. Nestes dias de segurança intensificada, as autoridades demonstram menos simpatia pelas pessoas que simplesmente esquecem as datas. Assim, ajude a si próprio e assegure-se de que esteja legal durante sua estadia.

Se já estiver no Reino Unido e precisar fazer alterações em seu visto ou outros documentos, entre no site da *UK Border Agency* para conseguir informações: www.ukvisas.gov.uk/em/alreadyintheUK.

Assegure-se de que seu visto (ou permanência) esteja válido e que você tenha permissão legal para morar e trabalhar no Reino Unido. Como na maioria dos lugares, as regras são bastante complicadas e variam de acordo com o país de origem. Então, o melhor conselho é estar sempre atento.

Acima de tudo, não entre em pânico! Se tiver uma boa razão para permanecer no Reino Unido, há uma grande possibilidade de que as autoridades olhem para você com bons olhos. Entretanto, como os problemas de saúde que mencionamos anteriormente neste capítulo, prevenir é melhor do que remediar!

Diversão e jogos

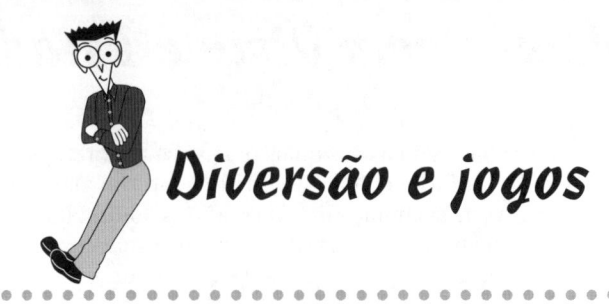

1. Identifique as partes do corpo na figura abaixo.

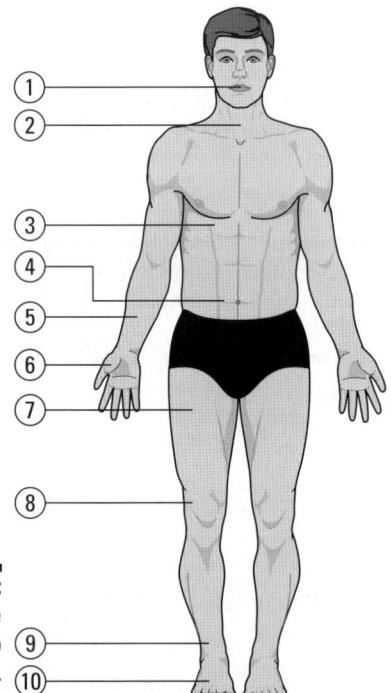

Figura 14-2: Identifique as partes do corpo.

Resposta:

1) Mouth

2) Neck

3) Chest

4) Stomach

5) Arm

6) Hand

7) Thigh

Capítulo 14: Lidando com Emergências

8) Knee

9) Ankle

10) Foot

2. Complete as frases a seguir usando as palavras abaixo:

attacked – burgled – vandal – lawyer – terrorist – robbed – shoplifter – stole – raped – arrested.

1) They _____ his house and stole his TV.

2) Did you see the news? Two men _____ a bank in town this morning.

3) Someone just _____ my phone from my bag.

4) He was _____ by a man with a knife.

5) A _____ broke windows and covered walls in graffiti.

6) They arrested a _____ as she left the shop with four CDs in her bag.

7) I saw on the TV that they caught the man who _____ and killed four women in Birmingham.

8) They arrested four men on _____ charges. One of them had bomb plans in his bag.

9) He was _____ by the police for driving too fast in town.

10) Can I call my _____, please?

Resposta:

1) burgled

2) robbed

3) stole

4) attacked

5) vandal

6) shoplifter

7) raped

8) terrorist

9) arrested

10) lawyer

Parte IV
A Parte dos Dez

A 5ª Onda por Rich Tennant

"Eufemismo são palavras agradáveis usadas em substituição às asperas, desagradéveis. Eu sempre os utilizo para descrever o vestuário da minha filha."

Nesta parte...

Compartilhamos nossas dez melhores dicas para que você desenvolva seu inglês – bem rápido! Sugerimos uma dezena de maneiras para que aprenda o idioma em pouco tempo. Algumas dessas sugestões você pode colocar em prática em seu próprio país, antes de viajar. Agora que a internet está em todo lugar, você tem muitas oportunidades de praticar a língua sem nem mesmo colocar os pés no Reino Unido! Além disso, listamos as dez expressões mais comuns usadas pelos falantes nativos e outras dez que você pode utilizar para soar, especialmente, fluente em inglês.

Também fornecemos informações peculiares sobre dez datas comemorativas do Reino Unido, algo que talvez não saiba. Dependendo da época em que viajar, você pode se encontrar em meio a esses feriados e festividades.

Capítulo 15
Dez Maneiras de Aprender Inglês Rapidamente

Neste capítulo

▶ Descobrindo como uma viagem pode melhorar seu inglês

▶ Usando os meios de comunicação para praticar o idioma

▶ Alavancando seu inglês com ajuda da tecnologia

▶ Exercitando-se com jogos em inglês

*V*ocê pode encontrar diversas maneiras de melhorar o inglês no seu dia a dia. Hoje, é possível fazer parte de clubes e redes sociais, assistir a filmes e ouvir rádio em inglês, entre outros. Você pode até mesmo tirar vantagem das tecnologias mais recentes para aprender palavras novas e conversar com pessoas. Além disso, você consegue fazer o inglês ficar divertido usando-o em jogos e exercícios.

Passando Algum Tempo no Reino Unido

Há, em muitas cidades grandes britânicas, diversos lugares onde você encontra oportunidade de praticar seu inglês. Você pode escolher desde espaços de socialização, locais de estudo até áreas públicas. Como primeira opção, tente um pub: há sempre alguém para conversar por lá. Além disso, você também consegue se entrosar participando das equipes esportivas, dos campeonatos de bilhar e dos eventos regulares que acontecem, como os jogos de perguntas e respostas e outras atividades.

Matricular-se em uma academia, em um clube de esportes ou algo do gênero, também é uma boa ideia, da mesma forma que é começar a fazer um curso noturno leve e social – prefira fotografia à contabilidade!

Se quiser praticar seu inglês de forma mais consistente, organize um intercâmbio com alguém que queira aprender algo com você. Muitas lojas de jornais e revistas, estabelecimentos pequenos e supermercados têm quadros de avisos onde você consegue colocar anúncios. Coloque um no qual diz o que está procurando e o que pode oferecer. Aqui está um exemplo:

> *Italian Man Seeks English Conversation Classes*
> (Rapaz Italiano Busca Aulas de Conversação em Inglês)
>
> *Can offer Italian language or cooking class in return*
> (Pode oferecer aulas de italiano ou de culinária em troca)
>
> *Call Antonio on: 123 978 456*
> (Ligue para Antônio no número 123 978 456)

Tenha cuidado quando responder aos anúncios de jornais, de revistas ou de lojas, e ao encontrar pessoas que responderam aos seus. Nunca dê muitas informações pessoais e certifique-se de que encontrará a pessoa em público, pelo menos na primeira vez.

Viajando para Países de Língua Inglesa

Você não precisa se confinar no Reino Unido. Mais de 80 países ao redor do mundo têm o inglês como idioma oficial, desde as ilhas de Antígua e Barbuda até a Nova Zelândia. Então, há diversos lugares para você escolher.

Nesses locais há muitas pessoas para se conversar. Você não vai apenas aperfeiçoar seu inglês, mas também conhecer outras regiões do mundo, fazer novos amigos e descobrir uma enorme quantidade de culturas diferentes. Além disso, ainda vai poder escutar uma rica variedade de tipos de inglês, porque nem todo mundo fala (ainda bem) como um apresentador da *BBC*. São as variações, os sotaques e os dialetos que fazem o inglês ser uma língua tão interessante de se falar.

Não se esqueça de nos enviar um cartão-postal.

Sintonizando o Rádio e a TV

Ouvir rádio e assistir à televisão são ótimas maneiras de melhorar seu inglês. Os programas de TV são normalmente divididos em diversos tipos – filmes, documentários, noticiários, novelas, comédias, entre outros. Escolha um que realmente goste e assista a ele com a maior regularidade possível. Assistir a um programa como o noticiário, por exemplo, é uma ótima forma de aprender vocabulário das situações cotidianas. E se fizer isso sempre, perceberá que seu vocabulário aumentará.

Antes de assistir ao noticiário, faça uma lista das grandes manchetes do dia. Então, acrescente palavras-chave que provavelmente ouvirá nas histórias. Por exemplo: uma reportagem sobre política possivelmente apresentará palavras como *government* (governo), *prime minister* (primeiro-ministro), *cabinet* (ministério), *Downing Street* (rua de Londres onde se localiza a residência oficial do primeiro-ministro), *minister* (ministro), *Conservative* (Partido Conservador),

Labour (Partido Trabalhista), *Liberal Democrat* (Partido Liberal Democrata), opposition (oposição). Não se esqueça de praticar o que ouve, ler no jornal do outro dia o que ouviu e conversar com amigos ou colegas de trabalho.

Assista a shows de perguntas e respostas (*quiz shows*) – isso lhe dará a oportunidade de saber mais a respeito da sociedade e de seu funcionamento, do que as pessoas pensam e se interessam. Se não for muito penoso, assista a shows de talento e novelas – você encontrará diversas pessoas falando sobre eles no dia seguinte.

Como já sugerimos, fazer listas com o vocabulário específico de uma situação pode ajudar a consolidar seu conhecimento em uma determinada área. Criar essas listas para diferentes tipos de programas favorece sua compreensão auditiva e também amplia seu universo vocabular.

Ouvindo Música e Podcasts

Ouvir música é outra excelente maneira de aprender inglês, embora precisemos ter cuidado com algumas letras. Lembre-se de que músicas pop e rock têm muitas gírias e você precisa estar atento ao usar esse tipo de linguagem. Baladas e canções simples de ouvir contêm muito do inglês cotidiano – mas não saia por aí falando para todos que os amará para sempre ("*I'll love you forever*") depois de ouvir Lionel Richie o dia inteiro!

Nos encartes dos CDs, você normalmente encontra impressas as letras das músicas. Leias as letras enquanto ouve as músicas. Você ficará surpreso do quanto consegue entender e em pouco tempo já estará cantando junto em inglês suas canções preferidas.

Hoje em dia é mais barato comprar música *on-line* de lojas, como a Apple Store no iTunes. (`www.apple.com/itunes/download`), mas dessa forma é claro que não recebe o encarte dos álbuns. Se você gosta de baixar músicas, pode encontrar as letras em sites como o SongLyrics.com (`www.songlyrics.com`) e mais informações sobre o cantor ou a banda na Wikipedia (`www.wikipedia.org`) ou em sites diversos.

Os podcasts também são ótimos para aperfeiçoar seu inglês – e a grande vantagem é que pode ouvi-los onde quiser: no ônibus, no carro, em um passeio pela cidade, durante a jardinagem ou as compras. Muitas grandes empresas produzem podcasts em bom e claro inglês.

O site da *BBC* está repleto de podcasts de áudio e vídeo com todos os tipos de assuntos: notícias diárias, política, ciência, tecnologia, comédia, música e aprendizado. Comece por aqui: `www.bbc.co.uk/podcasts`.

A *BBC* produz tantos podcasts que eles provavelmente o deixarão ocupado por bastante tempo. Mas se estiver procurando por algo especial, pode tentar o site *UK Podcasts Directory* (`www.ukpodcasts.info`) ou use um site de buscas como o Google (`www.google.co.uk`) e pesquise por "UK podcasts".

Você pode baixar e ouvir os podcasts em seu computador usando um programa gratuito, como o iTunes da Apple (www.apple.com/itunes/download). Quando você adiciona um podcast ao iTunes, ele automaticamente baixa a versão mais recente todos os dias. Depois de baixá-los, pode transferi-los para seu MP3 player ou telefone celular (se este reproduzir arquivos mp3). Tire vantagem do tempo livre do qual dispõe todos os dias para melhorar sua compreensão do idioma.

O grande benefício de coisas como os podcasts é que eles normalmente estão divididos em gêneros (ou assuntos específicos). Assim, consistem de uma ótima ferramenta para desenvolver seu inglês em determinadas áreas. Se escutar novos podcasts todos os dias, logo terá um universo vocabular muito mais amplo. Além disso, verá que ficará mais fácil ouvir e compreender as situações cotidianas e também terá bastante assunto para falar com os colegas no trabalho!

Caso você tenha um interesse em especial, encontre um podcast em inglês que fale deste assunto e ouça-o com regularidade. Se estiver relacionado com o trabalho, ele certamente o ajudará na comunicação com seus colegas. Entretanto, também é muito útil achar podcasts que falem dos seus hobbies favoritos. Comece pesquisando no Podcast Directory (www.podcastdirectory.com) e veja o que consegue encontrar.

Assistindo a Filmes e DVDs

Você tem muitas oportunidades de assistir a filmes em inglês. Tanto pode ser no cinema quanto em casa – alugado de uma locadora de vídeos ou emprestado da biblioteca local. Os DVDs são provavelmente a melhor opção, porque hoje em dia quase todos vêm com opções de idioma e de legendas. Você pode começar assistindo ao filme dublado, se essa opção estiver disponível, e, em seguida, assisti-lo de novo, mas dessa vez em inglês com legendas. Por fim, veja o filme só com o áudio em inglês, sem nenhuma legenda.

Uma das vantagens de se assistir a filmes em DVD é que você pode parar, voltar e ver a mesma cena várias vezes, até que fique satisfeito por ter conseguido entender tudo. De primeira, talvez seja melhor assistir ao filme todo de uma vez, porque senão você pode chegar à conclusão de que não se divertiu nem um pouquinho!

Você também pode transformar sua sessão de DVD em uma espécie de jogo – assista ao filme sem legendas e anote palavras-chave de uma cena. Então, veja novamente com legendas e verifique se as palavras anotadas de fato estavam no trecho selecionado.

Se realmente quer um efeito máximo, então vá ao cinema. Na maioria deles você não encontra filmes legendados (você só vê esse tipo de filme em salas pequenas e independentes, e em cinemas de arte). Por isso, precisa se concentrar ao máximo no filme. Entretanto, escolha aqueles que você, de fato, tem interesse, porque isso ajuda a fazer com que preste atenção e compreenda mais.

Antes de ir ao cinema, leia a sinopse do filme que for assistir – descubra informações importantes e os nomes dos personagens. Também pode ser uma boa ideia ver o trailer na internet para que consiga se situar na história. Se tiver sido um livro o que originou o filme, leia-o antes de assistir ao filme (ou depois, se não quiser estragar a surpresa) e compare os dois. Além disso, você consegue muitas informações no *Internet Movie Database* (www.imdb.com). Lá, é possível encontrar os trailers, as sinopses (cuidado para não ler os *spoilers*, informações que trazem tantos detalhes que estragam a surpresa) e a ficha técnica do elenco.

Navegando na Rede

Usar a internet para fazer pesquisas sobre seus *hobbies* e interesses é uma excelente ideia. Grande parte do conteúdo da rede está em inglês e isso é ótimo para que você aproveite e se beneficie dele. Comece dando uma olhada nos sites de notícias, como o da *BBC* (http://news.bbc.co.uk) e *CNN* (www.cnn.com), mas não pare por aí. É possível conseguir todos os tipos de sugestões e palpites sobre a vida no Reino Unido, aperfeiçoar seu inglês e fazer amigos nos países de língua inglesa ao redor do mundo.

Procure blogs que falem de onde mora ou vai ficar – é uma ótima maneira de descobrir mais a respeito do que acontece a sua volta. Tente o *UK Blog Directory* (www.ukblogdirectory.co.uk) ou use sites de busca para pesquisar blogs locais (faça buscas como "*London blogs*").

Você pode manter um blog com suas experiências na língua inglesa. Isso o ajuda a praticar o inglês escrito, mas também lhe dá a chance de expressar o que sente em relação ao seu novo lar e compartilhar situações engraçadas e embaraçosas que acontecem no dia a dia. Escrever regularmente contribui bastante para o aperfeiçoamento do idioma.

Explore as redes sociais como o *Facebook* (www.facebook.com), *MySpace* (www.myspace.com) ou (se estiver no clima) sites de relacionamento nos quais as pessoas divulgam seu perfil para conhecer outras.

Conversando com um Amigo Virtual

Quando éramos jovens e estudávamos francês na escola, era comum se corresponder por carta com um *penpal*, uma pessoa da mesma idade, mas que morava em outro país, com quem se trocava correspondência durante o ano escolar. Manter contato com *penpals* é uma ótima maneira de praticar o inglês e, hoje em dia, óbvio, é muito mais fácil e rápido fazer isso por meio da internet.

Um *keypal* é a versão eletrônica do *penpal*. Então, em vez de trocar cartas, você troca e-mails. Seu amigo virtual pode ser apenas alguém do seu círculo social na internet, mas também uma pessoa que trabalhe na mesma área que você – um contato profissional com quem fale sobre o trabalho.

Seja lá quem encontre para se comunicar, tente dedicar algum tempo por dia para poder conversar ou para se sentar e escrever um e-mail. É preciso certo esforço e dedicação para manter esse tipo de conversação ativa, então, o importante é achar a pessoa certa e manter-se determinado.

Se escrever e-mail não lhe parece muito atrativo, por que não experimenta algo mais animado e em tempo real? Veja algumas opções:

- **Live Messenger (**`http://download.live.com/?sku=messenger`**)**: Use esta aplicação para conversar com amigos e colegas por meio de texto.

- **Skype (**`www.skype.com`**):** Mantenha contato com a família, amigos e colegas usando o *Skype*. Você pode fazer telefonemas gratuitos para amigos na sua rede *Skype* e ligações baratas para telefones ao redor do mundo. Esse é um ótimo recurso para manter contato com a família que está em outro país – muito mais barato do que qualquer outro tipo de ligação.

- **Twitter (**`www.twitter.com`**):** Faça parte dessa rede para encontrar e seguir pessoas que têm os mesmos interesses que você. Você só consegue mandar mensagens com até 140 caracteres, então serve para aqueles que não querem escrever muito!

Criando um Avatar no Second Life

Se você trabalha o dia todo com tecnologia ou gosta de usar a internet em casa, pode fazer muito mais do que ler *websites* e ouvir *podcasts*. Por que não tentar um mundo virtual como *Second Life*? Lá você pode encontrar pessoas de toda parte do planeta e conversar em inglês.

No *Second Life* você cria um avatar e anda por um mundo virtual conversando com pessoas de vários tipos e países diferentes. É possível praticar o inglês escrito usando um texto escrito ou conectar um microfone e alto-falantes para falar com os outros. O legal do *Second Life* é que sempre há pessoas *on-line* e a maioria delas fica feliz em conversar.

Você pode se cadastrar para ter uma conta gratuita e baixar o programa em `www.secondlife.com`. Depois de se registrar e instalar o programa, procure visitar uns desses lugares:

- **Virtual Dublin**: `http://slurl.com/secondlife/Dublin/80/75/24`

- **Virtual Liverpool**: `http://slurl.com/secondlife/mathew%20street/140/86/32`

- **Virtual London**: `http://slurl.com/secondlife/Knightsbridge/197/166/22`

Você também tem a oportunidade de visitar lugares de seu país de origem, caso sinta falta de casa de vez em quando. Visite este site para mais indicações de lugares reais no Second Life: `http://www.avatarlanguages.com/freepractice.php`.

Além disso, ainda é possível ter aulas reais de inglês no Second Life por meio de escolas de idiomas como a LanguageLab (`www.languagelab.com`). Assistir a aulas *on-line* é uma forma de aperfeiçoar seu inglês com flexibilidade, porque você consegue estudar em horários que se adéquem a sua rotina – o que pode ser à noite ou nos fins de semana.

Lendo Livros

O Reino Unido tem uma boa rede de bibliotecas, então você não precisa gastar seu dinheiro suado para comprar livros toda hora. A maioria delas também possui vídeos, DVDs e CDs de música. Em algumas, você encontra computadores com acesso à internet, bem como pessoas habilitadas para lhe mostrar como utilizar todos os recursos.

Comece procurando material referente à área onde estiver – você consegue encontrar livros de geografia e história, bem como informações de eventos locais e festivais, e todos os tipos de obras de consulta. Essa é uma ótima maneira de construir seu conhecimento local.

Busque um autor que já tenha lido em sua língua e releia o livro em inglês. Quando a história é conhecida, fica mais fácil entendê-la em outro idioma. Não gaste muito tempo procurando o significado de todas as palavras, mas sim tente perceber a ideia da língua e os sons. Veja no dicionário algumas palavras, se quiser, mas não deixe que ele estrague o divertimento de um bom livro. Não esqueça: você não precisa entender tudo para aproveitar a leitura.

Não esqueça de devolver tudo o que pegar emprestado de uma biblioteca antes do prazo acabar – é educado e pode evitar com que tenha que pagar multa por ter ficado com os itens por muito tempo!

Exercitando-se com Jogos

Um jogo muito prático e que realmente ajuda na ampliação do vocabulário é usar aquelas folhas autoadesivas que vêm em bloquinhos (compradas em lojas de jornais e revistas ou papelarias) e grudá-las em casa. Em um lado você escreve a palavra em inglês que precisa saber e no outro coloca a explicação, a figura ou até mesmo a tradução.

À medida que circula pelos ambientes, releia os adesivos e veja o quanto consegue se lembrar no final do dia. Troque as folhas quando conseguir recordar as palavras.

Compre um kit de ímãs com palavras escritas em inglês. Grude as palavras importantes ou frases curtas na porta do refrigerador e dê uma olhada nelas toda vez que for abrir a geladeira. Novamente: varie as palavras na porta conforme for aprendendo o vocabulário.

Tente fazer as palavras cruzadas fáceis dos jornais locais. No Reino Unido, a maioria deles tem dois tipos de palavras cruzadas: *cryptic* e *normal*. As do tipo *cryptic* são aquelas que normalmente têm dicas complicadas e muitas palavras enganosas, enquanto as normais usam apenas sinônimos, o que ajuda a expandir seu vocabulário. É possível que ache difícil a princípio, mas com o auxílio de um bom dicionário ou dicionário de sinônimos, aprenderá rapidamente as palavras novas apenas jogando.

Você também encontra muitos jogos e desafios de linguagem na internet. Tente fazer alguns todos os dias – pelo menos uns 15 minutos de prática. Você acha esses jogos em `www.manythings.org`.

Capítulo 16
Dez Expressões Muito Usadas na Língua Inglesa

Neste capítulo

▶ Entendendo o coloquialismo

▶ Compreendendo expressões comuns em inglês

Todos os idiomas têm expressões que são comumente usadas pelas pessoas, e o inglês não é exceção. As expressões faladas no Reino Unido são diferentes das faladas em outros países de língua inglesa, como Nova Zelândia, Índia ou Estados Unidos. Neste capítulo, demonstramos as dez expressões britânicas mais comuns.

Talvez você já saiba algumas delas ou já as tenha ouvido em algum lugar.

A Bit Much

Use essa expressão para descrever algo que é irritante ou excessivo. Ela pode ser utilizada em referência a uma situação ou pessoa. Por exemplo, imagine que você precisou ir a três órgãos públicos diferentes para conseguir um documento oficial – nesse caso, pode expressar a irritação com a burocracia dizendo: "*It's a bit much*".

Aqui está um exemplo de como Jacques e Gil usam tal expressão no ambiente de trabalho:

Jacques: *I rang the Belgian office yesterday about that order that still hasn´t arrived.* (Eu telefonei para o escritório da Bélgica ontem para saber do pedido que ainda não chegou.)

Gil: *What did they say?* O que disseram?)

Jacques:	*They kept me waiting in the line for twenty minutes while they looked for the paperwork.* (Deixaram-me esperando na linha por 20 minutos enquanto procuravam a documentação.)
Gil:	*That's a bit much!* (É demais, né?)
Jacques:	*Yes, I was furious. Especially as it was their fault that the order didn't arrive.* (Sim, fiquei furioso. Especialmente porque a culpa do pedido não ter chegado foi deles.)

Você também pode expressar irritação com alguém que ache muito amável, arrogante ou grosseiro(a), dizendo: "*She is a bit much*".

Jacques:	*What do you think of Helen? Do you get on well with her?* (O que você acha da Helen? Você se dá bem com ela?)
Gil:	*Yes, she's really friendly and outgoing. She came up to me on my first day at work and invited me out for a coffee.* (Sim, ela é muito amável e extrovertida. Ela se aproximou de mim no meu primeiro dia de trabalho e convidou-me para um café.)
Jacques:	*Yes, she is friendly, but she can be a bit much.* (Sim, ela é amável, mas às vezes é meio irritante.)
Gil:	*Do you think so? I quite like her.* (Você acha? Eu gosto muito dela.)

At the End of the Day

Essa expressão significa "concluindo". Ela é utilizada para colocar um ponto final ou resumir o que estava sendo dito.

Jacques:	*The Belgian office kept me waiting on the line for twenty minutes. Then they told me that they couldn't find the paperwork for the missing order.* (O escritório da Bélgica me deixou esperando na linha por vinte minutos. Depois, disseram-me que não conseguiram achar a documentação do pedido que não foi enviado.)
Gil:	*How annoying! What are they going to do now?* (Que chato! O que eles vão fazer agora?)
Jacques:	*I'm not sure. They said they'll send me an e-mail as soon as they find out what has happened. At the end of the day, it's their responsibility to sort this out.* Não tenho certeza. (Disseram que me enviariam um e-mail assim que descobrissem o que tinha acontecido. Concluindo, a responsabilidade de resolver essa situação é deles.)
Gil:	*Right, I hope they can get the paperwork to you soon.* (Certo, espero que eles mandem a documentação logo para você.)

Capítulo 16: Dez Expressões Muito Usadas na Língua Inglesa

Fancy a Drink?

As pessoas usam muito essa expressão para convidarem as outras para um drinque em um *pub*, por exemplo. A forma completa é *"Do you fancy a drink?"* e significa *"Would you like (to go for ou have) a drink?"* (Gostaria de [sair para ou tomar] um drinque?). A frase não é somente usada para oferecer bebidas alcoólicas – pode-se ouvir alguém dizer *"Fancy a cup of coffee?"* ou *"Fancy a coffee?"*. Um amigo provavelmente usará a expressão para convidá-lo para ir ao *pub* ou ao café, pois as pessoas empregam-na como uma forma de chamar alguém para sair, como já falamos no Capítulo 6. Você também escuta frases como "Fancy a movie?" ou "Fancy a meal?".

> **DICA**
> Você pode responder a essa pergunta de várias formas. Se quiser aceitar o convite, diga *"Sure, that sounds great"* ou simplesmente *"Yes, please!"*. Caso queria recusar, pode dizer *"No thanks, I'm busy"* ou *"Sorry, I can't because..."* e dê uma desculpa. Observação: Se recusar um convite é educado explicar o motivo.

Jacques: *We've got half an hour before the movie starts – fancy a coffee?* (Temos meia hora antes de o filme começar – quer tomar um café?)

Gil: *Sure, good idea. There's a place over the road that looks quite nice. Shall we go there?* (Claro, boa ideia. Há um lugar depois da estrada que parece muito bom. Vamos lá?)

Jacques: *Okay, but the coffee is on me!* (Certo, mas o café é por minha conta!)

"It's on me" significa "eu pago". Também é uma expressão muito comum no Reino Unido.

Fingers Crossed

Cruzar os dedos (*to cross your fingers*) enquanto fala simboliza boa sorte ou a esperança de que um desejo vire realidade. Isso é um costume que teve origem no tempo em que as pessoas acreditavam que, ao cruzar os dedos, conseguiriam afastar a má sorte e as bruxas. Hoje em dia, você usa a expressão *"fingers crossed"* ou *"cross fingers"* para mostrar que deseja que uma situação favorável aconteça.

Jacques: *So the Belgian office told me they would send me an e-mail as soon as they found the missing paperwork. Guess what? This morning I had another phone call.* (Então, o escritório da Bélgica disse que iria me enviar um e-mail tão logo achassem a documentação perdida. Adivinhe? Nessa manhã recebi outro telefonema.)

Gil: *And what did they say?* (E o que disseram?)

Jacques: *It turns out the London office had the paperwork all along. I rang Peter in London and asked him to get this order sorted out as soon as possible.* (Acontece que o escritório de Londres estava com toda a documentação. Eu telefonei para o Peter em Londres e pedi que resolvesse o caso o mais rápido possível.)

Gil: *Well, fingers crossed. The client is already unhappy with the delay.* (Bem, dedos cruzados. O cliente já está insatisfeito com o atraso.)

Nesse caso, Gil está expressando seu desejo de que a situação termine bem, dizendo "*fingers crossed*". Ele também poderia ter dito "*Fingers crossed that this gets sorted out quickly*" ([Estou com] os dedos cruzados para que essa situação se resolva rápido), mas simplesmente usando "*fingers crossed*" fica claro que ele espera um final feliz para a circunstância discutida.

Good Weekend?

Em situações informais, os amigos normalmente usam termos simplificados para perguntas. Se você quiser perguntar a uma pessoa íntima se ela teve um bom fim de semana, pode somente dizer "*Good weekend?*". A forma completa da pergunta é "*Did you have a good weekend?*", mas é muito comum, em circunstâncias descontraídas, reduzi-la a seus elementos mais essenciais. Além disso, você ouve perguntas como "*Good holiday?*", em vez de "*Did you have a good holiday?*", que é a forma completa.

Para responder a essa pergunta, diga algo como "*Yes, thanks, it was great*", "*Not bad*" ou "*Not that great – we couldn't get the tickets for the concert*" (Não muito bom – não conseguimos comprar os ingressos para o show). Se der uma resposta negativa, como nosso último exemplo, deve dar pelo menos uma (curta) razão pela qual não se divertiu no fim de semana.

Jacques: *Good weekend?* (Bom o fim de semana?)

Gil: *Not that great – I forgot that it was Simone's birthday, so she was furious.* (Não muito bom – esqueci que era aniversário da Simone, então ela ficou furiosa.)

How's it Going?

Essa é uma maneira informal de perguntar como vai alguém. A forma "*How are you?*" também é muito usada e é mais neutra, por isso, bastante apropriada para circunstâncias formais, como um encontro de negócios ou quando se conhece alguém pela primeira vez. Use "*How's it going?*" entre amigos. Uma boa resposta é "*Fine thanks, and you?*", que também é adequada para "*How are you?*". Aqui está um exemplo de dois amigos usando a expressão:

Jacques: *Hi, Gil, I haven't seen you for ages! How's it going?* (Oi, Gil! Não o vejo há séculos! Como vai?)

Gil: *Jacques! Great to see you! I'm fine, and you?* (Jacques! Que bom ver você! Estou bem e você?)

Jacques: *Fine, fine, can't complain!* Bem, bem. (Não posso reclamar!)

See You Later

Essa expressão bastante comum é usada com os amigos em situações de despedidas informais. Você também pode dizer "*Goodbye*" ou "*Bye*", mas "*See you later*" é mais amigável e descontraído. Quando utiliza a expressão, não significa que você verá, literalmente, a pessoa mais tarde – semanas podem se passar até que se encontrem novamente.

> Jacques: *Okay, time for me to go. Thanks for the coffee. See you later.* Bem, é minha hora de ir. (Obrigado pelo café. Até mais.)
>
> Gil: *Sure, you're welcome. See you.* (Claro, de nada. Até mais.)

Você pode usar somente a expressão "*See you*", como Gil faz nesse exemplo – ele responde de forma simples a Jacques. Entretanto, também pode combinar "*See you*" com advérbios de tempo, desta maneira: "*See you tomorrow*" (Vejo você amanhã), "*See you next week*" (Vejo você semana que vem) ou "*See you next Tuesday*" (Vejo você na próxima terça-feira).

Tell Me About It!

Quando usa essa expressão, demonstra simpatia e diz a alguém que sabe como é estar na mesma situação. Imagine que um amigo lhe conta que levou uma hora e meia para chegar em casa na hora do *rush*, em vez dos habituais 45 minutos. Você pode responder dizendo: "*Tell me about it*", indicando que sabe muito bem que o trânsito nessa hora é horrível. A conversa é mais ou menos assim:

> Jacques: *It took me an hour and a half to get home last night. The traffic was terrible!* (Levei uma hora e meia para chegar em casa ontem à noite. O tráfego estava horrível.)
>
> Gil: *Tell me about it! I stopped taking the car and now I use public transport – it's much quicker.* (E eu não sei? Parei de ir de carro e agora uso o transporte público – é bem mais rápido.)

A expressão não é um convite para Jacques contar todos os detalhes do engarrafamento a Gil. Ela não exige uma resposta – é simplesmente uma forma de demonstrar simpatia e concordância. Você pronuncia a frase em um tom monótono e cansado – é melhor ouvir outras pessoas usando a expressão – e a sua entonação – antes de tentar usá-la.

Text Me

Em 2009, 85% da população do Reino Unido possuía telefone celular e esse número está crescendo. Junto com as chaves e o dinheiro, o celular é um dos itens que as pessoas sempre levam consigo quando saem de casa. Não é surpresa, então, que a linguagem usada para se comunicar por meio do celular tenha se tornado parte natural do inglês. Hoje em dia, o vocabulário das mensagens de texto passou a existir. Por exemplo, quando você envia uma mensagem de texto, normalmente digita "*C U*" em vez da forma "*See You*" (veja mais informações sobre mensagens de texto no Capítulo 8).

Em uma área com tantos celulares, mandar mensagens de texto se tornou uma forma popular de comunicação. É mais barato enviá-las (*text people*) do que telefonar para as pessoas. Por causa disso, a expressão *text me* ficou tão comum quanto *call me*. *Text me* simplesmente quer dizer "envie-me uma mensagem de celular", e você usa essa expressão quando quiser combinar algo. Aqui demonstramos como utilizá-la em uma conversa. Jacques e Gil estão a caminho de casa, no ônibus, voltando do trabalho.

Jacques:	*What time does the film start?* (Que horas o filme começa?)
Gil:	*I'm not sure. I'll need to check when I get home.* (Não tenho certeza. Vou checar quando chegar em casa.)
Jacques:	*Okay, text me and I'll meet you there fifteen minutes before it starts.* (Bem, envie-me uma mensagem e eu vou encontrá-lo lá quinze minutos antes do início.)
Gil:	*Okay, I'll text you as soon as I get home.* (Certo, vou enviá-la assim que chegar em casa.)

Você pode pedir que alguém lhe envie uma mensagem dizendo "*Text me*" e pode prometer que mandará uma afirmando "*I'll text you*", como mostra esse diálogo.

You Must Be Joking!

As pessoas usam essa expressão para mostrar descrédito, especialmente se ouvem algo incomum e inesperado. Imagine que um amigo lhe diz que teve que pagar £20 por uma tulipa de cerveja no *pub* – isso é uma quantidade de dinheiro muito grande para uma bebida. Então, para expressar incredulidade e choque, você diz: "*You must be joking!*".

Lembre-se de que essa expressão é utilizada apenas em resposta a informações anormais e impactantes e você precisa pronunciá-la de maneira um pouco exagerada, e não com um tom de voz monótono ou embotado.

Jacques:	*My landlord has increased our rent by a hundred and fifty pounds a month.* (Meu senhorio aumentou o aluguel para cento e cinquenta libras por mês.)
Gil:	*You must be joking! That's far too much! Are you going to look for another flat?* (Você deve estar brincando! Isso é muita coisa! Você vai procurar outro apartamento?)
Jacques:	*I'll have to – I can't afford the rent any more.* (Terei que – não tenho mais como pagar o aluguel.)

Capítulo 17
Dez (na Verdade 11) Datas Comemorativas Celebradas pelos Ingleses

Neste capítulo

▶ Conhecendo algumas celebrações multiculturais do Reino Unido

▶ Sabendo quando e como celebrar os eventos especiais britânicos

▶ Tendo um dia de folga para curtir o feriado

*T*odo mundo gosta de férias e feriados – um período de sair da rotina normal, de colocar os pés para cima e relaxar, ou visitar novos lugares. Os britânicos têm pelo menos um período longo de descanso por ano, de uma ou algumas semanas, e esse tipo de recesso é conhecido como *holiday* (férias) no Reino Unido e *vacation* nos Estados Unidos.

Mas durante o curso normal do ano, os britânicos também celebram datas comemorativas religiosas e não religiosas – que também são chamadas de *holidays* – mesmo que durem apenas um dia. Algumas festas religiosas, como Natal e a Páscoa, são muito importantes no Reino Unido e as pessoas não trabalham nem estudam por causa da celebração. É claro que há alguns indivíduos que, mesmo durante essas datas especiais, precisam ir para o trabalho, como os funcionários de hospitais e do transporte público, pois devem prover os serviços essenciais. Mas saiba que em um dia como o de Natal, nenhum transporte público roda, mesmo em grandes cidades como Londres. Não tente utilizar ônibus, trens ou metrô no Natal.

A palavra *holiday* origina-se da junção de *holy* (santo) e *day* (dia). Inicialmente, os feriados eram consagrados para os repousos religiosos, mas os feriados modernos – recessos no trabalho e na escola, quando as lojas e serviços fecham – servem para celebrar festas religiosas e não religiosas.

Com uma crescente sociedade multicultural, diferentes comunidades no Reino Unido celebram um grande número de festas e feriados. Em alguns casos, em dias de feriados religiosos e datas comemorativas, as pessoas não precisam trabalhar. Mas em outros, a rotina continua normalmente. O Dia dos

Namorados (*Valentine's Day*), por exemplo, é conhecido como *holiday*, mas as pessoas trabalham nesse dia.

É claro que você já conhece o Natal e a Páscoa, que são festas importantes do calendário cristão celebradas em quase todo mundo. Por isso, neste capítulo, falaremos de datas comemorativas e celebrações que talvez você não saiba muito a respeito, mas que fazem parte da vida dos britânicos.

Celebrações Multiculturais (multicultural celebrations)

O Reino Unido tem poucos feriados oficiais no que diz respeito às datas comemorativas religiosas cristãs. Em muitos lugares, as pessoas também celebram festas de outras religiões. Em certas escolas primárias, por exemplo, os professores encorajam os alunos a confeccionarem cartões de felicitações de festas celebradas por pessoas de religiões diferentes da cristã.

Há, no Reino Unido, uma grande comunidade do subcontinente indiano, o que significa que algumas pessoas celebram festas indianas na Grã-Bretanha. Uma das mais conhecidas é o Diwali ou Festival das Luzes, importante comemoração para o hinduísmo, budismo e sikhismo. O Diwali é uma festa particularmente bonita: as pessoas acendem pequenas lâmpadas a óleo ou velas que simbolizam o triunfo do bem sobre o mal. Ela acontece na lua nova, entre 13 de outubro e 14 de novembro, todos os anos.

No Reino Unido, as comunidades hindu e sikh celebram o Diwali. Esses indivíduos trocam presentes e doces uns com os outros, limpam e decoram suas casas com velas e lâmpadas a óleo. Na cidade de Leicester, na Inglaterra, acontecem grandes celebrações do Diwali todos os anos. No East End, em Londres, as pessoas normalmente combinam o Diwali e a celebração inglesa do *Guy Fawkes Night* (ou Noite das Fogueiras – veja mais adiante) e fazem um evento em conjunto com fogos de artifício e fogueiras ao ar livre.

Outras festas religiosas celebradas incluem o festival muçulmano do Eid e a celebração judaica do Hanucá. O Eid acontece no mesmo dia todos os anos no calendário islâmico, mas no calendário gregoriano ou ocidental acontece aproximadamente 11 dias mais cedo a cada ano. O Hanucá, que também é conhecido como Festival das Luzes, acontece entre o fim de novembro e o fim de dezembro no calendário gregoriano.

O Diwali, o Eid e o Hanucá não são feriados oficiais no Reino Unido – o trabalho segue normalmente para os britânicos nessas datas.

Capítulo 17: Dez (na Verdade 11) Datas Domemorativas... **289**

Feriados Oficiais (Public or Bank Holidays)

Os britânicos normalmente chamam os feriados oficiais de feriados bancários (*bank holidays*) – porque os bancos fecham nesses dias. Se um feriado cai em um dia do fim de semana (no sábado ou no domingo), ele é, em geral, transferido para a próxima segunda-feira. Assim, as pessoas não perdem o dia de folga.

Os feriados oficiais no Reino Unido são: Natal (*Christmas Day* – 25 de dezembro), o dia seguinte ao Natal (chamado de *Boxing Day* ou *St Stephen's Day* – 26 de dezembro), o Ano-Novo (*New Year's Day* – 1º de janeiro), a segunda-feira de Páscoa e a Sexta-Feira Santa (*Easter Monday* e *Good Friday* – essas datas variam todos os anos, mas normalmente caem em março ou abril). Além dessas importantes festas religiosas, ainda há o feriado bancário (*May Day bank holiday* – celebrado na 1ª segunda-feira de maio), o feriado bancário da primavera (a última segunda-feira de maio) e o feriado bancário do verão (a última segunda-feira de agosto).

O feriado bancário de maio acontece no dia 1º ou na segunda-feira seguinte. Em muitos países, nessa data é comemorado o Dia Internacional dos Trabalhadores. Entretanto, no Reino Unido, o feriado bancário não está necessariamente associado ao Dia dos Trabalhadores e é celebrado mais como um festival de primavera. Em algumas cidades, como Whitstable, em Kent, e Hastings, in Sussex, há festas com músicas tradicionais e danças para a celebração dessa data.

Ano-Novo (New Year) – 1º de Janeiro

No calendário gregoriano, o Ano-Novo começa no dia 1º de janeiro. Nessa data, sempre é feriado no Reino Unido. A noite de 31 de dezembro – véspera de Ano-Novo – é um período de celebração; festas (públicas e particulares) acontecem em todos os lugares. Em certas cidades, as pessoas gostam de ir à praça central para ouvir o relógio bater meia-noite e começar o Ano-Novo. Acontecem, particularmente, grandes reuniões de pessoas para a celebração do Ano-Novo ao redor do London Eye, em Londres, em Cardiff, Birmingham, Leeds, Manchester, Glasgow e Edimburgo. Fogos de artifício são disparados do castelo de Edimburgo à meia-noite. Os canais de televisão transmitem muitas dessas celebrações ao vivo.

O Ano-Novo na Escócia é chamado de *Hogmanay* e tem tradições próprias. Uma das mais conhecidas é chamada de *first footing*, que consiste em visitar os amigos ou vizinhos e ser a primeira pessoa a colocar os pés na porta de entrada – o que traz boa sorte à casa para o resto do ano. Tradicionalmente, os primeiros visitantes levam presentes como sal, carvão e uísque. Hoje em dia, é mais comum visitar os amigos e vizinhos na noite de 31 de dezembro – estendendo-se durante as primeiras horas de 1º de janeiro, tendo continuidade no dia 2 de janeiro, que também é feriado oficial na Escócia (mas não no resto do Reino Unido).

Ano-Novo Chinês (Chinese New Year) – Janeiro e Fevereiro

O Ano-Novo chinês é o evento mais importante no calendário lunar chinês. As pessoas no Reino Unido celebram essa data em cidades que têm grandes comunidades chinesas. Londres afirma ter uma das maiores festas do Ano-Novo chinês fora da Ásia.

No Soho, o coração da comunidade chinesa em Londres, também conhecido como Chinatown, as pessoas decoram as ruas com lanternas vermelhas duas semanas antes das celebrações começarem e retiram-nas duas semanas depois. Durante as comemorações, grupos de dançarinos carregando dragões confeccionados em papel e tecido executam movimentos coreografados ao som de música. Chinatown é uma parte muito pequena de Londres e fica extremamente lotada de turistas e visitantes nessa época do ano.

O Ano-Novo chinês normalmente é celebrado com a família e as pessoas trocam comidas, doces e envelopes vermelhos com dinheiro. Também é época de dar uma limpeza geral na casa. A parte mais importante do Ano-Novo chinês é o grande jantar em família. Na China, as comemorações duram 15 dias, embora nas comunidades chinesas ocidentais a data seja celebrada em uma versão mais curta.

Valentine's Day (Dia dos Namorados) – 14 de Fevereiro

As pessoas celebram o Dia dos Namorados, ou dia de São Valentim, na mesma data – 14 de fevereiro. Neste dia, os casais expressam seu amor um pelo outro trocando cartões e presentes como flores e chocolates. São Valentim foi um mártir cristão e seu nome ficou associado ao amor romântico, no começo da Idade Média, na Europa Ocidental. No início do século XIX a troca de recados ou cartas de amor escritas mão tornou-se popular entre os amantes e, hoje em dia, eles trocam os cartões produzidos comercialmente.

O Dia dos Namorados é uma celebração extremamente comercial no Reino Unido e é quase obrigatória a compra de chocolates e cartões para presentear seu (sua) companheiro(a). Por essa razão, algumas pessoas criticam a data.

Dia de São Patrício (St Patrick's Day) – 17 de Março

São Patrício é o santo padroeiro da Irlanda, mas as pessoas celebram seu dia em todo mundo, não apenas na Irlanda. A parada mais famosa (e a maior) de São Patrício acontece na cidade de Nova York com mais de dois milhões de espectadores! As pessoas também comemoram o Dia de São Patrício no Reino Unido, na Austrália, na Nova Zelândia e no Canadá – na verdade, a data é celebrada em todos os lugares onde haja uma considerável comunidade irlandesa. Essa é uma festa cristã, mas que também é associada a tudo o que é essencialmente irlandês e a cor predominante do dia é verde. As maiores paradas de São Patrício no Reino Unido acontecem em Birmingham, Liverpool, Manchester e Londres, na Trafalgar Square – em 2008 a água da fonte na Trafalgar Square foi tingida de verde para o Dia de São Patrício.

Uma das bebidas alcoólicas mais conhecidas da Irlanda é a *Guinness*, uma cerveja escura. Antes do Dia de São Patrício você vê muitos pubs anunciando ofertas especiais de *Guinness* e outras cervejas para celebrar a data. No dia da celebração, você encontra *pubs* cheios de pessoas comemorando, mesmo que não sejam irlandeses.

Dia das Mães (Mother's Day) e Dia dos Pais (Father's Day) – Março e Junho

Se você por acaso estiver no Reino Unido na época do Dia das Mães ou dos Pais, certamente descobrirá a respeito dessas datas comemorativas apenas olhando para as vitrines das lojas. Muitas pessoas reclamam que tais celebrações são estritamente comerciais e que as lojas exploram essas ocasiões somente para ganhar dinheiro. De onde vem o Dia das Mães e dos Pais? Uma explicação é que o Dia das Mães teve origem nos Estados Unidos e foi inventado por uma mulher chamada Anna Jarvis em 1912. Mas no final de sua vida, ela ficou tão desapontada pelo teor comercial que foi agregado à data que protestou publicamente contra ela, sendo presa pela polícia por perturbação da ordem. Ela disse, na ocasião, que desejava nunca ter pensado em criar o Dia das Mães.

O Dia das Mães acontece em diferentes datas nos países do mundo. No Reino Unido, ele cai no quarto domingo da quaresma (um período especial no calendário cristão) e normalmente é celebrado em março. Nesse dia, é comum os filhos presentearem suas mães, dando-lhes flores, chocolates, joias e um cartão de felicitação.

O Dia dos Pais é similar, de certa forma, ao Dia das Mães. Ele acontece em diferentes dias nas várias partes do mundo e, assim como o Dia das Mães celebra a maternidade, o dos Pais comemora a paternidade. Os filhos normalmente compram presentes para seus pais. A ideia por trás da data também vem dos Estados Unidos e teve início por volta da década de 1900. Os EUA aprovaram uma lei em 1966 na qual o dia se tornou uma data oficial no país. No Reino Unido, ele é comemorado no terceiro domingo de junho.

Carnaval de Notting Hill (Notting Hill Carnival) – Londres, Agosto

O carnaval é uma festa associada ao calendário cristão e é celebrado, principalmente, em países católicos. Ele acontece, em geral, entre o fim de janeiro e o fim de fevereiro todos os anos. As festas de carnaval mais famosas são as que acontecem no Rio de Janeiro, em Nova Orleans, nos EUA (também chamado *Mardi Gras*) e em Veneza, na Itália.

O Reino Unido não é um local muito comum para a celebração do carnaval, visto que é um país essencialmente cristão-protestante. Mas os imigrantes das Índias Ocidentais levaram essa festa caribenha para lá. Em Londres acontece, todos os anos no verão, o famoso carnaval de Notting Hill. Essa celebração não está mais conectada à religião de forma nenhuma e ocorre em uma época diferente dos outros países. Entretanto, as raízes da festa vêm da tradição cristã. O carnaval de Notting Hill é feito pelas pessoas da comunidade caribenha residente na área, muitas das quais moram lá desde a década de 1950. Ele se tornou um evento anual e atrai mais de 2 milhões de visitantes durante os dois dias de celebrações em agosto. Isso faz com que seja o maior carnaval de rua depois do carnaval do Rio!

O carnaval de Notting Hill foi organizado pela primeira vez em 1959 como uma reação aos ataques racistas à comunidade caribenha de Londres. A partir daí, tornou-se uma celebração londrina de natureza multicultural. Pessoas de todo o mundo participam desse evento.

Além de Notting Hill, algumas outras cidades britânicas celebram o carnaval. Essas festas também não estão conectadas ao calendário cristão e acontecem na forma de desfiles de rua ou festivais.

Halloween (31 de Outubro)

Os americanos celebram mais o *Halloween* do que os britânicos, mas recentemente essa festa tornou-se bastante popular no Reino Unido e em certas partes da Europa. A palavra *Halloween* deriva, originalmente, de *All Hallows Eve* (véspera do Dia de Todos os Santos). *All Hallows* também é conhecido como Dia de Todos os Santos. A véspera desse dia (a noite de 31 de outubro) envolve honrarias aos mortos e, em alguns países, como na Espanha e no México, as famílias visitam cemitérios no dia 1º de novembro a fim de honrar e lembrar seus membros falecidos. A família reza, oferece flores, limpa e arruma o túmulo.

Desta celebração do "dia dos mortos" vem as muitas das imagens comerciais que hoje associamos ao *Halloween* – caveiras, esqueletos e crianças fantasiadas de figuras sobrenaturais.

As tradições do *Halloween* hoje incluem a brincadeira dos doces ou travessuras (*trick or treating*), na qual as crianças se vestem de fantasmas, bruxas e outros seres, e saem pelas casas da vizinhança para pedir doces.

Outra imagem associada ao *Halloween* são as abóboras entalhadas com velas dentro. O principal estímulo para a importação da festa do *Halloween* dos Estados Unidos para o Reino Unido foi o comercial – as empresas querem ter lucro vendendo itens com essa temática. Por essa razão, os britânicos e outros europeus veem o *Halloween* com olhos céticos.

Noite das Fogueiras (Bonfire Night) – 5 de Novembro

As pessoas celebram essa festa, também chamada de *Guy Fawkes Night*, no Reino Unido e em outros países que foram colônias britânicas, como a Nova Zelândia e a África do Sul. A data marca um acontecimento de 5 de novembro de 1605 no qual um grupo de homens, incluindo Guy Fawkes, foram pegos por terem planejado explodir o Parlamento inglês em Londres. Há controvérsias sobre os acontecimentos históricos – algumas pessoas afirmam que não houve conspiração para explodir o Parlamento e que esses homens foram capturados porque eram todos católicos.

Seja qual for a verdade por trás do incidente, as pessoas ainda celebram a Noite das Fogueiras, em muitas partes do Reino Unido, com fogos de artifício e enormes fogueiras ao ar livre. É comum colocar uma efígie ou o boneco de um homem na fogueira – essa figura originalmente representa Guy Fawkes, mas hoje em dia as pessoas gostam de queimar representações de políticos impopulares. Uma das maiores celebrações da Noite das Fogueiras acontece em Lewes, perto de Brighton, no sul da Inglaterra – essa pequena cidade normalmente constrói até seis enormes fogueiras nessa data.

Dia do Armistício (Armistice Day) – 11 de Novembro

O Dia do Armistício celebra o fim da Primeira Guerra Mundial, em 11 de novembro de 1918. A guerra terminou oficialmente às 11 horas da manhã de 11 de novembro – "a décima primeira hora do décimo primeiro dia do décimo primeiro mês". O Dia do Armistício é uma data para honrar e se lembrar dos mortos na Primeira Grande Guerra em muitos dos países Aliados (Austrália, Nova Zelândia, Canadá, África do Sul e Reino Unido).

Também é chamado de *Remembrance Day* e *Veterans' Day*. No Reino Unido, as pessoas normalmente fazem dois minutos de silêncio, em lugares públicos, no dia 11 de novembro.

Você também pode ovir esse dia ser chamado de *Poppy Day*. *Poppy* é uma pequena flor vermelha com o centro preto (em português, papoula). A flor simboliza os campos do norte da França, cobertos por papoulas na primavera, nos quais muitos soldados morreram. No Dia do Armistício, você encontra pessoas vendendo papoulas de plástico nas ruas de muitas cidades, que podem ser colocadas nas casas dos botões das jaquetas e camisas.

Capítulo 18
Dez Expressões que o Fazem Soar Fluente em Inglês

Neste capítulo

▶ Falando como um nativo

▶ Evitando armadilhas comuns

*F*alar como um nativo – em todas as línguas – exige contato diário com o idioma para que o indivíduo seja capaz de se expressar em diferentes níveis – às vezes apenas socialmente, falando do tempo ou conversando sobre amigos e família, e outras profissionalmente, sendo capaz de discorrer sobre seu trabalho. Na verdade, é uma mistura de ambos.

Entretanto, todos os países têm uma gama de expressões que são usadas constantemente. Elas podem ajudá-lo a ajustar seu modo de falar e soar um pouco mais parecido com um falante nativo.

Não conseguiríamos abranger todas essas expressões neste capítulo, mas aqui apresentamos as dez que fazem a diferença em várias circunstâncias. O importante, é claro, é não usá-las com muita frequência – ouça outros falantes de inglês e observe como eles as utilizam e, assim, você logo estará falando como um nativo.

Actually

As pessoas têm opiniões diferentes quanto ao uso da palavra *actually*: enquanto algumas acham que os britânicos a utilizam demais e que eles deveriam repensar nesse emprego demasiado, outras sempre fazem uso da expressão e não têm qualquer problema com a palavra. Na sua forma básica, *actually* significa nada mais do que "na realidade" ou "de fato" – mas ela é bastante empregada em começos de frases e, muitas vezes, sem exprimir sequer um significado real. É apenas uma expressão para introduzir pensamentos, ideias e, bem..., qualquer coisa, na verdade. Aqui estão alguns exemplos – você pode experimentar retirar a palavra *actually* para verificar se as frases ainda fazem sentido:

✔ *Actually, I need to finish this report before I go home.* (Na realidade, preciso terminar esse relatório antes de ir para casa.)

✔ *Actually, he's not working this week.* (Na realidade, ele não está trabalhando esta semana.)

✔ *Actually, we're staying in tonight – too much work to do!* (Na realidade, nós ficaremos em casa esta noite – muito trabalho a fazer!)

Você pode seguramente retirar a palavra *actually* e o significado das frases permanecerá inalterável. Mas essa é uma expressão muito comum em inglês e, por isso, usá-la dá um toque nativo a sua fala.

Além disso, você também poderá ouvir pessoas começando ou terminando frases similares com a expressão "*as it happens*", que também não significa muito, apenas introduz ou enfatiza a informação em uma conversa. Ela é usada muitas vezes em substituição a *actually*:

✔ *As it happens, she's on holiday this week.* (Na verdade, ela está de férias esta semana.)

✔ *I don't really like Italian food, as it happens.* (Eu não gosto muito de comida italiana, na verdade.)

Bless You!

Espirrar deveria ser algo muito simples – você espirra, depois talvez se desculpa por ter feito aquele barulhão e, então, todo mundo volta a fazer o que estava fazendo. Mas é claro que a coisa pode se complicar mais do que isso, visto que em muitos países e idiomas as pessoas costumam reagir diante de um espirro.

Saiba que, em inglês, normalmente se diz "*bless you*" quando alguém espirra. Essa é a forma reduzida de "*God bless you*" (Deus lhe abençoe). Algumas pessoas têm teorias quanto ao uso dessa expressão. A maioria delas envolve religião, má sorte ou doenças, Para saber mais a respeito das possíveis origens, dê uma olhada nesse verbete da Wikipedia: `http://em.wikipedia.org/wiki/Bless_you`.

O que você não deve fazer é gritar uma versão traduzida da expressão que se usa em sua língua quando alguém espirrar. Por exemplo, se você for espanhol e estiver visitando Londres, não grite "*Jesus!*" (a versão espanhola de "*bless you*") quando escutar um espirro. Em inglês, as pessoas usam "*Jesus!*" como um sinal de frustração e isso naturalmente não teria o mesmo sentido de "*bless you*".

Você encontra mais diferenças linguísticas no que diz respeito aos espirros no mundo aqui: `www.mamalisa.com/blog/how-do-you-sneeze-in-your-country`.

Bon Appétit!

Há um mito popular de que a comida britânica é terrível – e que é impossível se achar restaurantes de comida inglesa entre os italianos, chineses, gregos e outros na maioria das cidades. Os críticos dizem que, por essa razão, não há nenhuma expressão britânica que corresponda à *"bon appétit"* (bom apetite). Em muitas cidades, quando as pessoas se sentam à mesa, desejam que as outras desfrutem da refeição. Na verdade, em certos países você encontra essas expressões até mesmo impressas na toalha de mesa ou nos descansos de pratos.

Onde moramos, na Catalunha, Espanha, é comum ver descansos brancos de pratos com os dizeres *"buen provecho"* (espanhol), *"bon profit"* (catalão) e *"bon appétit"* (francês), escritos em cada borda. Na quarta borda, algumas vezes há a expressão *"good profit"*, o que é considerado a versão inglesa – mas isso está incorreto, porque os britânicos não usam essa frase de forma alguma. Quando as pessoas que vão jantar entram em um restaurante na Espanha e passam por sua mesa, normalmente dizem *"buen provecho"* (ou algo similar) para lhe desejar um bom apetite, mas você não vê algo similar acontecendo no Reino Unido. Os britânicos normalmente continuam comendo!

Algumas pessoas dizem *"enjoy your meal"* (desfrute de sua refeição), mas isso sempre soa forçado e desconfortável. É normal que os funcionários de um restaurante no Reino Unido digam tal expressão quando servem a comida, mas o que os britânicos falam para suas companhias à mesa? A resposta é, em geral, a expressão francesa *"bon appétit"*.

Talvez os britânicos façam tal empréstimo porque os franceses têm uma boa reputação quando o assunto é a qualidade de sua *cuisine* (aí está outra palavra francesa!), ou porque *"bon appétit"* seja um antigo estilo de frase dos dias em que os melhores restaurantes tinham garçons franceses, ou porque seja um pouco esnobe.

Seja lá qual for a razão, se prestar bastante atenção, provavelmente perceberá que os ingleses são um pouco relutantes em dizer *"bon appétit"* e quando dizem, adicionam um tom cômico, exagerando um sotaque francês. É como se os britânicos soubessem que é uma coisa estranha a se dizer, então tentam fazer parecer um tanto engraçada.

Come to Think of It...

Como *"hang on a minute"* (espere um minuto), que mencionaremos daqui a pouco, os britânicos usam *"come to think of it"* no momento em que uma nova ideia lhes ocorre ou quando se lembram subitamente de algo. A frase expressa um pensamento ou lembrança inesperada, ou circunstância que precise ser considerada em determinado contexto.

Katy: *So, I'll get the food and you organise the drinks.* (Então, eu cuido da comida e você organiza as bebidas.)

Mike: *That's fine. Is there anything else we need to do?* (Está bem. Há mais alguma coisa que possamos fazer?)

Katy: *Come to think of it, we should get him a leaving present – we usually get something when people are living the company.* (Lembrei de algo. Nós deveríamos comprar para ele um presente de despedida – geralmente damos alguma coisa quando as pessoas estão saindo da empresa.)

Mike: *Right, good idea! Shall I do that, or will you?* (Certo, boa ideia! Eu faço isso ou você?)

Katy: *Not being funny, but you're terrible at buying presents!* (Não querendo ser chata, mas você é terrível comprando presentes!)

Mike: *No, you are absolutely right. I think I'll leave that up to you then.* (Não, você está absolutamente certa. Acho que vou deixar essa tarefa para você, então.)

Katy: *I thought you'd say that!* (Achei que diria isso!)

Do You See what I Mean?

Ao usar essa expressão, você pergunta se as pessoas entenderam o que disse ou se concordam com você de alguma forma. Normalmente, há significados diferentes – certas vezes você abre um espaço para que concordem, outras para que discordem e, em determinadas circunstâncias, apenas verifica se elas estão entendendo aonde quer chegar. Então:

✔ **Do you agree with me? (Concorda comigo?)**

- *Wouldn't you agree?* (Não concordaria?)

- *Wouldn't you say?* (Não diria?)

- *Don't you think?* (Não acha?)

✔ **Do you understand me? (Você me entende?)**

- *(Do you) see what I mean?* (Entende o que quero dizer?)

- *Do you get me?* (Compreende?)

- *Are you with me?* (Concorda comigo?)

Hang on a Minute

Essa expressão, como muitas outras em inglês, tem dois significados e usos diferentes. O primeiro é bem óbvio – significa "*por favor, espere um minuto*":

Sally:	We're are going out for a walk. Are you coming? (Vamos sair para dar uma volta. Você vem?)
Piotr:	Hang on a minute, I just need to finish this e-mail. (Espere um minuto. Só preciso terminar este e-mail.)
Sally:	Okay – no rush. (Certo – sem pressa.)

Outro uso de "hang on a minute" serve para quando você acaba de ter uma ideia ou um pensamento. Significa algo como "espere, pensei em uma coisa neste momento":

James:	So we do shopping, then go to the bank and then we can get some lunch. (Então fazemos compras, depois vamos ao banco e, então, podemos almoçar.)
Michelle:	Hang on a minute. (Espere um minuto.)
James:	What? (O quê?)
Michelle:	Won't the banks closed by the time we finish the shopping? (Os bancos não vão estar fechados quando terminarmos de fazer as compras?)
James:	You're right, I hadn't thought about that. Maybe we should go to the bank first? (Você está certa, não tinha pensado nisso. Talvez devêssemos ir ao banco primeiro.)
Michelle:	I think so, just to be on the safe side. (Acho que sim, só para garantir.)

Lovely Day!

Ah, o clima britânico! Esteja certo de que o tempo não será adorável todos os dias no Reino Unido. Na verdade, é bem provável que você passe por muita chuva, céus cinzentos e climas terríveis. Mas os britânicos têm fama de tirar o melhor de algo péssimo e de não reclamarem constantemente.

Isso pode ter seu lado ruim (eles costumam sofrer com comidas horrorosas em restaurantes porque não são muito bons em reclamação), mas esse é um traço peculiar da característica britânica e, mais do que nunca, você encontrará pessoas manifestando expressões otimistas.

Você normalmente ouve expressões como "*Lovely day!*" (dia adorável!) e "(*It's*) *turned out nice again!*" (voltou a melhorar), mesmo quando percebe que o dia ainda está frio, cinzento e ruim. O fato é que, a não ser que esteja no meio de uma tempestade de neve, é mais provável ouvir pessoas comentando quão "bom" está o clima do que escutar reclamações sobre ele. Ironia britânica, certamente – mas isso é o jeito de ser deles. Também faz parte do estereótipo britânico manter uma atitude positiva frente à adversidade.

Essa atitude positiva também é vista em outras partes da vida. Quando alguém pergunta como vai um britânico, normalmente a resposta é "Can't complain" (Não posso reclamar), "*Mustn't grumble*" (Não preciso me queixar) ou "*Not so bad*" (Nada mal).

Leia a conversa entre Sergio, da Espanha, e John, seu colega britânico. Observe os erros de Sergio.

John: *Lovely day!* (Dia adorável!)

Sergio: *Not really. It's cold, grey and miserable. It's much nicer in Spain.* (Na verdade, não. Está frio, cinzento e horroroso. É muito melhor na Espanha.)

John: *Oh, I see.* (Ah, entendo.)

Sergio: *Yes, I really need some sun.* (Sim, realmente preciso de sol.)

John: *Still, you look well.* (Ainda assim, você parece bem.)

Sergio: *Not really, I've got a terrible headache and a sore throat.* (Não mesmo, estou com uma dor de cabeça terrível e a garganta inflamada.)

John: *Oh...* (Ah...)

Aqui, Sergio confundiu o pobre John por "não entrar no jogo" e, em vez disso, ficou reclamando do tempo e de sua saúde! Quando se está doente, a melhor coisa a fazer é ir ao médico, que é a pessoa paga para mostrar simpatia e ouvir seus problemas. Mas certifique-se de que não reclamará do tempo para o doutor – ele não recebe para isso...

Not Being Funny, but...

Os britânicos não gostam de criticar as circunstâncias ou parecer pessimistas sobre qualquer assunto. Entretanto, em algumas situações, eles precisam exprimir opiniões negativas sobre alguém ou dizer algo que certamente o ouvinte não gostará de ouvir. Em muitas línguas e culturas, é aceitável declarar diretamente sua opinião, mas em inglês você precisa introduzir o assunto principal devagar e com cuidado – ou "dourar a pílula" (*sweeten the pill*), pegando emprestada uma expressão popular.

Nessas circunstâncias, a expressão "*(I'm) not being funny, but...*" é um bom exemplo dessa introdução. Ela transmite para a pessoa com quem fala que você vai expressar algo um tanto negativo, que talvez não seja pessoal, que está tentando ajudar e que não está sendo intencionalmente rabugento.

Clara: *John, could I have a word, please?* (John, posso dar uma palavrinha com você?)

John: *Sure, Clara – what's the problem?* (É lógico, Clara – qual o problema?)

Clara: *Well, I'm not being funny, but those clothes aren't really suitable for having meetings with the clients.* (Bem, não querendo ser chata, mas essas roupas não são adequadas para as reuniões com os clientes.)

John: *Really?* (É?)

Clara:	*I think so – a shirt and a tie, or a suit and shirt would be better.* (Acho que sim – uma camisa e gravata, ou um terno e camisa seriam melhores.)
John:	*Sure – no problem. It's always difficult to know what "smart casual" really means. I'll pop home and change.* (Claro – sem problema. É sempre difícil saber o que "esporte fino" realmente quer dizer. Passarei em casa para trocar.)
Clara:	*Thanks, John. I'm glad you understand.* (Obrigada, John. Fico feliz que tenha entendido.)

The Thing is...

Essa expressão é um pouco complicada. Ela normalmente expressa uma ideia desagradável, ou algo que o falante acha importante ser discutido, ou, na maior parte das vezes, simplesmente é usada para iniciar uma frase e, nesse contexto, não tem um significado real.

Um estudo feito em 2008 revelou que aproximadamente 10% do discurso britânico é construído com palavras chamadas de *fillers* (preenchedoras) – vocábulos que não têm um sentido verdadeiro, mas que são utilizados para dar tempo de se pensar.

Essa expressão é normalmente seguida de uma curta pausa. É possível, por exemplo, ouvi-la no início de uma frase durante uma discussão de término de relação entre um casal ou entre um patrão e um empregado. Talvez como esse exemplo:

Alan:	*We need to look at the sales figures for this month, Jacques.* (Precisamos dar uma olhada nos números das vendas desse mês, Jacques.)
Jacques:	*Sure – what's the problem?* (Claro – qual é o problema?)
Alan:	*The thing is, sales are down 25 per cent, and we're going to have to make some changes.* (O negócio é o seguinte, as vendas caíram 25% e teremos que fazer algumas mudanças.)
Jacques:	*Changes?* (Mudanças?)
Alan:	*Yes, reductions... ummm... in the, umm... workforce.* (Sim, reduções... hum... no... hum... quadro de funcionários.)
Jacques:	*You mean redundancies?* (Você quer dizer demissões?)
Alan:	*Umm... Yes, I suppose I do.* (Hummm... sim, infelizmente sim.)

Aqui Alan utiliza a expressão para sinalizar uma informação desagradável e ajudar Jacques a se preparar para o que vem a seguir.

You Know What?

Essa expressão é ótima para começar uma conversa, introduzir uma ideia ou sugestão, ou, simplesmente, fazer um comentário. Na verdade, é uma excelente frase para se integrar em qualquer tipo de conversa. Normalmente significa algo como: "ouça-me, porque tenho algo útil ou interessante a dizer".

Ela parece uma pergunta, é claro – e é, de certa forma. Mas não é uma pergunta na qual se espera uma resposta! Na verdade, quando você inicia uma conversa com *"You know what?"*, não aguarda que alguém dê nenhuma resposta, porque está introduzindo uma opinião ou algo do qual sabe. Você abre uma brecha para dizer o que quer.

Depois de dizer *"You know what?"*, é normal dar uma pausa e esperar uma reação da outra pessoa. Algumas vezes, você consegue uma simples palavra, *"What?"* (O quê?), e outras simplesmente recebe o silêncio, o que indica que pode ir em frente e explicar o que se passa em sua cabeça. Uma conversa típica acontece mais ou menos como essa:

Alan: *I'm not really sure what to do tonight.* (Não sei o que fazer hoje à noite.)

Sarah: *You know what?* (Quer saber?)

Alan: *What?* (O quê?)

Sarah: *I think we should stay home and save some money for a change.* (Acho que deveríamos ficar em casa e economizar dinheiro para uma mudança.)

Aqui usamos a expressão para apresentar uma sugestão. Há algumas variações conforme o contexto. Em uma discussão ou debate, você pode ouvir a frase *"You know what I think?"* para introduzir uma opinião bastante forte.

Além disso, também há a forma *"Guess what?"* (Adivinhe?). É claro que a outra pessoa não espera que você de fato adivinhe o que ela está pensando. Você tem algumas respostas possíveis: pode responder com um simples *"What?"* (O quê?) ou algo mais longo, como *"I don't know, what?"* (Não sei, o quê?) ou *"You tell me!"* (Diga-me).

Sacha: *Guess what?* (Adivinhe?)

Crystal: *What?* (O quê?)

Sacha: *I've been promoted.* (Fui promovida.)

Crystal: *Really? Congratulations.* (Mesmo? Parabéns.)

Note que nesse contexto o uso da palavra *what* é totalmente adequado, mas saiba que algumas pessoas consideram a expressão bastante rude em certas circunstâncias. Se você estiver trabalhando em uma empresa muito formal e alguém começar uma conversa com *"Excuse me"*, é grosseiro responder *"What?"*. Nesse caso, você deveria tentar algo como *"Yes, can I help you?"* (Sim, posso ajudá-lo?).

Parte V
Apêndices

A 5ª Onda   por Rich Tennant

NÃO FALA INGLÊS?
APRENDA HOJE
LIGUE PARA 0800 - FALE-AGORA

Nesta parte...

Aqui colocamos a sua disposição uma lista de apêndices muito úteis. No Apêndice A, falamos sobre verbos formados com mais de uma palavra (*phrasal verbs*), que são extremamente comuns no inglês falado. Você pode soar bastante fluente se souber usá-los bem! Algumas vezes, o significado de um *phrasal verb* pode ser difícil de compreender, por isso fornecemos exemplos e cuidadosamente explicamos o que significam.

No Apêndice B, relacionamos os verbos mais comuns em inglês, como *have* e *do*. Demonstramos como utilizá-los de diferentes maneiras. Além disso, também examinamos o tempo passado dos verbos irregulares mais usados. Muitos daqueles que aprendem o idioma acham útil memorizá-los. Por fim, no Apêndice C, fornecemos uma lista do conteúdo de áudio que acompanha este livro. Esperamos que aproveite bastante!

Apêndice A
Verbos Formados Com Mais de Uma Palavra – Phrasal Verbs

Um problema que muitas pessoas encontram na língua inglesa é o conceito dos *phrasal verbs*. A maioria dos verbos e inglês é de longe menos complicado do que os verbos em outras línguas – mas com os *phrasal verbs*, o inglês abre as portas de um novo mundo de complexidade.

Nesse apêndice, ajudamos você a entender a natureza dos *phrasal verbs*, como e quando usá-los, e mostramos a diferença entre os cinco tipos de *phrasal verbs*. Também fornecemos uma lista dos mais utilizados em inglês.

Para *maiores* detalhes sobre verbos e outros tópicos gramaticais, consulte a *Gramática inglesa para leigos* (Altabooks).

Definindo os Phrasal Verbs

Um *phrasal verb* é um verbo seguido de uma partícula (preposição ou advérbio). Se toda essa terminologia o deixa nervoso, pense que os *phrasal verbs* são verbos formados por mais de uma palavra.

Alguns livros se referem aos phrasal verbs como "*two-word verbs*" (verbos de duas palavras), "*multi-word verbs*" (verbos multipalavras) ou "*prepositional verbs*" (verbos preposicionados).

Você provavelmente já conhece os seguintes *phrasal verbs*:

- **Carry on**: continuar [fazendo] (seu trabalho, falando, assistindo à televisão).
    - *Carry on with your work and I'll be back in half an hour.* (Continue fazendo seu serviço que eu voltarei em meia hora.)
- **Fill in**: preencher (um formulário).
    - *Could you fill in two copies of this form, please?* (Poderia preencher duas cópias deste formulário, por favor?)

✔ **Hang on**: esperar.

- *Hang on for a few minutes – I'm nearly finished.* (Espere alguns minutos – estou quase terminando).

✔ **Look up**: buscar informação (uma palavra no dicionário).

- *Could you look up the train times to Birmingham, please?* (Você poderia verificar os horários dos trens para Birmingham, por favor?)

✔ **Set off**: partir (em uma viagem).

- *If we set off at ten, we'll be there in time for lunch.* (Se partirmos às 10, chegaremos a tempo para o almoço.)

A maioria dos *phrasal verbs* é formada por verbos muito usados (*come, set, go, put*) e preposições ou advérbio comuns (*up, away, off, in*). Algumas vezes é bastante fácil saber seu significado:

✔ **Hang up**: terminar uma conversa ao telefone (essa expressão teve origem no tempo em que os aparelhos de telefone eram normalmente afixados na parede e a pessoa com quem falava era literalmente "pendurada" (*hang*) depois de terminada a conversa.)

- *Please hang up and try calling again in a few minutes.* (Por favor, desligue e tente ligar novamente em alguns minutos.)

Outro muito fácil de deduzir é o *phrasal verb sit down*. Você senta normalmente em um cadeira ou sofá. Esse verbo indica a ação principal (*sit*) e a direção da ação (*down*). Por exemplo, "*Sit down and eat your dinner*" (Sente-se e coma seu jantar).

Entretanto, alguns *phrasal verbs* significam algo completamente diferente do que a palavra sugere:

✔ **Wear out**: ficar muito cansado; gasto; imprestável; inútil.

- *He's worn out after all that exercise.* (Ele ficou muito cansado depois de todo esse exercício.)

- *I've worn out these sandals with all the walking.* (Eu gastei essas sandálias com tanta caminhada.)

E quanto a *sit up?* Isso normalmente não quer dizer sentar em um lugar mais alto. *Sit up* significa sentar de forma ereta, e não jogado em uma cadeira. Você normalmente ouve os pais dizerem aos filhos, "*sit up and eat properly*", o que significa que eles precisam endireitar as costas, sentar apropriadamente e comer a refeição. A diferença entre *sit down* e *sit up* pode causar problemas para aqueles que estão aprendendo inglês.

Os *phrasal verbs* são muito comuns em inglês, particularmente na linguagem falada e menos formal. A regra geral diz que esses verbos são informais e que o equivalente derivado do latim é o formal. Entretanto, isso é só uma regra geral e, como muita coisa em inglês, você encontra exceções.

Observe esses dois exemplos:

- ✔ **Informal:** *I'll cal in on Bob later for a quick coffee.* (Eu visitarei Bob mais tarde para um café rápido.)

- ✔ **Formal:** *Mr Jones will be visiting head office on Monday 12 August.* (Mr Jones visitará a sede da empresa na segunda-feira, 12 de agosto.)

Na versão formal, você pode perceber o verbo *visit*, que tem origem no latim. Já na informal, você observa o *phrasal verb call in on*, que também significa visitar. No inglês falado, dá-se um tom mais formal quando o vocábulo vindo do latim é utilizado, mas em situações cerimoniosas, como o ambiente profissional, é muito informal utilizar *os phrasal verbs* comuns. Novamente, observar como os outros falam e escrevem é uma boa maneira de entender quando usar – e quando não – certas palavras e expressões.

Entendendo Por que os Phrasal Verbs São Especiais

Os *phrasal verbs* têm suas próprias regras gramaticais e você precisa entender todo esse mecanismo para que possa usá-los adequadamente. Os cinco tipos de *phrasal verbs* são os seguintes (os verbos estão em negrito e itálico; os objetos, em negrito):

- ✔ **Intransitivo (o verbo intransitivo não tem objeto)**:

    - ***Get up***: levantar da cama.

    - *Get up, David! You are going to be late for work.* (Levante-se, David! Vai se atrasar para o trabalho.)

    - Você pode usar esses phrasal verbs isolados; eles não necessitam de objeto. Assim, diz a alguém para "get up" (levantar-se) ou "slow down" (ir mais devagar) etc.

- ✔ **Transitivo (o verbo transitivo tem objeto) no qual as duas partes podem ser separadas pelo objeto:**

    - ***Fill out:*** completar um formulário

    - *Please fill out **the application form** in black ink.* (Por favor, preencha o formulário com caneta preta.)

    - *Please fill **the application form** out in black ink.*

    - Com esses verbos, o objeto (nesse caso "**the application form**") pode vir depois ou entre as duas partes do *phrasal verb*. Esse tipo é chamado de *separable phrasal verb* (separável), porque é possível separar as duas partes – *fill* e *out* – com o objeto.

- **Transitivo com objeto fixo entre as duas partes do verbo:**

  - *Set apart*: distinguir

  - *Ron's research really sets **him** apart from the other journalists.* (A pesquisa de Ron realmente o distingue dos outros jornalistas.)

  - Com esses verbos, o objeto **deve ser** posicionado entre as partes do *phrasal verb*.

- **Transitivo com um objeto fixo depois do verbo:**

  - *Run into:* encontrar por acaso

  - *I ran into **John** the other day in the Italian restaurant near work* (e não "*I ran John into the other day in the Italian restaurant near work*") (Eu encontrei John por acaso no restaurante italiano perto do trabalho.)

  - Com esses verbos, o objeto deve sempre ser posicionado após o *phrasal verb* a fim de completá-lo. Eles são chamados de *inseparables* (inseparáveis) porque você não pode separar as duas partes do verbo com o objeto.

- **Transitivo com dois objetos, separável:**

  - *Put down to*: atribuir

  - *They put **their exam success** down to **plenty of studying**.* (Eles atribuíram seu sucesso na prova à carga de estudos.)

  - Esses phrasal verbs têm dois objetos ("***their exam success***" e "***plenty of studying***"). Um dos objetos separa o verbo ("put ***their exam success*** down to") e o outro vem após o próprio phrasal verb ("***plenty of studying***").

Praticando os Phrasal Verbs

Infelizmente, não há, de fato, uma maneira fácil de aprender os *phrasal verbs*. Não recomendamos procurar uma lista longa e tentar decorá-la – mesmo tendo incluído uma dessas neste apêndice.

Tente percebê-los na linguagem e anotar quando escutar um. Depois, pense no contexto e quem fez uso da estrutura. Logo, você formará uma lista mental com um vocabulário efetivo. Quando notar um *phrasal verb*, procure-o neste apêndice e veja que tipo de verbo é – isso o ajudará a trabalhar seu uso.

Tente não pensar nesses verbos como palavras compostas, mas sim praticá-los como vocábulos simples. Anote os novos *phrasal verbs* – pode ser junto à

Apêndice A: Verbos Formados com Mais de Uma Palavra – Phrasal Verbs

tradução, a um desenho demonstrativo ou a alguns exemplos de aplicação, para que isso o auxilie a se lembrar. Além disso, também pode acrescentar os verbos que signifiquem o oposto (se existirem) e, talvez, a versão derivada do latim:

Verbo:	*look up*
Significado:	pesquisar, checar
Contexto:	para dicionários, sites, horários, agenda telefônica
Objetos:	*a word* (uma palavra), *some information* (informações), *train times* (horários de trens), *a phone* (um número de telefone)
Tipo do verbo:	tipo 2 – transitivo no qual as duas partes podem ser separadas pelo objeto.
Exemplos:	*"Could you look up John's phone number, please?"* (Você poderia verificar o número de telefone do John, por favor?)
	"If you don't know a word, look it up in the dictionary." (Se você não souber uma palavra, procure-a no dicionário.)
Forma derivada do latim:	*research* (pesquisar), *investigate* (investigar)

Tente agrupar os *phrasal verbs*. Nós demonstramos anteriormente neste apêndice como você pode agrupá-los gramaticalmente, mas aqui estão outras formas:

- **De acordo com a partícula:** em muitos casos, a partícula lhe dá a dica do significado do verbo. Por exemplo, a partícula *up* normalmente está associada a movimento (*get up*), aumento (*speak up, hurry up*) ou ao fim de algo (*fill up, finish up*).

- **De acordo com o verbo:** por exemplo, *get, put, look*. Para o verbo *get*, por exemplo, você tem as formas *get on, get up, get over, get off*.

- **De acordo com o tema:** tente se lembrar dos verbos como objetos temáticos conectados às diferentes partes de sua vida – trabalho, viagens e por aí vai. Então, para viagens, você precisa saber, por exemplo, *get away* (para sair de férias), *check in* (para um hotel), *check in* (para um voo), *take off* (em um avião), *check out* (em um hotel) e *go on* (em uma excursão).

A melhor maneira de praticar os *phrasal verbs* é usá-los assim que encontrar uma oportunidade. Fazendo isso, logo será capaz de se lembrar naturalmente e sentir-se confortável para aplicá-los. Utilize-os nas conversas e na escrita informal. Mas lembre-se: qualquer coisa em muita quantidade pode se transformar em algo que soa um tanto artificial – então, não exagere na dose!

Phrasal Verbs Mais Comuns

Aqui estão alguns dos *phrasal verbs* mais usados em inglês. Ouça como as pessoas os utilizam nas conversas do dia a dia e use nossas dicas da seção anterior, "Praticando os *phrasal verbs*", para ajudá-lo a incorporar esses verbos ao seu vocabulário.

ask [somebody] *out*

back [somebody] *up*

back [something] *up*

bear with [somebody]

believe in [something / somebody]

break down

break into [something]

break [something] *off*

break up with [somebody]

bring [something] *out*

bring [somebody] *up*

bring [something] *up*

buy up [something]

call [somebody] *back*

call [something] *off*

to call on [somebody]

call [somebody] *up*

calm down

care for [somebody]

carry on with [something]

catch up with [something / somebody]

chat [somebody] *up*

check up on [somebody]

clean up / clear up

close [something] *down*

come across [something / somebody]

come down with [something]

come out

come up with [something]

count on [something / somebody]

cross [something] *out*

cut down on [something]

deal with [something]

do away with [something]

do [something] *up*

do without [something]

doze off

dress up

drink up

drop in on [somebody]

drop off

drop put of [something]

eat out

end up

face up to [something]

fall down

fall for [somebody]

Apêndice A: Verbos Formados com Mais de Uma Palavra – Phrasal Verbs

fall in love with [somebody]

fall off [something]

fall out with [somebody]

fall over

fall through

figure [something] out

to fill [something] in / out

fill in for [somebody]

fill [something] up

find out

get on with [somebody]

get in / out of [something]

get on / off [something]

get on with [somebody]

get over [something]

get rid of [something]

get up

get used to [something]

give [something] away

give [something] back

go on (with) [something]

go out with [somebody]

go over [something]

go through [something]

hand [something] in

hand [something] out

hang around

hang up

hear from [somebody]

hold [something / somebody] up

hurry up

join in with [something]

keep on [doing something]

keep up with [something / somebody]

kick [somebody] out

knock [something] down

leave [somebody] alone

leave [something] out

let [somebody] down

lie down

lie in

lift up

look after [something / somebody]

look for [something]

look forward to [something]

look into [something]

look out for [something / somebody]

make for [something / somebody]

make off with [something]

make sure of [something]

make [something] up

make up for [something]

make [things] up

open up

pass [something] on

pass [something] up

pick [something] out

pick [somebody] *up*

point [something] *out*

put [something] *away*

put [somebody] *down*

put [something] *off*

put [something]

put [something] *out*

put [somebody] *through*

put [somebody] *up*

put up with [somebody]

read [something] *over*

refer to [something]

get rid of [something]

ring [somebody] *up*

rule [something] *out*

run into [somebody]

run out of [something]

see to [something]

set off [for]

set [something] *up*

slow down

sort [something] *out*

speak up

take after [somebody]

take [something] *away*

take [something] *back*

take care of [something / somebody]

take [something] *down*

take [something] *in*

take [something] *off*

talk [something]

think [something] *over*

throw [something] *away*

try [something] *out*

turn [something / somebody] *down*

turn [something] *off*

turn [something] *on*

turn up

use [something] *up*

wake up

walk out on [somebody]

watch out [for] [something / somebody]

wear [something / somebody] *out*

wind [something / somebody] *up*

wrap [something] *up*

write [something] *down*

Apêndice B
Verbos Comuns e Irregulares

Os verbos em inglês não são difíceis de aprender. Diferente de muitos idiomas, os verbos da língua inglesa têm poucas flexões (variações das desinências), então você não precisa aprender um monte de formas para o mesmo verbo. Como explicamos no Capítulo 2, as principais inflexões que deve saber são as do passado (+*ed* para os verbos regulares no passado) e as da terceira pessoa do presente simples (+*s* ou +*es* para todos os verbos).

Neste apêndice mostramos alguns dos verbos mais comuns e quando usá-los. Também falamos dos verbos irregulares no passado.

Verbos Comuns em Inglês

As estimativas variam, mas de forma geral, você precisa de aproximadamente 2 mil palavras para se comunicar em um nível básico em inglês. A maioria dessas palavras são verbos. Dos mais comuns, aqui listamos 25, em ordem de popularidade:

- *Be* (ser / estar)
- *Have* (ter)
- *Do* (fazer)
- *Say* (falar)
- *Get* (receber, obter, ganhar, alcançar)
- *Make* (fazer, fabricar, construir)
- *Go* (ir)
- *Know* (saber, conhecer)
- *Take* (tomar, pegar)
- *See* (ver, perceber)
- *Come* (vir)

- *Think* (pensar, achar)
- *Look* (olhar)
- *Want* (querer)
- *Give* (dar)
- *Use* (usar)
- *Find* (achar, encontrar)
- *Tell* (dizer)
- *Ask* (perguntar)
- *Work* (trabalhar)
- *Seem* (parecer)
- *Feel* (sentir)
- *Try* (tentar)
- *Leave* (sair)
- *Call* (chamar, ligar)

Os verbos mais comuns expressam conceitos como ser, ter, fazer e olhar. Você pode perceber que todos eles só têm uma sílaba – isso faz com que a pronúncia seja muito mais fácil.

Can / be able to

Você usa *can* e *be able to* para falar de coisas que sabe como fazer (de uma habilidade geral). Aqui estão alguns exemplos:

- *Jorge can speak three languages.* (Jorge fala / pode falar três línguas.)
- *Jorge is able to speak three languages.* (Jorge sabe / é capaz de falar três línguas.)
- *I can't swim very well.* (Não nado muito bem.)
- *I'm not able to swim very well.* (Não consigo / sou capaz de nadar muito bem.)

Você pode usar *can* e *be able to* no tempo presente, como nos exemplos anteriores, ou no passado. Aqui estão alguns exemplos usando o passado:

- *Jorge could speak Japanese when he lived in Japan, but he has forgotten a lot now.* (Jorge falava / conseguia falar japonês quando morava no Japão, mas ele esqueceu muito [do idioma] agora.)

✔ *Jorge was able to speak Japanese when he lived in Japan, but he has forgotten a lot now.* (Jorge falava / era capaz de falar japonês quando morava no Japão, mas ele esqueceu muito [do idioma] agora.)

✔ *I could play tennis very well when I was younger.* (Eu jogava / conseguia jogar tênis muito bem quando era mais jovem.)

✔ *I was able to play tennis very well when I was younger.* (Eu jogava / era capaz de jogar tênis muito bem quando era mais jovem.)

Você também usa can e be able to quando expressa ser capaz de fazer algo no futuro:

✔ *Jorge can practice his Japanese when he visits Tokyo next month.* (Jorge poderá praticar seu japonês quando visitar Tóquio mês que vem.)

✔ *Jorge will be able to practice his Japanese when he visits Tokyo next month.* (Jorge será capaz de praticar seu japonês quando visitar Tóquio mês que vem.)

Entretanto, as pessoas usam mais *will be able* to no futuro. Por exemplo:

✔ *I will be able to play better tennis if I practice more.* (Poderei / Serei capaz de jogar tênis melhor se praticar mais.)

Você não diz, "*I can play better tennis if I practice more*".

Do

Do é um verbo muito comum em inglês. No Capítulo 2, vimos como usá-lo como um verbo auxiliar nas formas interrogativa e negativa. Nesta seção, mostramos do como o verbo principal, não auxiliar. *Do* tem o significado similar ao de *make*, do qual falaremos mais adiante. Você usa o verbo *do* em conjunto com muitas palavras e expressões. Aqui estão alguns exemplos:

Falando de tarefas e atividades gerais

Você pode usar o verbo do para falar de atividades gerais ou quando não diz exatamente qual é a atividade. As palavras *something*, *nothing*, *anything* e *everything* são normalmente usadas com do nesse contexto. Por exemplo:

✔ *What shall we do today?* (O que devemos fazer hoje?)

✔ *Mark will join us at the pub later; he first has to do something with his mother.* (Mark vai nos encontrar no *pub* mais tarde; ele precisa fazer algo com sua mãe primeiro.)

✔ *Paula is doing nothing at the moment; she's on the dole.* (Paula não está fazendo nada no momento; ela está recebendo auxílio-desemprego.)

✔ *She does everything around the house, and he never lifts a finger!* (Ela faz tudo em casa e ele nunca levanta um dedo.)

- *Do something about it!* Faça alguma coisa a respeito disso!

- **Jorge:** *Are you doing anything on Friday? We're all going down to the pub if you'd like to come?* (Você fará algo na sexta-feira? Iremos todos ao pub, você gostaria de ir?)

- **Juana:** *Sorry, I'm really doing something on Friday. I hope I can come next time.* (Desculpe, farei mesmo algo na sexta-feira. Espero que possa ir na próxima ocasião.)

Falando de trabalho

Você pode usar do para falar de um trabalho em geral. Por exemplo:

- *Do business* (fazer negócios)

- *Do some work* (fazer um trabalho)

- *Do a job* (fazer um serviço)

Você também pode ouvir a expressão "*a job well done*", o que significa que alguém fez o trabalho bem-feito.

Falando de trabalhos domésticos

Você pode usar *do* (e *make*, que explicaremos mais adiante) para falar de trabalhos domésticos. Por exemplo:

- *Do the washing* (lavar [as roupas])

- *Do the washing up* (lavar [a louça])

- *Do the dishes* (lavar a louça)

- *Do the ironing* (passar [as roupas])

- *Do the cooking* (cozinhar)

- *Do the housework* (fazer as tarefas domésticas)

- *Do your homework* (fazer seu trabalho de casa)

Usando diferentes expressões

Você usa *do* em expressões fixas e, algumas vezes, para fazer referência ao bem e ao mal, ou às qualidades que você julga boas ou ruins. Você pode até mesmo ouvir a expressão "*a do-gooder*", que é uma pessoa que vive a vida fazendo coisas boas para os outros; um benfeitor. Aqui estão mais alguns exemplos com *do*:

- *Do good / do harm* (fazer o bem / prejudicar)

- *Do well / do badly* (sair-se bem ou fazer bem-feito / ir mal)

- *Do someone a favour* (fazer um favor a alguém)

- *Do what is best* (fazer o que é melhor)
- *Do one's best* (fazer o melhor)
- *Do someone a good turn* (ser útil / fazer um favor)

Get

Get é outro verbo em inglês que você certamente conhece. O passado é *got*. É provável que o escute mais na linguagem falada do que o leia em um texto escrito – algumas pessoas consideram *get* muito informal e coloquial para ser usado na forma escrita. Uma das coisas mais difíceis a respeito desse verbo é que ele pode ser usado em uma incrível variedade de maneiras e em muitas expressões diferentes. Aqui listamos seus quatro usos principais:

Obtendo ou ganhando

Obter, ganhar e pegar são os significados comuns de *get*. Aqui estão alguns exemplos:

- *I got some really nice perfume for my birthday* (*got* significa ganhar aqui) (Eu ganhei um perfume muito bom de aniversário.)
- *Jan got a clean glass from the cupboard.* (*got* significa pegar aqui) (Jan pegou um copo limpo do armário.)
- *Sofia got a first class degree in French literature from the Sorbonne.* (*got* significa obter aqui) (Sofia obteve o diploma de primeira da classe em literatura francesa da Sorbonne.)

Causando mudanças

Quando *get* é seguido de um adjetivo, do infinitivo ou do particípio, normalmente faz referência a uma mudança e tem sentido similar ao verbo tornar (-se). Aqui estão alguns exemplos:

- *Otto and Dietlinde are getting married next week.* (Otto e Dietlinde vão se casar na semana que vem.)
- *She often gets angry for no reason.* (Ela normalmente fica furiosa sem razão.)
- *The glass got cracked when I put it in the microwave.* (O copo rachou quando o coloquei no microondas.)
- *Let's get going – It's already very late.* (Vamos indo – já está muito tarde.)
- *The more time you spend in the UK, the more you get to practise your English.* (Quanto mais tempo passa no Reino Unido, mais pratica seu inglês.)

Chegando

Você pode usar *get* no sentido de chegar. Também pode usá-lo com outras palavras para expressar movimento. Aqui estão alguns exemplos:

- *What time does the bus get to Cambridge?* (A que horas o ônibus chega a Cambridge?)

- *How do I get to the post office from here?* (Como chego ao posto dos correios daqui?)

- *Can I get the Underground from Piccadilly Circus direct to Heathrow Airport?* (Posso pegar o metrô de Piccadilly Circus direto para o aeroporto de Heathrow?)

Usando "get" em expressões comuns

Expressões com *get* são muito usadas. Aprenda essas expressões e tente usá-las em uma conversa. Aqui estão alguns exemplos:

- *Get married / engaged / divorced / separated* (casar-se / firmar um compromisso / divorciar-se / separar-se)

- *Get dressed / undressed* (vestir-se / despir-se)

- *Get lost* (perder-se)

- *Get up* (levantar-se)

- *Get out* (sair)

- *Get away* (escapar)

Você encontra uma lista dos *phrasal verbs* com *get* no Apêndice A.

Have

Have é um verbo comum que pode ser usado em muitas situações diferentes. No Capítulo 2, vimos *have* como um verbo auxiliar no presente perfeito ("*I haven't seen Jim for ages*"). Aqui mostramos *have* como verbo principal.

Posse

No inglês britânico, a expressão *have got* é muito usual. Ela não é tão usada no inglês americano, no qual *have* por si só é mais comum. Você pode usar *have got* para falar de posse, de certas doenças e de relações. A expressão é normalmente usada no tempo presente. Aqui estão alguns exemplos:

- *I've got three brothers.* (Tenho três irmãos.)

- *They've got a fantastic flat overlooking the river!* (Eles têm um apartamento fantástico com vista para o rio.)

- *She's **got** an appointment for four o'clock.* (Ela tem um compromisso às 4 horas.)

- *I've **got** a terrible headache today.* (Estou com uma terrível dor de cabeça hoje.)

- *Isabel is off work again today because she's **got** a stomach ache.* (Isabel não está no trabalho hoje porque está com dor de estômago.)

Como pode ver nos exemplos anteriores, *have got* normalmente é contraído na linguagem falada. Então, você diz "*I've got*", em vez de "*I have got*".

Note também que *have got* é menos usual no passado – nesse caso, você usa apenas o verbo *have*. Por exemplo, você diz "*I had a terrible headache yesterday*", e não "*I had got a terrible headache yesterday*".

Você também pode usar apenas o verbo *have*, em vez da forma *have got*. Assim, em todos os exemplos anteriores, *have got* pode ser substituído:

- *I **have** three brothers.* (Tenho três irmãos.)

- *They **have** a fantastic flat overlooking the river!* (Eles têm um apartamento fantástico com vista para o rio.)

- *She **has** an appointment for four o'clock.* (Ela tem um compromisso às 4 horas.)

- *I **have** a terrible headache today.* (Estou com uma terrível dor de cabeça hoje.)

- *Isabel is off work again today because she **has** a stomach ache.* (Isabel não está no trabalho hoje porque está com dor de estômago.)

Se não estiver seguro quanto ao uso de *have got*, pode simplesmente usar *have*! Lembre-se de que você forma perguntas e negativas de uma maneira diferente com *have*:

- "*Do you **have** the time?*", em vez de "***Have** you **got** the time?*" (Você tem tempo?)

- "*I **don't have** the time*", em vez de "*I **haven't got** the time*". (Eu não tenho tempo.)

Descrevendo ações

Você pode usar *have* com um objeto direto para descrever diferentes tipos de ações. Aqui estão alguns exemplos:

- *Have lunch / breakfast / dinner / tea / a meal / a drink / a glass of wine / a beer* (almoçar / tomar café da manhã / jantar / fazer uma refeição / tomar uma bebida / beber um copo de vinho / beber uma cerveja)

- *Have a bath / a shower / a wash / a shave* (tomar banho [de banheira] / tomar banho [de chuveiro] / lavar-se / barbear-se)

- *Have a break / a holiday / the day off* (ter um intervalo / ter férias / ter folga)
- *Have a swim / a walk / a run* (nadar / caminhar / correr)
- *Have a chat / a talk / a conversation / an argument / a disagreement / a fight* (bater um papo / conversar / trocar ideias / ter uma discussão / ter um desentendimento / uma briga)
- *Have a word with somebody* (dar uma palavra com alguém)
- *Have a look* (olhar / observar)
- *Have a go / a try* (fazer uma tentativa)
- *Have a nice evening / a good day / a bad day / a good time* (ter uma boa noite / um bom dia / um péssimo dia / passar um bom momento)
- *Have a baby* (ter um bebê)

Look

Look possui dois significados principais, os quais exploraremos a seguir. Esse é um verbo que pode ser facilmente confundido com *see* e *watch*, pois têm sentidos parecidos.

Parecendo e aparentando

Quando *look* é seguido de um adjetivo, seu significado é semelhante aos verbos *seem* (parecer) e *appear* (aparentar). Por exemplo, se você diz "*Olga looks angry*", quer dizer que ela parece ou aparenta estar furiosa. Você consegue deduzir esse estado de espírito pelo seu comportamento ou expressão. Aqui estão mais exemplos:

- *Jaume **looks** very unhappy at the moment – is something wrong?* (Jaume parece muito triste neste momento – há algo de errado?)
- *Maria is **looking** excited about the wedding.* (Maria parece animada com o casamento.)
- *She **looks** tired; I think she needs a holiday.* (Ela aparenta cansaço; acho que precisa de férias.)

Com esse sentido de *look*, você pode usar o presente simples ou o presente contínuo / progressivo sem mudar o sentido da frase.

Olhando, vendo e assistindo

Olhar (*look*), ver (*see*) e assistir (*watch*) são três verbos que as pessoas normalmente confundem, porque eles têm significados parecidos – todos exprimem maneiras de ver.

Apêndice B: Verbos Comuns e Irregulares

Você usa, em geral, *look* com partículas adverbiais (por exemplo, *look at, look back, look into, look up*). Alguns dos usos de *look* seguidos dessas partículas possuem significado literal, mas eles também podem ter outros sentidos. Por exemplo, *look into* quer dizer literalmente "olhar para dentro" (de um quarto, por exemplo). Entretanto, *look into* pode também significar investigar ou pesquisar ("*I'll look into the matter and get back to you*" – Analisarei a questão e voltarei a falar com você). Você encontra uma lista dos *phrasal verbs* com *look* no Apêndice A.

O mais importante a se lembrar sobre esse verbo é que ele sugere concentração. Você, em geral, olha deliberadamente para algo – e *look at* (+ objeto) é um dos usos mais comuns de *look*. Aqui estão alguns exemplos:

- Jorg **looked** *carefully at the report, but he couldn't find any reference to the Berlin job.* (Jorg olhou cuidadosamente o relatório, mas não conseguiu achar nenhuma referência ao trabalho de Berlim.)

- *Please* **look** *at this e-mail for me; I need some feedback.* (Por favor, olhe este e-mail para mim; preciso de uma resposta.)

Você usa o verbo *see* para indicar uma percepção visual ou imagem que tenha passado por seus olhos. Ao contrário de *look*, *see* não é sempre deliberado; pode ser acidental. *See* é empregado em um sentido mais geral do que *look*. Aqui estão alguns exemplos:

- *She suddenly* **saw** *him across the road.* (Ela subitamente o viu do outro lado da estrada.)

- *I didn't* **see** *him until he touched me on the arm.* (Não o tinha visto até que ele tocou meu ombro.)

Você também usa *see* em algumas expressões fixas:

- **Seeing** *is believing.* (Ver para crer.)

- *I'll* **see** *what I can do.* (Verei o que posso fazer.)

- *We'll* **see** *about that.* (Veremos sobre isso.)

Watch é menos comum do que *look* ou *see*. O significado de *watch* é muito parecido com o de *look at*, mas esse verbo sugere que algo acontecerá – você presta muito atenção quando *watch* alguma coisa. Aqui estão alguns exemplos:

- **Watch** *how he does it and you'll learn how to do it yourself.* (Veja como ele faz e aprenderá a fazer por si só.)

- *Dinner is on the stove – can you* **watch** *it for me while I quickly go down the shop?* (O jantar está no fogo – pode dar uma olhada para mim enquanto vou rapidinho à loja?)

- **Watch** *out! The car is driving really fast.* (Cuidado! O carro está indo muito rápido.)

Você comumente usa *watch* para programas de televisão, esportes etc. Por exemplo:

- *I **watched** a really good film on TV last night.* (Aqui você também pode dizer "*I saw a really good film.*") (Assisti a um filme muito bom na TV ontem à noite.)

- *She **watched** her first cricket match when she came to England.* (Ela assistiu ao seu primeiro jogo de críquete quando veio à Inglaterra.)

Make

Tem sentido similar ao verbo *do* e é empregado com certas palavras e expressões fixas. O erro mais comum cometido por não falantes nativos é confundi-lo com *do* – a melhor maneira de aprender quando usar *make* ou *do* é memorizar as expressões. Mas quando não estiver certo qual dos dois utilizar, escolha *make* porque é mais provável de estar correto.

Fazendo o serviço doméstico

- *Make the bed* (fazer a cama)

- *Make breakfast / lunch / dinner* (preparar o café da manhã / o almoço / o jantar)

- *Make food* (fazer comida)

- *Make a cup of tea / coffee* (fazer uma xícara de chá / café)

- *Make a mess* (fazer bagunça)

Fazendo negócios

Você também usa *make* em certas expressões relacionadas com o mundo dos negócios. Aqui estão alguns exemplos:

- *Make a change / changes* (fazer uma mudança / mudanças)

- *Make a complaint* (fazer uma reclamação)

- *Make a deal* (fazer um negócio)

- *Make a decision* (tomar uma decisão)

- *Make a demand* (fazer exigência)

- *Make an effort* (fazer um esforço)

- *Make a loss* (ter perdas / prejuízo)

- *Make money* (fazer dinheiro)

- *Make an offer* (fazer uma oferta)

- Make a phone call (fazer uma ligação)
- Make a profit (ter lucro)

Usando make em outras expressões

Por fim, você pode usar o verbo *make* em outras expressões, como nos exemplos abaixo:

- Make an attempt (fazer uma tentativa)
- Make arrangements (tomar providências)
- Make an exception (abrir uma exceção)
- Make an excuse (dar uma desculpa)
- Make love (fazer amor)
- Make a mistake (cometer um erro)
- Make a noise (fazer barulho)
- Make peace (fazer as pazes)
- Make a suggestion (fazer uma sugestão)
- Make war (fazer guerra / guerrear)

Verbos Irregulares

Aqui está uma lista de verbos irregulares úteis:

Infinitive	Past Simple	Past Participle
Be	Was / Were	Been
Become	Became	Become
Begin	Began	Begun
Bite	Bit	Bitten
Blow	Blew	Blown
Break	Broke	Broken
Bring	Brought	Brought
Build	Built	Built
Buy	Bought	Bought
Catch	Caught	Caught
Choose	Chose	Chosen
Come	Came	Come
Cost	Cost	Cost

Infinitive	*Past Simple*	*Past Participle*
Cut	Cut	Cut
Do	Did	Done
Draw	Drew	Drawn
Drive	Drove	Driven
Drink	Drank	Drunk
Eat	Ate	Eaten
Fall	Fell	Fallen
Feel	Felt	Felt
Find	Found	Found
Fly	Flew	Flown
Forget	Forgot	Forgotten
Get	Got	Got
Give	Gave	Given
Go	Went	Gone
Grow	Grew	Grown
Have	Had	Had
Hide	Hid	Hidden
Hold	Held	Held
Keep	Kept	Kept
Know	Knew	Known
Leave	Left	Left
Let	Let	Let
Lose	Lost	Lost
Make	Made	Made
Mean	Meant	Meant
Meet	Met	Met
Put	Put	Put
Ride	Rode	Ridden
Ring	Rang	Rung
Say	Said	Said
See	Saw	Seen
Send	Sent	Sent
Sing	Sang	Sung
Sit	Sat	Sat
Speak	Spoke	Spoken
Swim	Swam	Swum
Take	Took	Taken

Infinitive	Past Simple	Past Participle
Teach	Taught	Taught
Think	Thought	Thought
Understand	Understood	Understood
Wake	Woke	Woken
Wear	Wore	Worn
Win	Won	Won
Write	Wrote	Written

Verbos Modais

Um dos pontos que faz com que os verbos em inglês sejam um pouco diferentes dos das outras línguas, são os verbos auxiliares. Como explicamos no Capítulo 2, você usa os verbos auxiliares para formar perguntas e frases negativas.

Outros verbos especiais, como o *do* e o *does*, são normalmente seguidos por um verbo principal. Eles são chamados de verbos auxiliares modais (*modal auxiliary verbs*) ou verbos modais (*modal verbs*). Em geral, as gramáticas agrupam os verbos modais de acordo com sua função e significado. Nesta parte, veremos dois conceitos principais expressos pelos modais: possibilidade e probabilidade, e obrigação, permissão e proibição.

Possibilidade e probabilidade

Você usa os verbos modais quando quer expressar possibilidade ou caso não esteja seguro de alguma coisa. Aqui estão alguns exemplos:

- ✔ Joe **might** *go to Italy this summer.* (Pode ser que Joe vá à Itália neste verão.)

- ✔ *I* **may** *call Yvonne to see whether she can come to the cinema.* (Talvez eu ligue para Yvonne para ver se ela pode ir ao cinema.)

- ✔ *I* **could** *have the file – I'll check for you if you like.* (Eu posso ter o arquivo – verificarei para você, se quiser.)

Nos exemplos acima, as palavras *might*, *may* e *could* expressam possibilidade. Reveja-as:

- ✔ Joe **might** *go to Italy this summer.* (Isso quer dizer que Joe não está bem certo se vai à Itália no verão.)

- ✔ *I* **may** *call Yvonne to see whether she can come to the cinema.* (Eu ainda não decidi se vou ligar para Yvonne ou não.)

- ✔ *I* **could** *have the file – I´ll check for you if you like.* (Eu não tenho certeza se tenho o arquivo do qual precisa.)

Quando tiver certeza absoluta de algo, use *must* e *can't*. Por exemplo:

- That **must** be Mike in the photo, standing next to Yvette. (Esse certamente é o Mike na foto, em pé perto da Yvette.) (Tenho certeza de que a pessoa é o Mike.)

- That **can't** be John in the photo – John has blond hair, and this man's dark! (Não é possível que esse seja o John na foto – John tem o cabelo louro, e esse homem, preto!) (Tenho certeza de que o homem não é o John.)

Obrigação, permissão e proibição

Você usa alguns verbos modais para expressar permissão ou proibição. Aqui estão alguns exemplos:

- You **can** help yourself to tea or coffee whenever you like. (Você pode se servir de chá ou café quando quiser.)

- You **can't** go into that room; it's private. (Você não pode entrar naquela sala; é particular.)

- You **must** wear a seatbelt at all times when driving. (Você deve sempre usar cinto de segurança ao dirigir.)

- You **mustn't** smoke here. (Você não pode fumar aqui.)

- You **have** to leave the country if they don't renew your visa. (Você tem que sair do país se não renovarem seu visto.)

Nos exemplos anteriores, *can* e *can't*, *must* e *mustn't*, e *have to* expressam permissão, obrigação e proibição. Veja os exemplos novamente:

- You **can** help yourself to tea or coffee whenever you like. (Permissão – não há problemas em se servir de chá ou café quando quiser.)

- You **can't** go into that room; it's private. (Proibição – não é permitida sua entrada naquela sala.)

- You **must** wear a seatbelt at all times when driving. (Obrigação – é necessário que você use o cinto de segurança.)

- You **mustn't** smoke here. (Proibição – não é permitido que você fume aqui.)

- You **have** to leave the country if they don't renew your visa. (Obrigação – é necessário que você deixe o país se não renovarem seu visto.)

Apêndice C
Nos arquivos de áudio

A seguir está a lista das faixas disponíveis nos arquivos de áudio do livro, que você encontra no site altabooks.com.br pesquisando pelo título do livro. Note que esse é um arquivo de áudio apenas.

Tabela A-1	Faixas do arquivo de áudio	
Faixa	*Título*	*Página*
1. Capítulo 1, Faixa 1	Pronúncia	16
2. Capítulo 1, Faixa 2	Entonação	18
3. Capítulo 3, Faixa 1	Cumprimentos	42
4. Capítulo 3, Faixa 2	Bate-papo	44
5. Capítulo 3, Faixa 3	Laços de família	46
6. Capítulo 3, Faixa 4	Contando uma piada	47
7. Capítulo 3, Faixa 5	Contando um caso	48
8. Capítulo 4, Faixa 1	Comprando na padaria	57
9. Capítulo 4, Faixa 2	Comprando em uma loja de jornais e revistas	58
10. Capítulo 4, Faixa 3	Comprando roupas	60
11. Capítulo 4, Faixa 4	Comprando sapatos	63
12. Capítulo 4, Faixa 5	No supermercado	64
13. Capítulo 4, Faixa 6	No mercado	68
14. Capítulo 4, Faixa 7	Falando de números ao telefone	72
15. Capítulo 5, Faixa 1	Em uma chip shop	78
16. Capítulo 5, Faixa 2	Almoçando em um pub	81
17. Capítulo 5, Faixa 3	Informando-se sobre restaurantes	84
18. Capítulo 5, Faixa 4	Reservando uma mesa em um restaurante	86
19. Capítulo 5, Faixa 5	Chegando ao restaurante	87
20. Capítulo 5, Faixa 6	Fazendo o pedido em um restaurante	88
21. Capítulo 5, Faixa 7	Reclamando da comida	90
22. Capítulo 5, Faixa 8	Pedindo a sobremesa	91
23. Capítulo 5, Faixa 9	Pedindo a conta	93
24. Capítulo 6, Faixa 1	Convidando alguém para sair	100
25. Capítulo 6, Faixa 2	Marcando um encontro	101

26. Capítulo 6, Faixa 3	Escolhendo o lugar e o horário do encontro	103
27. Capítulo 6, Faixa 4	Escolhendo um filme	105
28. Capítulo 6, Faixa 5	Socializando no pub	109
29. Capítulo 6, Faixa 6	Convidando colegas de trabalho para jantar	111
30. Capítulo 7, Faixa 1	Turismo em Londres	120
31. Capítulo 7, Faixa 2	Falando sobre programas de TV	122
32. Capítulo 7, Faixa 3	Convidando um colega para uma partida de tênis	126
33. Capítulo 7, Faixa 4	Discutindo uma partida de futebol	127
34. Capítulo 8, Faixa 1	Convidando um amigo para o cinema	134
35. Capítulo 8, Faixa 2	Pedindo informações sobre um quarto para alugar	137
36. Capítulo 8, Faixa 3	Telefonando para a central de atendimento de trens	138
37. Capítulo 8, Faixa 4	Lidando com o serviço de atendimento telefônico automático	139
38. Capítulo 8, Faixa 5	Ligando para um colega de trabalho	140
39. Capítulo 8, Faixa 6	Fazendo uma conferência telefônica	142
40. Capítulo 8, Faixa 7	Uma ligação ruim	149
41. Capítulo 9, Faixa 1	Na agência de empregos	155
42. Capítulo 9, Faixa 2	Sendo apresentado pelos colegas	160
43. Capítulo 9, Faixa 3	Falando de uma assinatura de revista	164
44. Capítulo 9, Faixa 4	Conseguindo informações sobre uma *host family*	173
45. Capítulo 10, Faixa 1	Conversando sobre as seções pessoais do jornal	183
46. Capítulo 10, Faixa 2	Conversando sobre o horóscopo	185
47. Capítulo 10, Faixa 3	Solicitando um visto de turista	189
48. Capítulo 11, Faixa 1	Cancelando os cartões de crédito roubados	204
49. Capítulo 11, Faixa 2	Fazendo o câmbio de moedas	207
50. Capítulo 11, Faixa 3	Enviando dinheiro para o exterior	209
51. Capítulo 12, Faixa 1	Informando-se sobre hotéis em um centro de informações turísticas	215
52. Capítulo 12, Faixa 2	Reservando um quarto de hotel	219
53. Capítulo 13, Faixa 1	Reservando um voo	233
54. Capítulo 13, Faixa 2	Fazendo o check-in no aeroporto	235
55. Capítulo 13, Faixa 3	Comprando uma passagem de trem	243
56. Capítulo 13, Faixa 4	Pedindo informações	250
57. Capítulo 14, Faixa 2	Indo ao médico	260
58. Capítulo 14, Faixa 2	Comunicando o roubo de uma bolsa à polícia	265

Índice Remissivo

•A•

A bit much 281
acampamento 229
Acidentes e emergências
  hospitais 289
Acomodações
  Albergues da juventude 213
  B&Bs 213
  check-in 220
  check-out 220
  Guesthouses 214
  hotéis 214
  Reclamando das acomodações 222
  reservas 217
actually 297
Adam Smith 200
advérbios de frequência 117
Aeroportos de Londres 237
agência de emprego 155
agência de empregos 155
agentes de trânsito 263
Albergues da juventude 213
alfabeto fonético internacional 14
Alfabeto Fonético Internacional
  tonicidade 16
almoço
  hora de almoço 153
  sobre 308
amigos 119
anúncios pessoais 180
apartamentos
  Alugando 227
  Dividindo 168
  em conjuntos habitacionais 162
Apartamentos
  Alugando 227
  Conjuntos habitacionais 162
  Dividindo 168
apple crumble 91
Apple Store no iTunes 275
apresentações no 159
aquecimento 166

ar-condicionado 216
assado 76
Aterrissando e saindo do aeroporto 238
atividades ao ar livre 115
  atividades de lazer 115
  esportes 115
At the end of the day 282

•B•

baclava 84
bancos 202
Bancos
  transferência de dinheiro em 209
bangers and mash 82
banheiro 166
bares 154
barfi 84
bate-papo 112
B&Bs 213
be able to 210
bebidas 230
bebidas sem álcool 87
berlinense 181
black pudding 82
Bless you! 298
Bobbies 263
bolsas de compras 65
Bon Appétit 299
Boxing Day 291

•C•

café da manhã 321
café da manhã europeu 76
café da manhã inglês 75
caixa eletrônico 200
caixas eletrônicos 206
calçados
  tamanhos 62
cama e café da manhã 214
câmbio 206
câmbio de moedas 207

cambistas 106
caminhando no interior 115
Car boot sales 68
Carnaval 294
Carnaval de Notting Hill 294
cartões de crédito 65, 199
  em pubs 2
  Pagando com cartão 202
cartões de fidelidade 65
casas de câmbio 206
cédulas 199
celebrações multiculturais 289
cerveja 286
Charles Darwin 200
cidades-dormitório 161
cigarros 58
cinema
  encontros 107
clubes e academias 127
Come to think of it 299
comida para viagem 77
comprando
  Car boot sales 68
  carne e peixe 66
  em corner shops 58
  high street 58
  mercado 66
  pesos e quantidades 66
  supermercado 68
Comprando carne 66
Comprando frutas 66
compras na high street
  de roupas e sapatos 63
  horário de funcionamento 55
  tipos de lojas 56
comunicação eletrônica 193
  mensagens de texto 194
concordância 285
condicionais
  em horóscopos 184
Contando casos 46
contexto 10
conversa informal
  casos e piadas 46
  com estranhos 41
  expressões que o fazem soar fluente 4
  sobre o tempo 28
convites
  apartamento 135
  para tomar um drinque 107

coquetéis 87
corner shops 58
couch potato 115
could
  em horóscopos 184
cozinha 214
cozinha internacional
  sobremesas 91
crimes e problemas legais
  Envolvendo-se em um problema 262
Crimes e problemas legais 257

• D •

Daily Mirror 181
Daily Telegraph 181
datas comemorativas 293
  Carnaval de Notting Hill 294
  celebrações multiculturais 289
  Dia das Mães 293
  Dia de São Patrício 293
  Dia do Armistício 295
  Dia dos Namorados 289
  Dia dos Pais 293
  Diwali 290
  Halloween 294
  Noite das Fogueiras 290
de casas 161
de frases simples 22
dentistas 262
Descrevendo cidades 251
detached houses 161
de táxi 246
de trem 242
Dia das Mães 293
Dia de Todos os Santos 294
Dia do Armistício 295
Dia dos Pais 293
Dia Internacional dos Trabalhadores 291
dinâmicos 30
dinheiro 207
  cartões de crédito 199
  moedas 207
  pronúncia 8
  transferências 209
Dinheiro 199
direct questions 26
Dividindo um apartamento 168
Diwali 290
do, does ou did

Índice Remissivo

como verbos auxiliares 25
expressões idiomáticas 163

• E •

Eid 290
Elizabeth Fry 200
e-mail
　contexto 194
　endereços 194
　escrevendo 194
　emergências 198
　　Conseguindo ajuda rapidamente 257
　　problemas de saúde 258
empregos 1
em pubs 179
encontros 54
Endereços
　da internet 2
　de e-mail 164
　postal 165
endereços da internet 177
ênfase nas frases 17
entonação 223
Escrevendo cartas 191
escritório 22
Espirrar 298
esportes
　curiosos 128
　praticando 115
Eurotúnel 228
exemplos de perguntas
　No supermercado 64
　postos de gasolina 202
　Question tags 27
　You know what? 304
experiência 154
expressões
　have em 43
　No supermercado 329
　para descrever cidades 251
　para falar de livros 123
　para falar de trabalho 318
　Para viagens a negócios 229
　postos de gasolina 202
　Verbos modais 184
expressões coloquiais 58
　A bit much 281
　At the end of the day 282
　com do 310

expressões que o fazem soar fluente 4
Fancy a drink? 283
Fingers crossed 283
Good weekend? 284
How's it going? 284
Question tags 27
See you later 101
Tell me about it 285
You must be joking 286
expressões que o fazem soar fluente 4

• F •

Facebook 191
falsos amigos 10
Fancy a drink? 283
fazendo o check-in
　em hotéis 213
　para voos 238
Fazendo perguntas 25
feriado bancário do verão 291
feriados 4
feriados oficiais 290
filmes 3
Fingers crossed 283, 284
fit 73
fonemas
　alfabeto fonético internacional 14
　Ênfase nas palavras 15
　entonação 285
　pronunciação 3
fonemasa
　ênfase nas frases 17
Formando filas 244
Formas afirmativas
　frases simples 21
　futuro 35
　passado 38
　Presente 30
　Presente perfeito 30
formas condicionais 38
formas gramaticais negativas
　presente perfeito 320
formulários 164
frases simples 261
fumar 217
　em pubs 179
　no cinema 276
futebol 330
Future tense

com will 35
futuro 1

• G •

George Bernard Shaw 11
Good weekend? 284
gramática
   formas condicionais 38
   frases simples 22
   phrasal verbs 147
   relative clauses 23
   verbos e tempos verbais 21
Gramática 307
Guardian 181
Guesthouses 214
Guinness 293
gulab jamun 84
Guy Fawkes Night 290

• H •

Halloween 294
halwa 84
Hang on a minute 141
Hanucá 290
Harold Palmer 21
have
   Descrevendo ações 321
   no presente perfeito 320
histórias
   casos 33
hobbies
   em podcasts 275
Hobbies 115
Hogmanay 291
home 303
hora do rush 156
horário comercial 153
horários 308
   do rush 285
   dos bancos 209
horóscopo 330
horóscopos 184
hóspedes/convidados
   Au pairs 173
hospitais 289
Host Families 173
hotéis 213
   fazendo o check-in 235
   fazendo o check-out 224
   Morando em 215
   Reclamando das acomodações 213
How 168

• I •

ícone "Pareça nativo" 28
imobiliárias 167
Inglês
   falsos amigos 10
   palavras internacionais 13
inglês escrito 277
Internacional 291
irregulares 33
iTunes 275

• J •

jantar
   sobre 166
John Houblon 200
jornais 179
   Anúncios pessoais 182
   formato standard 180
   manchetes 182
   tabloides 181
jornal distribuído gratuitamente 180

• L •

legumes 76
ligações para pedir informações
   expressões para 89
ligações telefônicas 135
   Entendendo a linguagem em 132
   informações 143
   Lidando com problemas de comunicação 141
   Números de telefone 147
   Serviço de atendimento automático 139
linguagem corporal 131
Live Messenger 278
livros 44
Livros
   Falando sobre 41
lojas que vendem roupas usadas 59
look 38
look forward to 313
Lovely day! 44

Índice Remissivo

• M •

make 169
manchetes 182
manchetes de jornais 182
Marcando um encontro 329
May Day 291
medidas
  distância 236
  pesos e quantidades 66
mensagens de texto 194
metro 67
metrô de Londres 202
mezanino 222
modais 28
moedas 199
molho de carne 83
moradias 153
  apartamentos 167
  cômodos principais 166
  detached houses 161
  Dividindo um apartamento 168
  Encontrando um lugar 167
  Neighbourhood Watch 165
  place 190
  semi-detached houses 161
  subúrbios 161
  terraced houses 161

• N •

nacionalidades 229
Natal 289
negócios 227
Neighbourhood Watch 165
No Commercial / Junk Mail 188
No Fly Posting 189
Noite das Fogueiras 290
no presente perfeito 320
No Smoking 187
No Swimming 188
No Trespassing 188
novelas 122, 274
No Waiting 188
número de identificação pessoal 200, 202
números 303
  dinheiro 304
  pesos e quantidades 66
números de telefone 148
  para emergências 262

• O •

objeto 68
  de frases simples 22
  de phrasal verbs 147
observadores de trens 115
observadores de trens e aviões 115
oficiais voluntários 263
oração complexa 21
ordem das palavras para 24
Os mártires do metro 67
Oyster card 240

• P •

palavras de conteúdo 17
palavras de estrutura
  de frases simples 22
  frases sem 23
  sujeito 22
palavras internacionais 13
para descrever cidades 251
para o Reino Unido 227
Para viagens a negócios 229
partes do corpo 268
passado 11
passado (past tense)
  Verbos irregulares 33
  Verbos regulares 33
pavimentos ou pisos
  de casas 122
  mezanino 222
pedágio 246
pedágio urbano 247
pedágio urbano de Londres 247
Pedindo a conta 92
pedindo ajuda
  fazendo compras 208
Pedindo ajuda 170
pedindo comida
  para viagem 77
Pedindo comida
  refeições de avião 77
Peelers 263
peixaria 66
peixe
  lojas de fish and chips 77
perguntas
  perguntas fechadas 18

Question tags 27
Wh-questions 24
Perguntas em relação ao sujeito 25
Perguntas indiretas 26
permissão
  pedindo 327
  verbos modais para 328
pesos 66
phrasal verbs 306, 307
  Praticando 310
piadas 2
piqueniques 124
place 215
plugues 221
polícia 262
Poppy Day 296
porções do idioma 21
postos de gasolina 202
Praticando 310
praticando esportes 115
preenchendo formulários
  passaporte ou visto 189
Preenchendo formulários 179
preferência 39
presente 11
presente perfeito 11, 320
  descrito 31
  just com 32
Presente perfeito 30
presente simples 35
primeiro andar 162
probabilidade 184
problemas 141
problemas de saúde 198
  dentista 257
  emergência 198
problemas legais e crimes
  Envolvendo-se em um problema 262
pronúncia 8
pronunciação
  alfabeto fonético internacional 14
Pronunciação
pubs
  encontros 14
  história dos 107

• Q •

quartos 214
quartos individuais 214

question tags
  Entonação 329
  presente perfeito 11
quid 137

• R •

raps 10
recebendo dinheiro de outro país 199
reclamando
  das acomodações 213
recursos da internet
  Albergues da juventude 213
  Esportes curiosos 128
  Live Messenger 278
  Second Life 278
  sinalizações de trânsito 187
  Skype 278
  Twitter 278
refeições 1
  café da manhã 239
  em voos 238
  para viagem 77
refeições fora de casa
  em voos 238
  Escolhendo onde comer 80
  gorjetas 109
  Reservando uma mesa 85
Remembrance Day 295
Reservando uma mesa 329
Reservando um voo 330
reservas
  de acomodações 213
  de voos 227
  em restaurantes 301
restaurantes
  Escolhendo 80
  fast food 80
  Pedindo a conta 92
  Reclamando da comida 89
  Reservando uma mesa 85
restaurantes fast food 80
reuniões 9
revistas 167, 193
Robert Peel 263
roupas
  tamanhos 60
Roupas
  comprando 243

• S •

sala de estar 166
sala de jantar 166
seção diversão e jogos
  atividades ao ar livre 115
  Bate-papo 329
  Inglês Escrito 179
  ligações telefônicas 135
  moradias 153
  partes do corpo 258
  sílabas tônicas 2
Second Life 278
See you later 285
segurança 139
seguro-saúde 261
semi-detached houses 161
serviço de correio de voz 143
shows de comédia 106
signos do zodíaco 185
simples 21
sinalização 186
sistema de saúde britânico 258
sistema imperial britânico 67
sistema métrico 67
Skype 278
sobremesa 329
Sobremesas
  de Natal 289
sobre o tempo 28
Spotted dick 84
suburbia 162
subúrbio 162
suit 215
sun 299

• T •

tabloides 181
tarefas domésticas
  com do 317
táxis 246
táxis pretos 245
telefone 86
telefone celular 104
  Mensagens de texto 148
  no cinema 104
televisão
  novelas 122
  Tipos de programas 121
Tell me about it! 285
tempos verbais 3
terraced houses 161
térreo 158
text me 194
The London Paper 181
The thing is... 303
The Times 192
the Tube 240
tipos de programas 275
tiramisu 91
toad in the hole 82
tonicidade 9
trabalho
  apresentações no 159
  Falando sobre 41
  horário comercial 153
  reuniões 291
  visto para 228
transporte público 289
trifle 84
try on 60
twin rooms 221
Twitter 278

• U •

UK Border Agency 267
Underground 320
Usando a educação
  What 263

• V •

Valentine's Day 290
VAT 92
verbos irregulares 306
  passado simples 11
Verbos modais 184
verbos regulares 315
verbo to be 24
Viagens aéreas
  Aeroportos de Londres 237
  Alimentação e compras em trânsito 237
  Aterrissando e saindo do aeroporto 238
  check-in no aeroporto 330
  Reservando um voo 330
visitando 119
Visitando amigos 110

visto
　Problemas com 267
vocabulário 112

• W •

watching 34
websites 164
whether 26
which 23
who 23
whose 23
Why 42
Would 253

• X •

Xingamentos 194

• Y •

You know what? 304
You must be joking! 286